ДЖУДИТ М...
*Искусство д...*

＊

# ДЖУД ДЕВЕРО
*Мне просто любопытно*

◆

# АНДРЕА КЕЙН
*Рождественский подарок*

◆

# ДЖУДИТ О'БРАЙЕН
*Пять золотых колец*

*Страсть*

ИЗДАТЕЛЬСТВО
Москва
1999

ББК 84 (7США)
Д20

Серия основана в 1996 году

A GIFT OF LOVE
1995

Перевод с английского Э.Н. Питерской, Н.Х. Ибрагимовой

Печатается с разрешения издательства Pocket Books,
a division of Simon & Schuster, Inc.
c/o Bratina & Shapland, Ltd.

**Дар любви:** Сборник/Пер. с англ. Э.Н. Питерской,
Д20  Н.Х. Ибрагимовой. — М.: ООО «Фирма «Издательство АСТ», 1999. — 400 с. — (Страсть, вып. 24).

ISBN 5-237-03201-X

Нет и не может быть для настоящей женщины дара более
драгоценного, чем дар любви.

«Первые леди любовного романа» Джудит Макнот и Джуд
Деверо и восходящие звезды жанра Андреа Кейн и Джудит
О'Брайен дарят читательницам четыре истории о любви. Любви
прекрасной и волшебной, страстной и обжигающей, чувственной и
святой. О любви, которая приходит нежданно, чтобы стать светом
во тьме и смыслом жизни...

# Джудит Макнот
## Искусство фотографа

# Judith McNaught
## DOUBLE EXPOSURE

# Глава 1

Прижав к уху телефонную трубку, Диана Фостер нетерпеливо ходила перед своим столом, не обращая внимания на великолепный вид Хьюстона, открывавшийся перед ней из окна небоскреба, где на одном из этажей размещалась редакция журнала «Образцовое домоводство Фостеров».

— По-прежнему никто не отвечает? — спросила Кристин Нордстром, младший технический редактор журнала.

Диана молча покачала головой, положила трубку и взяла с полки за спиной свою сумку.

— Наверное, все возятся в саду, испытывают какую-нибудь новую невообразимую агротехнику, — пошутила она и, надевая легкий зеленый жакет с белой отделкой, задумчиво добавила: — А ты замечала, что, когда у тебя особенно интересная новость, ты никак не можешь отыскать людей, с которыми тебе хотелось бы ею поделиться?

— Совершенно верно, — согласилась Кристин и тут же предложила: — Как насчет того, чтобы поделиться интересной новостью со мной?

Кристин недавно исполнилось тридцать два, она была на два года старше Дианы и выше ее на целую голову. В наследство от предков-северян ей достались голубые глаза и белая кожа. В придачу к этому она была рассудительной, энергичной и надежной, что делало ее незаменимой в такой важной области, как производственная.

Диана расправила белую юбку и, подняв голову, улыбнулась Кристин:

— Ладно, тогда слушай. Я только что решила сделать в Ньюпорте на Род-Айленд серию снимков для рубрики «Идеальная свадьба». Такая возможность возникла только сегодня утром, и нам придется работать в темпе, но грех упускать подходящий случай. Так вот, если ты не слишком загружена, я хотела бы послать тебя в Ньюпорт в помощь нашей обычной команде. Майк Макнейл и Кори тоже будут там. Ты можешь работать с ними на съемках, ты им очень пригодишься, и тебе это будет полезно: узнаешь, как фотографировать на натуре, да еще в спешке и в трудных условиях. Как это тебе?

— Как гром среди ясного неба, — отозвалась Кристин, причем ее лицо выражало искреннее удовлетворение. — Я всегда мечтала поработать с командой Кори. А что касается естественных декораций, то что может быть лучше живописного Ньюпорта. — И, увидев, что Диана направилась к дверям, добавила: — Постой, Диана, я хочу поблагодарить тебя за все, что ты для меня сделала. Работать с тобой настоящая радость...

Диана подняла руку, отмахиваясь от похвалы.

— Продолжай искать Кори, — попросила она Кристин. — И если дозвонишься, передай, чтобы все дома были наготове. Скажи, что у меня есть для них замечательная новость. И для Кори в первую очередь.

— Обязательно скажу. А ты передай Кори, что я жду не дождусь, когда начну работать с ней. — Кристин смолкла, и неуверенная, смущенная улыбка появилась у нее на лице. — Диана, а Кори знает, как она похожа на Мег Райан?

— Советую оставить свое открытие при себе, — предупредила Диана. — Ее и так все время принимают за Мег Райан и отказываются верить, что это не она. Некоторые даже злятся, считают, что Кори их обманывает.

Зазвонил телефон, и Кристин взяла трубку.

— Это Кори, — протянула она трубку Диане. — Она звонит из машины.

— Ну, слава Богу! — Диана поспешно вернулась к столу. — Кори, куда ты запропастилась? Я ищу тебя целое утро.

Кори почувствовала возбуждение, прозвучавшее в голосе сестры, но все ее внимание было сосредоточено на оранжевого цвета пикапе, пытавшемся втиснуться в тот ряд, где ехала Кори, полностью игнорируя ее присутствие.

— Я все утро провела в типографии, — наконец отозвалась Кори и, признав свое поражение, перешла в другой ряд, уступив место нахальному пикапу: по крайней мере теперь он не оставит оранжевую полосу на боку ее темно-вишневой машины. — Мне показалось, что некоторые снимки, предназначенные для следующего номера, не совсем удачные. Те самые, что иллюстрируют пикник. Я решила заменить их другими.

— Не беспокойся ты об этих снимках, все будет в порядке. У меня есть куда более важная новость. Ты успеешь за двадцать минут добраться до дома? Я хочу объявить ее всем сразу.

— Я что-то не поняла. Неужели это ты успокаиваешь меня насчет следующего номера? Вот уж на тебя не похоже! — шутливо упрекнула Кори всегда сверхосторожную сестру, на этот раз удивившую ее своим оптимизмом. Она взглянула в верхнее зеркало и перешла в другой ряд, чтобы свернуть на Ривер-Оукс, а не ехать в редакцию журнала, как она раньше намеревалась. — Я направляюсь домой, — объявила она, — но требую, чтобы ты сейчас же хотя бы намекнула, о чем речь.

— Хорошо, так и быть. Что ты скажешь, если я тебе открою, как нам повезло? Ты просто не поверишь! Мать невесты хочет, чтобы мы поместили в рубрике «Идеальная свадьба» целую фотоподборку о свадьбе ее дочери. Видимо, она жаждет повысить свой рейтинг в обществе. Если мы согласимся на ее предложение, она, в свою очередь, предоставит нам полную свободу действий. Мы, как обычно, проведем съемки для рубрики, а она все оплатит, включая дорожные расходы наших сотрудников.

Уже много месяцев Кори с Дианой искали материал в рубрику «Идеальная свадьба» именно для этого номера журнала, но до сих пор отвергали все варианты — то Диана считала расходы непомерно высокими, то Кори находила выбранную свадьбу недостаточно интересной. Диана целиком отвечала за все финансовые вопросы фирмы «Фостер», в то время как Кори обеспечивала высококачественные фотоиллюстрации, достойно украшавшие страницы «Образцового домоводства Фостеров».

— Что касается финансовой стороны, то, кажется, тут все в порядке, а как насчет места съемки? Как все это выглядит? — заволновалась Кори.

— Успокойся, — посоветовала ей Диана.

У себя в машине Кори покорно улыбнулась.

— Я готова к любому удару, — призналась она. — Можешь говорить.

— Церемония состоится на лужайке перед домом дяди невесты... прелестным малюсеньким особнячком в сорок пять комнат, построенным в 1895 году с разными излишествами, такими, как расписные потолки, художественная лепнина и еще множество других архитектурных деталей, которые ты можешь сфотографировать для нашего следующего подарочного альбома. Знаешь, такие толстые роскошные книги с отличной бумагой, которые приятно полистать на досуге? — пошутила Диана.

— Хватит меня томить, — прервала сестру Кори, еле сдерживая нетерпение. — Где находится домик?

— Ты готова услышать ответ?

— Да.

— В Ньюпорте, на Род-Айленд.

— Боже мой, вот здорово! — воскликнула Кори, мысленно представив себе живописные ракурсы с роскошными яхтами на заднем плане и сверкающим на солнце синим океанским простором.

— Мать невесты уже прислала мне фотографии дома и парка своего брата и сегодня утром сама позвонила мне. Судя по некоторым деталям, не она, а брат оплачивает все расходы. Да, забыла сказать: она дает нам в помощь шесть человек из местных, они будут работать под нашим началом. Это позволит нам сделать еще и снимки особо интересных комнат в доме, так что рассчитывай на дополнительную съемку. Все материалы и люди, конечно, за их счет, плюс наше проживание в доме. Свободных номеров в гостиницах уже нет в связи с началом сезона, к тому же нам придется работать допоздна, так что это весьма удачное решение. И еще. В доме много прислуги, на свадьбу приглашены гости, поэтому нам не мешает присматривать за своим оборудованием.

— Пустяки, ради такого случая я готова поселиться даже в доме Синей Бороды, — заверила Кори.

В ответе Дианы послышались тревожные нотки.

— Хорошо, ну а если это не Синяя Борода, а Спенсер Аддисон?

— Я предпочту Синюю Бороду, — без малейшего колебания ответила Кори.

— Так я и думала.

— Может, подыщем какую-нибудь другую свадьбу?

— Ладно, поговорим об этом дома.

## Глава 2

К тому времени, когда Кори повернула на Инвуд-драйв, а потом на длинную, обсаженную густыми деревьями аллею, которая вела к дому, она уже точно решила, что поедет в Ньюпорт. Диана, несомненно, знала об этом. И Кори, и Диана готовы были поступиться всем ради блага друг друга, блага семьи и блага фирмы «Фостер». Не сговариваясь, они всегда придерживались этого правила.

Мать и бабушка Кори тоже обязательно отправятся в Ньюпорт, поскольку именно они являлись создателями того самого знаменитого стиля, который все теперь называли «стилем Фостеров». Кори и Диана успешно развили основные особенности стиля и теперь рекламировали его в национальных масштабах через свой журнал и книги по домоводству, но предприятие по-прежнему существовало благодаря совместным усилиям всех членов семьи. Для матери и бабушки новая встреча со Спенсером будет лишь сюрпризом, но никак не трагедией, ведь Спенсер не причинил им такую боль, какую причинил Кори.

Машина Дианы уже стояла перед большим особняком в георгианском стиле, служившим одновременно и родовым гнездом, и «полигоном» для испытания различных новых идей по садоводству, кулинарии и интерьеру, находивших свое воплощение на страницах «Образцового домоводства Фостеров».

Кори выключила мотор и посмотрела на дом, который они с Дианой вместе с остальными членами семьи помогали сохранять и украшать. Сколько памятных событий в ее жизни связано с ним, думала Кори, продолжая сидеть в машине, не спеша войти в дом, где ей придется участвовать в обсуждении свадьбы в Ньюпорте. Кори исполнилось тринадцать, когда она впервые увидела Диану в холле именно этого дома, а через год Кори познакомилась со Спенсером Аддисоном на лужайке за домом, где она впервые наравне со взрослыми участвовала в пикнике.

Здесь, в этом доме, Кори научилась любить и уважать Роберта Фостера, широкоплечего гиганта с добрым сердцем и блестящим умом, который позже удочерил ее. Роберт встретил мать Кори в городке Лонг-Вэлли, где купил завод, в конторе которого она работала секретаршей, и дальнейшее развитие событий больше походило на волшебную сказку. Очарованный прелестным лицом и милой улыбкой Мери, миллионер из Хьюстона в первый же день пригласил ее поужинать и в тот же вечер решил, что нашел свой идеал.

На следующий день он посетил родителей Мери, у которых она жила вместе со своей дочерью, потом последовал короткий период бурного ухаживания с привлечением на свою сторону всех членов маленькой дружной семьи. По вечерам Роберт Фостер появлялся на пороге с огромным букетом цветов, маленькими подарками для каждого из своих новых знакомых и засиживался далеко за полночь, пока все, кроме Мери, не удалялись к себе, а он, обняв Мери за плечи, выходил с ней в сад, и они до рассвета сидели на качелях.

По прошествии двух недель он окончательно подружился с Кори, склонил на свою сторону родителей Мери и развеял сомнения самой Мери, после чего без задержки усадил в собственный самолет невесту и ее дочь и увез их далеко от скромного деревянного домика на окраине Лонг-Вэлли. Спустя несколько часов он на руках внес сначала Мери, а потом Кори в свой дом в Хьюстоне, где они и жили с тех самых пор.

Диана не присутствовала на свадьбе отца, потому что путешествовала по Европе со школьными друзьями и их родителями, и Кори страшилась встречи со своей новой сестрой, когда та наконец вернулась в Хьюстон в конце лета. Диана была на год старше Кори, и, по слухам, большая умница. Кори не сомневалась, что в придачу Диана окажется красавицей с огромным самомнением.

В день возвращения Дианы Кори притаилась на лестнице и подслушала, как ее приемный отец в гостиной сообщал Диане, что, пока она «все лето бездельничала в Европе», он нашел для нее новую мать и даже сестру.

Он познакомил Диану с матерью Кори, но Кори не разобрала слов, поскольку они говорили вполголоса, хотя было ясно, что с Дианой не случилась истерика, когда она узнала новость о женитьбе отца. Это немного успокоило Кори, и тут отчим попросил ее спуститься вниз.

С дрожащими коленками, но с упрямо вздернутым подбородком, что должно было означать «мне все равно, что вы обо мне думаете», Кори спустилась по лестнице.

На первый взгляд Диана Фостер оправдывала все самые худшие ожидания Кори. Она не только была изящной и прехорошенькой, с зелеными глазами и массой блестящих вьющихся каштановых волос почти до пояса, но еще и выглядела так, будто сошла с картинки молодежного журнала мод: ее очень короткая бежевая юбка отлично сочеталась с клетчатой блузкой бежевых и синих тонов и бежевым блейзером с вышитой эмблемой на кармане. Кремовые колготки подчеркивали стройность ног.

Кори была выше ростом, одета в обычные джинсы и рядом с Дианой чувствовала себя невзрачной и уродливой со своими невыразительными голубыми глазами и прямыми как палки прядями выгоревших светлых волос, собранных на затылке в хвост. В честь торжественного события Кори надела свою любимую майку с изображением белой лошади на груди. Стараясь не падать духом, Кори молча разглядывала Диану, а та, также молча, в упор смотрела на свою новую сестру.

— Что молчите, девочки? — спросил Роберт Фостер доброжелательным, но властным тоном. — Вы теперь сестры!

— Привет, — пробормотала Диана.

— Привет, — отозвалась Кори.

Кори показалось, что Диана уставилась на ее майку, и она еще выше подняла голову. Это ее бабушка в Лонг-Вэлли с любовью нарисовала на майке лошадь, и если Диана Фостер позволит себе хотя бы одно неодобрительное слово, Кори одним ударом свалит эту фарфоровую куколку на пол.

Наконец Диана нарушила неловкое молчание.

— Ты любишь лошадей? — спросила она.

Кори пожала плечами, потом кивнула.

— Мы можем пойти к Барбаре Хейвард, они держат большую конюшню скаковых лошадей. А у брата Барбары Дугласа есть даже пони для игры в поло, — продолжала Диана.

— Я очень мало ездила верхом, и всегда на спокойных лошадях. Я не удержусь на скаковой лошади, — призналась Кори.

— Я тоже могу разве только погладить ее, — подхватила Диана. — Весной одна лошадь меня сбросила, — сказала она и поставила ногу на первую ступеньку лестницы, чтобы подняться на второй этаж, где находилась ее спальня.

— Если лошадь тебя сбросит, надо тут же садиться обратно в седло, — наставительно произнесла Кори, испытывая радостное облегчение оттого, что Диана с готовностью признавала свои слабости. Кори всегда мечтала иметь сестру, и, может быть — она еще не смела надеяться, — это изящное красивое темноволосое создание станет для нее подругой. Диана, по всей видимости, не страдала высокомерием.

Они вместе поднялись на второй этаж и задержались перед дверями своих комнат. Снизу, из гостиной, доносился веселый смех их родителей, такой молодой и беззаботный, что девочки невольно обменялись улыбками, словно поймав взрослых за несоответствующим их возрасту занятием. Кори почувствовала, что обязана дать Диане какое-то объяснение, и искренне сказала:

— Твой отец очень добрый. Мой бросил нас, когда я была совсем маленькой. Они с мамой развелись.

— Моя мама умерла, когда мне было пять лет. — Диана склонила голову набок, прислушиваясь к счастливым голосам, доносившимся из гостиной. — Твоя мама заставляет моего отца смеяться. Мне кажется, она хороший человек.

— Очень хороший.

— Она строгая?

— Иногда. И то не очень. Но потом она раскаивается и делает для меня целую гору шоколадного печенья или пирог со свежей клубникой. — Кори замялась. — Я хочу сказать, не только для меня, но и для твоего папы.

— Шоколадное печенье, вот здорово! — не без зависти сказала Диана. — А пирог со свежей клубникой — это вообще сказка!

— Мама считает, что следует пользоваться только свежими фруктами и овощами. И бабушка тоже. Вообще никаких фабричных консервов. И замороженных продуктов тоже.

— Вот здорово! — снова восхитилась Диана. — А наша повариха Кончита добавляет во все блюда красный перец.

— Знаю, — рассмеялась Кори. — Но мама уже сама распоряжается на кухне.

Внезапно Кори почувствовала, что и они с матерью могут сделать что-то хорошее для Дианы и ее отца.

— Теперь, когда моя мама стала и твоей мамой, тебе не придется больше есть перец Кончиты, — сказала она и, поддразнивая, добавила: — Подумать только, ты будешь есть пироги без перечной начинки!

— И больше никогда никаких блинчиков с перечной подливкой! — включилась в игру Диана.

Девочки вдруг смолкли, и их смущенные и растерянные взгляды встретились, словно они понимали, что их будущее зависит от тех слов, которые они произнесут в эти первые минуты знакомства. Кори первая набралась смелости нарушить молчание:

— Твой отец подарил мне на день рождения замечательный фотоаппарат. Я научу тебя снимать, и ты можешь пользоваться им, когда захочешь.

— Мне кажется, что теперь мы обе должны называть его отцом.

Это было откровенное предложение поделиться отцом и его любовью. Кори прикусила задрожавшую от волнения губу.

— Я всегда мечтала иметь сестру, — призналась она.

— Я тоже, — подхватила Диана.

— Мне нравится твой костюм, он элегантный, — похвалила Кори.

Диана посмотрела на белую лошадь, скакавшую поперек груди Кори.

— Мне нравится твоя майка! — объявила она.

— Она правда тебе нравится?

— Правда, — энергичным кивком подтвердила Диана.

— Я позвоню бабушке и скажу ей об этом. Она сделает тебе такую же, только выбери цвет. Мою бабушку зовут Роза Бриттон, но она захочет, чтобы ты тоже называла ее бабушкой, как и я.

Глаза Дианы засияли.

— У тебя в придачу и бабушка есть?

— Да. Бабушка не только художница, она еще умеет выращивать цветы. Дедушка тоже любит копаться в земле, только вместо цветов он выращивает овощи. И еще он умеет плотничать! Он может запросто пристроить к дому веранду или мансарду или переоборудовать кухню. — Чтобы подкрепить свои слова, Кори попыталась щелкнуть пальцами, но от волнения у нее ничего не вышло. — Заказывайте все, что хотите, он вам все построит. Надо только попросить.

— Ты хочешь сказать, что у меня будет еще и дедушка?

Кори кивнула и с удовольствием увидела, как Диана подняла глаза к потолку и радостно воскликнула:

— Сестра, мама, бабушка и дедушка! Вот так удача!

Дальше все пошло словно в волшебном сне.

Как и предполагала Кори, дедушка с бабушкой полюбили Диану с первого взгляда, и девочки столько времени проводили в Лонг-Вэлли с Розой и Генри Бриттонами, что отец объявил им, что он их ревнует. Когда весной следующего года Мери скромно намекнула, что хотела бы, чтобы ее родители жили поближе, Роберт быстро разрешил проблему, пригласив архитектора, который подготовил план перестройки и расширения стоящего в парке домика для гостей, после чего с почтительным изумлением наблюдал, как Генри Бриттон взял на себя почти все плотницкие работы. Постройка теплицы для Розы и разбивка огорода были для Генри уже сущим пустяком.

Щедрый жест Роберта окупился тысячу и тысячу раз вкусными блюдами, приготовленными из овощей и фруктов, выращенных на его собственной земле, и букетами цветов, украсившими дом. Более того, стол теперь накрывали в самых разных комнатах и местах, в зависимости от каприза и настроения тех, кого Роберт привычно называл «мои повелительницы».

Иногда они ели в просторной кухне с кирпичными стенами и медными сковородами и кастрюлями, развешанными над газовой плитой и электрическими духовками; иногда обедали в саду под зеленым в белую полоску тентом и на такой же зеленой в белую полоску скатерти, в другой раз — рядом с бассейном, сидя на удобных стульях, которые смастерил дедушка Генри из деревянных планок; случалось, они ели на одеяле, расстеленном на лужайке, но при этом пользовались хрустальными бокалами и тонкой фарфоровой посудой, что Мери называла «единством противоположностей».

Умение Мери сервировать стол, готовить кушанья и принимать гостей удостоилось особой похвалы, когда через год после брака с Робертом она впервые устроила настоящий прием в качестве его жены. Сначала мысль о таком приеме для друзей обеспокоила Роберта и напугала Мери, так как она страшилась, что эти люди будут смотреть на нее свысока, более того, сочтут ее выскочкой, но Кори и Диана были совершенно противоположного мнения. Они знали: за что бы Мери ни бралась, она вкладывала в дело всю душу и умение. Роберт Фостер поддержал девочек. Обняв жену, он сказал:

— Ты их покоришь, милая. Оставайся самой собой и делай все, как ты привыкла.

После недельной дискуссии, в которой приняла участие вся семья, Мери наконец решила организовать вечеринку по-гавайски: у плавательного бассейна под пальмами. Как и предсказал Роберт, Мери действительно поразила гостей, и не только обильным вкусным угощением, прекрасно накрытыми и украшенными столами и настоящей гавайской музыкой, но и тем, какой умелой и радушной хозяйкой она оказалась. Одетая в яркий саронг, подчеркивающий ее стройную фигуру, под руку с мужем, она переходила от одной группы гостей к другой и дарила каждой женщине венок из выращенных в собственной теплице орхидей, снимая его со своего запястья. Венки были нанизаны на ее руку до самого локтя.

Когда несколько гостей-мужчин похвалили удивительно вкусную еду, а затем посетовали, что Роберт Фостер превратил часть обширной лужайки в огород, Мери позвала своего отца, и тот с гордостью предложил им совершить прогулку по огороду при лунном свете. Генри Бриттон водил джентльменов в смокингах между овощными грядками, где применялись только органические удобрения, и рассказывал обо всем с таким заражающим энтузиазмом, что несколько мужчин тут же объявили о желании завести собственные огороды.

Когда дамы спросили Мери, кто ее бакалейщик, она поразила их, назвав собственную семью. А когда Марджори Крамбейкер, которая вела в «Хьюстон пост» колонку светских новостей, поинтересовалась, в каком цветочном магазине Мери заказывает цветы, Мери на секунду задержалась с ответом и все-таки сказала правду, не боясь показаться чудачкой: несмотря на широко распространенное мнение, что все домашние обязанности — это тяжелый груз и что любая интеллигентная женщина стремится найти для себя другое, более полезное занятие, Мери призналась, что любит стряпать, заниматься огородом, выращивать цветы и шить. Она как раз рассказывала о том, что любит консервировать фрукты и овощи, когда ее взгляд упал на пожилую седую женщину, сидевшую поодаль от всех, обхватив руками плечи, как будто ей было холодно.

— Простите, — прервала свой рассказ Мери, — но, кажется, миссис Бредли замерзла, надо принести ей шаль.

Она послала Кори и Диану в дом за шалью, и, возвращаясь, они услышали, что Мери говорит с бабушкой Розой о своем интервью, данном Марджори Крамбейкер.

— Знаешь, я вела себя так, будто мы все деревенщина и не знаем ничего, кроме огорода! — жаловалась Мери. — Я даже не стану читать, что она напишет о нас в своей газете.

Мери взяла у девочек шаль и попросила бабушку Розу отнести ее миссис Бредли, а сама направилась к группе гостей.

Кори и Диана очень расстроились, услышав, что могут стать всеобщим посмешищем.

— Ты думаешь, Марджори Крамбейкер выставит нас дураками? — спросила Диана бабушку.

Улыбнувшись, Роза обняла девочек за плечи.

— Ни в коем случае, — успокоила она их и понесла шаль миссис Бредли, в душе надеясь, что она права и ничего плохого не случится.

Миссис Бредли обрадовалась пушистой, связанной крючком шали.

— Когда-то я тоже любила вязать крючком, — сказала она, расправив шаль и любуясь кружевным узором. Ее длинные аристократические пальцы были изуродованы артритом. — Теперь я не могу держать крючок, даже если он очень большой, вроде тех, что продаются в магазинах.

— Вам нужен крючок с толстой ручкой, сделанный специально для вас, — заметила Роза.

Она оглянулась, ища Генри, который неподалеку разговаривал с одним из гостей о пользе съедобных цветов. Роза подозвала его к себе. Узнав о проблеме, Генри согласно кивал головой:

— Вам, мэм, нужен вязальный крючок с большой толстой деревянной ручкой, сделанной как раз по вашей руке, и с небольшими углублениями для пальцев, чтобы вы не могли его выронить.

— Не думаю, что кто-нибудь делает такие крючки, — заметила миссис Бредли. Вопреки утверждению, в ее голосе все же прозвучала надежда.

— Вы правы, не делают, но я сделаю для вас такой крючок. Приезжайте к нам послезавтра и останьтесь на пару часов, чтобы я мог подогнать крючок по вашей руке. — Генри коснулся ее узловатых пальцев и сочувственно добавил: — Артрит — настоящее проклятие, я сам от него страдаю, но вязать вы будете.

Он отошел в сторону, и миссис Бредли проводила его восхищенным взглядом, словно он был сказочным рыцарем-освободителем в сияющих доспехах. Миссис Бредли медленно перевела взгляд на Розу и вежливо предложила ей заняться другими гостями.

— Мой внук Спенсер сейчас у друзей, неподалеку отсюда. Я попросила его заехать за мной в одиннадцать. Так что не беспокойтесь обо мне.

Роза оглядела банкетные столы и, уверившись, что все в порядке, села рядом с миссис Бредли.

— Я с удовольствием поговорю с вами, — сказала она. — Для крючка, сделанного Генри, вам потребуется толстая шерсть. Я собиралась научить вязать крючком Диану и даже подыскала для нее образцы декоративных салфеток для обеденного стола, думала, она заинтересуется. Но она и слушать не захотела о том, чтобы вязать обычные прямоугольники. Предложила связать салфетки в форме яблок, лимонов, клубники и всяких других фруктов и ягод, даже сделала несколько набросков, очень простых и выразительных. Вам понравится ее идея.

— Диана? — удивилась миссис Бредли. — Вы имеете в виду маленькую Диану Фостер?

— Именно ее, — гордо кивнула Роза. — У этой девочки
художественный талант, да еще какой. У Кори тоже. Диана
отлично пишет маслом и рисует углем. А Кори увлекается
фотографией и неплохо снимает. Роберт купил ей к дню рождения оборудование для проявления пленок. Ей уже исполнилось четырнадцать.

Миссис Бредли посмотрела туда, куда показывала Роза, и
улыбнулась, увидев девочек.

— Не завидую вам, когда молодые люди начнут обращать
на них внимание, — усмехнулась она.

Не замечая, что на них смотрят, девочки со стороны —
они расположились неподалеку от столов с десертом — наблюдали за ходом праздника. Это мероприятие не было рас-
считано на подростков, и они пребывали в одиночестве. По
просьбе отца Кори осуществляла функции «выездного фотографа» и приближалась то к одной, то к другой группе, стараясь поймать настроение и заснять отдельные лица, не привлекая
к себе внимания.

— Может, хватит? Пойдем в дом, — сказала Диана. —
Посмотрим какой-нибудь фильм.

— Хорошо, только вот кончу эту пленку.

Кори примеривалась, кого бы еще снять, и пришла к выводу, что уделила мало внимания членам своей семьи. Она
начала вглядываться в толпу в поисках родных лиц.

— Вон бабушка Роза, — сказала она и направилась к
ней. — Давай-ка ее снимем... — Кори замолкла, увидев отде-
лившегося от толпы высокого молодого человека в белом смокинге.

— Вот это да! — воскликнула Кори и с такой силой
схватила Диану за руку, что та резко остановилась. — Вот это
да, — уже тише повторила она. — Кто это? Тот, кого пред-
ставляют бабушке? — уточнила она.

Диана проследила за направлением ее взгляда.

— Это Спенсер Аддисон. Он внук миссис Бредли и живет здесь, когда нет занятий в университете в Далласе. Сколько я себя помню, он всегда жил здесь. — Диана попыталась отыскать в памяти еще какие-нибудь сведения о Спенсере и добавила: — У него еще где-то есть мать и сводная старшая сестра, но он с ними мало общается... Постой, я вспомнила, почему он живет с бабушкой. Его мать без конца меняла мужей, и миссис Бредли решила, что Спенсер должен жить с ней. Это случилось уже очень давно. Спенсеру, наверное, сейчас девятнадцать или двадцать, я точно не знаю.

Кори никогда прежде вот так сразу не влюблялась и с презрением относилась к подругам, которые были подвержены этой слабости. Юноши — это юноши, и не более того. По крайней мере ей всегда так казалось.

Взглянув на Кори, погруженную в созерцание Спенсера, Диана подавила смешок.

— Хочешь я тебя с ним познакомлю? — спросила она.

— Я предпочла бы сразу выйти за него замуж, — вздохнула Кори.

— Сначала все-таки следует познакомиться, — заметила Диана со свойственными ей практичностью и любовью к соблюдению приличий. — После чего ты можешь сделать ему предложение. А пока давай поторопимся, а то он уйдет...

Диана схватила Кори за руку и потянула за собой, но та в панике вырвала руку.

— Только не сейчас! Я не хочу ни с того ни с сего навязаться к нему со знакомством. Не могу, и все тут. Он меня примет за ненормальную и вообще за какую-то там девчонку-школьницу.

— Если не слишком приглядываться, тебе можно дать лет шестнадцать.

— Ты не шутишь? — спросила Кори, всей душой желая верить словам Дианы.

Хотя Диана была всего на год старше, для Кори она являлась, несмотря на юность, образцом мудрости и утонченности: сдержанная, воспитанная и внешне уверенная в себе. Сегодня, как считала Кори, она особенно хорошо смотрится в матросском костюме, состоявшем из темно-синих «клешей» и коротенького, до талии, темно-синего жакета с золотыми галунами на рукавах, золотыми якорями на плечах и золотыми звездами на отворотах воротника. Диана помогла ей выбрать сегодняшний наряд и уложила густые светлые волосы Кори в модный пучок, придававший ей, как они обе решили, более взрослый вид. И вот теперь, мучаясь нетерпением, Кори ждала приговора Дианы.

— Нет, не шучу, — наконец изрекла Диана, окинув ее оценивающим взглядом, — тебе можно дать шестнадцать.

— Он не примет меня за идиотку?

— Конечно, нет.

Диана уже двинулась вперед, но Кори ухватила ее за платье.

— Но я не знаю, что ему сказать! Как себя вести!

— У меня есть идея. Нет, подожди, захвати с собой фотоаппарат, — сказала Диана, увидев, что Кори кладет его на садовое кресло. — И прекрати сходить с ума.

Кори не сходила с ума, она была в растерянности. Судьба вмиг превратила ее из подростка в девушку, и она, набравшись мужества, уже не хотела возвращаться в безопасный и привычный мир детства.

— Привет, Спенсер, — поздоровалась Диана, когда они наконец приблизились к желаемому объекту.

— Неужели это Диана? — изумился Спенсер, словно не веря своим глазам. — Да ты совсем взрослая.

— Надеюсь, что я все еще достаточно молода, — ничуть не смущаясь, пошутила Диана, и Кори про себя решила, что в дальнейшем будет держаться с такой же непринужденностью. — Мне еще расти и расти, чтобы достать тебе хотя бы до плеча. —

И, повернувшись к Кори, представила: — Знакомься, это моя сестра Каролина.

Наступил тот самый миг, которого одновременно боялась и желала Кори. Благодарная Диане за то, что та назвала ее полным именем, звучавшим более солидно, Кори заставила себя перевести взгляд с белой, плиссированной на груди рубашки Спенсера чуть выше, сначала на его загорелый подбородок, потом еще выше, где и встретилась с его карими глазами, отчего у нее вдруг подогнулись колени.

Спенсер протянул ей руку, и, словно издалека, она услышала его низкий голос, бархатный, проникновенный и ласкающий, который повторил ее имя.

— Каролина, — сказал Спенсер.

— Да, — чуть слышно подтвердила Кори, глядя ему в глаза и протягивая свою дрожащую руку. У него были теплая широкая ладонь и крепкое рукопожатие. Она ответила на него и не сразу догадалась отпустить его пальцы, задержав их в своих.

Диана пришла ей на помощь, стараясь отвлечь внимание миссис Бредли и бабушки от застывшей в немом обожании Каролины:

— У Кори есть еще несколько кадров, миссис Бредли. Мы подумали, не захотите ли вы сфотографироваться вместе со Спенсером.

— Какая чудесная мысль! — обрадовалась миссис Бредли и разрушила очарование, обратившись прямо к Кори: — Ваша бабушка говорит, что вы отличный молодой фотограф!

Кори через плечо взглянула на миссис Бредли и кивнула, по-прежнему сжимая руку Спенсера Аддисона.

— Как бы ты, Кори, хотела снять Спенсера и миссис Бредли? — упорствовала Диана.

— Я должна подумать... — сказала Кори.

Она выпустила руку Спенсера и оторвала взгляд от его лица. Охваченная внезапной жаждой деятельности, она отступила назад, поднесла к глазам фотоаппарат, посмотрела в видоискатель и направила объектив прямо на Спенсера, почти ослепив его неожиданной вспышкой. Спенсер рассмеялся, и Кори сделала второй снимок.

— Я немного поторопилась, — извинилась Кори и снова быстро поймала Спенсера в фокус. На этот раз он смотрел прямо в объектив и улыбался ленивой улыбкой, его зубы казались особенно белыми на загорелом лице. Сердце Кори подскочило, отчего, наверное, вздрогнул и фотоаппарат, когда она сделала этот снимок, а за ним еще один. Она ликовала, что утром у нее будет сразу несколько фотографий Спенсера, которыми она сможет любоваться, и совсем забыла о бедной миссис Бредли, быстро сняв Спенсера еще два раза подряд.

— А теперь как насчет того, чтобы снять миссис Бредли со Спенсером? — со значением сказала Диана, явно сдерживая смех. — А если снимки получатся, — добавила она, обращаясь к Кори, — то мы дня через два отвезем их миссис Бредли прямо домой.

Мысль о том, что она совсем забыла о миссис Бредли, заставила Кори покраснеть до корней волос, и она тут же поклялась себе сделать такую фотографию миссис Бредли вдвоем со Спенсером, чтобы ей позавидовал любой профессиональный фотограф. Поставленная цель и технические тонкости ее осуществления целиком захватили Кори, и красавец Спенсер на несколько минут превратился для нее лишь в объект съемки.

— Тут трудности с освещением, — объяснила Кори и, уже подняв аппарат, обратилась к Спенсеру: — Наверное, вам лучше стать за креслом вашей бабушки. А теперь, миссис Бредли, смотрите на меня... И вы тоже... Спенсер.

Кори произнесла его прекрасное имя, и холодок пробежал у нее по спине. Она приостановилась, чтобы перевести дыхание.

— Вот так будет хорошо. — Кори сделала снимок, но когда пара хотела разойтись, выразила недовольство напряженностью их поз. — Давайте я сниму вас еще раз, — предложила она и подождала, пока Спенсер оказался в кадре. — А теперь, Спенсер, положите руку на левое плечо бабушки.

— Есть, адмирал, — откликнулся Спенсер, намекая на ее кокетливый матросский костюм, и подчинился приказу.

Услышав милую шутку, Кори ничем не выдала своих чувств, но спрятала ее в глубине своего сердца, чтобы потом наедине с собой проникнуть в ее тайный смысл.

— Миссис Бредли, прошу вас, смотрите на меня. Вот так, — попросила она, тем временем наблюдая игру света на лице Спенсера и прикидывая, как это получится на фотографии. Ей нравилось, что его большая мужская ладонь, словно защищая, лежала на плече бабушки.

— А теперь, прежде чем я нажму на кнопку, я хочу, чтобы вы вспомнили особо памятный для вас обоих момент, только для вас двоих, например, когда Спенсер был маленьким мальчиком. Может быть, посещение зоопарка, или когда Спенсер впервые сел на трехколесный велосипед. Или когда ему показалось, что он ел самое вкусное в жизни мороженое...

В видоискатель она увидела, как тень улыбки скользнула по лицу Спенсера и он с нежностью посмотрел на белую голову бабушки. В свою очередь, лицо миссис Бредли смягчилось от воспоминаний, огоньки вспыхнули в ее глазах, она посмотрела на Спенсера, подняла руку и прикрыла ею ладонь внука на своем плече. Кори сделала быстрый снимок, потом еще один. Девушка была в восторге, что ей удалось поймать это неожиданное трогательное проявление чувств, которое, она была уверена, ей удалось запечатлеть на пленке.

Кори опустила фотоаппарат и, улыбаясь, посмотрела на Спенсера и миссис Бредли.

— Я отдам проявить эти снимки в фотомагазин. Сама я не хочу их трогать: боюсь испортить, а они такие замечательные.

— Большое тебе спасибо, Кори, — искренне поблагодарила миссис Бредли, ее глаза все еще сияли от пробужденных воспоминаний.

— Я бы тоже хотела сняться с тобой, Спенс, и тогда мы можем идти, иначе опоздаем! — произнес умоляющий женский голос, и Кори впервые заметила, что Спенсер пришел с девушкой. Очень красивой девушкой, с тонкой талией, большой грудью и длинными, стройными ногами. Кори поникла, но тем не менее послушно отступила назад, чтобы сделать снимок. Она подождала, пока ее соперница примет особенно эффектную позу, и только тогда нажала на кнопку.

На следующей неделе негативы Кори были готовы, а в «Хьюстон пост» появилась колонка Марджори Крамбейкер. Вся семья собралась в столовой вокруг стола и затаив дыхание следила, как Роберт раскрывает газету на полосе светских новостей. Всю полосу целиком занимали фотографии гостей, празднично накрытых столов, букетов, цветочных композиций и даже теплицы и огорода.

Но особую гордость семья почувствовала, когда Роберт Фостер громко прочитал вслух:

«Любезная хозяйка этого удивительно удачного вечера миссис Роберт Фостер (до замужества Мери Бриттон из Лонг-Вэлли) проявила свое щедрое гостеприимство и согрела особым вниманием всех без исключения приглашенных, что, несомненно, позволит ей занять почетное место в высшем обществе Хьюстона. Праздник также украсили своим присутствием мистер и миссис Бриттон, родители миссис Фостер, которые любезно согласились показать многим восхищенным гостям и будущим огородникам и плотникам (как жаль, что у нас на все нет времени!) новый сад и огород, теплицу и столярную мастерскую, построенные Робертом Фостером на участке вокруг его особняка в Ривер-Оукс...»

# Глава 3

Большой успех имели не только прием, но и сделанные Кори фотографии Спенсера Аддисона и его бабушки. Сама Кори была так ими довольна, что заказала две копии особо удачного снимка Спенсера — одну для себя, а другую для миссис Бредли.

Свой снимок она вставила в рамку и поместила на ночном столике, затем легла на кровать, положив голову на подушку, и проверила, видна ли ей фотография. Убедившись, что все сделано как надо, она посмотрела на Диану, сидевшую в ногах кровати.

— Ну разве он не красавец? — вздохнула Кори. — Мэтт Диллон и Ричард Гир, вместе взятые... Только им все равно далеко до него. Он Том Круз и этот тип Форд... Как его там, не помню...

— Гаррисон Форд, — подсказала Диана.

— Верно, Гаррисон Форд, — согласилась Кори, взяв со столика фотографию Спенсера и поднося ее к лицу. — Когда-нибудь я обязательно выйду за него замуж. Я это точно знаю.

И хотя Диана была старше Кори и определенно значительно разумнее и рассудительнее, она тем не менее не могла устоять перед энергичным напором сестры и заразительной энергией, с которой та атаковала любые жизненные проблемы.

— Хорошо, — согласилась Диана, вставая и подходя к телефону, — но все же нам лучше удостовериться, что твой будущий муж дома, прежде чем везти фотографии миссис Бредли. Кстати, мы можем пойти туда пешком, это всего две мили отсюда.

Миссис Бредли не просто понравились фотографии, она была от них в восторге.

— У тебя талант, Кори! — воскликнула она, погладив лицо Спенсера на снимке своими слегка дрожащими, изуро-

дованными артритом пальцами. — Я поставлю эту фотографию у себя на комоде. Нет, лучше здесь, в гостиной, где ее все
могут видеть. Спенсер! — позвала она.

Спенсер, прыгая через две ступеньки, бежал вниз по лестнице, направляясь к входной двери. Услышав зов бабушки, он
повернул в гостиную. В белой футболке и брюках, с теннисной
ракеткой в руках он показался Кори еще более красивым, чем
в смокинге.

Не замечая, что Кори густо покраснела, миссис Бредли
кивком указала на девочек:

— Ты ведь знаком с Дианой и, конечно, помнишь Кори?
Она фотографировала нас на вечере в субботу.

Скажи он «нет», Кори умерла бы от унижения и разочарования прямо тут, на персидском ковре миссис Бредли. Им
только и оставалось бы, что вынести ее тело из дома и
похоронить.

Но Спенсер с улыбкой взглянул на Кори и кивнул.

— Привет, дамы, — сказал он, и Кори почувствовала,
что ей по меньшей мере двадцать.

— Девочки преподнесли мне необыкновенный подарок, —
пояснила миссис Бредли. Она протянула Спенсеру снимок в
рамке. — Помнишь, как Кори попросила нас подумать об
особенно счастливом моменте в нашей жизни? И вот что из
этого получилось!

Спенсер взял фотографию, и вежливый интерес на его лице
сменился выражением изумления и удовольствия.

— Какой прекрасный снимок, Кори! — сказал он, обра-
тив на нее все очарование магнетического взгляда и глубокого
проникновенного голоса. — Ты очень талантлива. — Он вернул фотографию, нагнулся и быстро поцеловал бабушку в лоб. —
Я еду в клуб. У меня через полчаса партия в теннис, — сказал
он ей и повернулся к девочкам: — Могу я подвезти вас домой? Мне это по пути.

Поездка со Спенсером Аддисоном в синей спортивной
машине с открытым верхом сразу возглавила список «Важней-

шие события моей жизни», который вела Кори, и в ближайшие несколько лет ей удалось добавить в него еще несколько эпизодов равного значения. Действительно, Кори проявляла особую изобретательность, выдумывая предлоги для посещения миссис Бредли именно в те редкие уик-энды, когда Спенсер приезжал домой из университета. А миссис Бредли, сама того не подозревая, способствовала замыслу Кори, отправляя Спенсера к Фостерам с печеньем собственного изготовления или с просьбой прислать ей кулинарные рецепты или модели для вязки тем самым удобным большим крючком, что изготовил для нее дедушка Кори—Генри.

Шли недели и месяцы, и Кори использовала свое увлечение фотографией как дополнительную уловку, чтобы чаще видеть Спенсера и увеличить коллекцию столь дорогих ее сердцу снимков. Под предлогом совершенствования в искусстве фоторепортажа она посещала матчи поло с участием Спенсера, теннисные турниры и вообще любые мероприятия, где он мог появиться. Коллекция фотографий росла, и Кори завела для них особый альбом, который прятала под кроватью, а когда он был заполнен, начала новый, а за ним и следующий. Но самые удачные портреты Спенсера украшали стены ее спальни, так что его лицо всегда было у нее перед глазами. Когда же бабушка Роза поинтересовалась, почему большинство снимков в комнате внучки — это фотографии Спенсера Аддисона, Кори пустилась в долгие туманные объяснения относительно особой фотогеничности Спенсера и того, что работа с одним объектом в разном окружении способствует развитию художественного мастерства. Для вящей убедительности Кори использовала массу профессиональных терминов, пространно объясняя зависимость конечного результата от размера диафрагмы и величины выдержки. В полной растерянности и недоумении бабушка вышла из спальни Кори и больше никогда не возвращалась к этой теме.

Остальные члены семьи, несомненно, догадывались об истинных мотивах поведения Кори, но, жалея ее, воздерживались от комментариев. Что же касалось объекта ее непоколебимой верности, то он вел себя с ней непринужденно, будто и не подозревал, что Кори живет встречами с ним, а встречи были частыми, поскольку миссис Бредли то и дело посылала Спенсера к Фостерам с разными поручениями. Кори мало интересовали причины его приезда, главным было то, что Спенсер обычно не торопился покидать их дом.

Если Кори заранее узнавала о предстоящем визите, то она целые часы проводила перед зеркалом, пробуя разные прически, примеривая наряды и мысленно выбирая подходящую тему для разговора в надежде, что ей удастся с ним поговорить. Но как бы она ни выглядела и какую бы тему ни выбрала, Спенсер неизменно обращался с ней со снисходительной любезностью, которая к пятнадцати годам Кори переросла в нечто похожее на братскую любовь. С этого времени у Спенсера вошло в привычку называть Кори Герцогиней и делать ей шутливые комплименты относительно ее внешности. Он хвалил ее снимки, рассказывал смешные истории, давал советы насчет выбора колледжа, в который она должна поступить. Случалось, он даже оставался обедать.

Мать Кори утверждала, что Спенсер навещает их и проводит с ними время, потому что у него никогда не было настоящей семьи и он ценит их семейную атмосферу. Отец Кори считал, что Спенсеру нравится беседовать с ним о нефтяном бизнесе. Со своей стороны, дедушка Генри в равной мере не сомневался, что Спенсера интересуют сад, огород и тепличное хозяйство. Бабушка Роза придерживалась мнения, что Спенсер любит хорошую кухню, что было ее коньком.

Кори цеплялась за надежду, что ему нравится видеться и разговаривать с ней, а Диана в силу своей молодости и преданности Кори поддерживала сестру в ее заблуждении.

# Глава 4

Каким-то образом Кори удавалось притворяться, что она испытывает к Спенсеру только платоническое чувство, и так продолжалось до ее шестнадцати лет. До шестнадцати она сдерживала себя не только из-за боязни испугать Спенсера своим пылом и потерять его, но и оттого, что у нее не было возможности продемонстрировать ему, что она достаточно взрослая и готова к более романтическим отношениям.

Судьба подарила ей такой случай за неделю до Рождества. Спенсер явился с горой подарков от бабушки для всех членов семьи Фостер, но для Кори у него был свой особый подарок. Он остался ужинать и потом сыграл две партии в шахматы с дедушкой Генри. Кори не стала сразу раскрывать пакет, а подождала, пока все уйдут к себе наверх. Она настояла, чтобы Спенсер остался, пока она распаковывает его подарок. Дрожащими руками Кори сняла крышку с большой коробки, развернула папиросную бумагу и вынула толстый, в красивом переплете альбом фотографий пяти лучших фотографов мира.

— Какая красота, Спенс! — восхитилась она. — Большое спасибо! Я навсегда сохраню твой подарок.

Кори знала, что Спенсер спешит на рождественскую вечеринку к своим друзьям, и, провожая его до дверей, впервые в туфлях на высоких каблуках, в длинной клетчатой юбке, белой шелковой блузке и бархатном блейзере цвета густого красного вина, она чувствовала себя необыкновенно уверенной и взрослой. Она заранее знала, что Спенсер приедет к ним, и зачесала волосы в высокий шиньон, выпустив несколько завитых прядей над ушами; эта прическа делала ее старше и, как утверждала Диана, с чем Кори тоже соглашалась, подчеркивала и увеличивала ее голубые глаза.

— Веселого Рождества, Кори, — пожелал ей Спенсер уже на пороге.

Кори заговорила, даже не осознав, что делает; если бы она раздумывала, то ни за что не решилась бы на такой шаг. Весь дом был украшен к празднику сосновыми ветками и остролистом, а с хрустальной люстры в холле свешивался целый пучок омелы, перевитый красными и золотыми лентами.

— Спенс, — решилась Кори, — разве ты не знаешь, что нельзя нарушать рождественские традиции друзей? Это может принести им несчастье.

Он обернулся, уже держась за ручку двери.

— Неужели? — спросил он.

Кори медленно кивнула. Она сплела пальцы за спиной, чтобы не выдать своей нервной дрожи.

— Какую же традицию я нарушил?

Вместо ответа Кори запрокинула голову и со значением посмотрела на пучок омелы.

— Вот эту, — ответила она, боясь, что у нее прервется голос.

Спенсер взглянул вверх, на омелу, потом вниз, на Кори. Его лицо выражало недоумение и нерешительность, и Кори окончательно пала духом.

— Конечно, традиция не требует, чтобы ты поцеловал именно меня, — торопливо забила она отступление. — Ты можешь поцеловать кого угодно в доме. — И, окончательно смутившись, Кори попыталась обратить все в шутку: — Ты можешь поцеловать горничную. Или нашу повариху Кончиту. Или даже нашу кошку. Или мою собаку...

Спенсер рассмеялся и отпустил ручку двери, но вместо того, чтобы наклониться и поцеловать ее в щеку — о большем Кори и не мечтала, — он остановился, в нерешительности глядя на нее.

— А ты уверена, что достаточно взрослая для этого?

Кори смотрела прямо в его карие глаза, зачарованная золотистыми искорками, вспыхивающими в их глубине.

«Да, — молча подтвердила она. — Ну чего ты ждешь? Поцелуй меня. Я достаточно взрослая и уже целую вечность жду твоего поцелуя». Она знала, что он читает красноречивый ответ в ее глазах, слегка улыбнулась и, все так же держа руки за спиной, тихо, но ясно произнесла слово «нет».

Это было намеренное, но в то же время непроизвольное кокетство, смелый вызов... И Спенсер принял его. С удивленным хриплым смешком он взял ее двумя пальцами за подбородок и медленно провел губами по ее губам. Туда и обратно. Всего один раз. Это было некое подобие поцелуя, но Спенсер не сразу отпустил ее подбородок. А Кори не сразу открыла глаза.

— С Рождеством тебя, Герцогиня, — тихо сказал Спенсер.

Он открыл дверь, и ледяной ветер пронизал Кори. А когда дверь за ним закрылась, Кори, не понимая, что делает, автоматически погасила в прихожей все огни и застыла в темноте, вспоминая нежность, прозвучавшую в его голосе после поцелуя. Целых два года она прожила в мечтах о Спенсере Аддисоне, но не могла и вообразить, что его голос способен волновать и ласкать с такой же силой, как и поцелуй.

# Глава 5

Одна-единственная вещь омрачала счастье Кори: Спенсер объявил, что собирается провести весенние каникулы в своем университете, готовясь к последним экзаменам, и вернется в Хьюстон только в июне, после выпускной церемонии.

Кори, которая мало интересовалась другими представителями мужского пола, решила использовать время с января по июнь, чтобы глубже изучить мужскую психологию и с этой целью встречаться с самыми разными молодыми людьми. Спенсер был почти на шесть лет старше Кори и в сто раз опытнее, и ее начала беспокоить собственная наивность в общении с мужчинами, что в конце концов могло смутить Спенсера и вообще явиться причиной прекращения их дальнейших отношений.

Кори пользовалась успехом в школе, и лестное количество молодых людей хотело с ней встречаться, но она остановила свой выбор на Дугласе Хейварде, он стал ее постоянным спутником, а также исповедником.

Дуглас оканчивал школу, был председателем дискуссионного клуба и полузащитником в школьной футбольной команде, но, с точки зрения Кори, самым привлекательным в нем было то, что он тоже был безнадежно влюблен в девушку, которая жила далеко от здешних мест. Поэтому Кори могла свободно говорить с ним о Спенсере и получать мужские советы от старшего по возрасту юноши, тоже умного и спортивного, для которого она была скорее сестрой, чем любимой девушкой.

Именно Дуглас объяснил Кори, что́ мужчины любят в девушках, и давал ей советы, как привлечь внимание Спенсера, чтобы потом завладеть его сердцем. Кое-какие рекомендации Дугласа могли принести пользу, другие никуда не годились, а третьи вызывали у Кори неудержимый смех.

В мае, сразу после того как Кори исполнилось семнадцать, они с Дугласом подробно обсудили технику поцелуев, предмет, в котором Кори чувствовала себя абсолютным профаном. Но когда Дуг попытался показать Кори новые приемы, они оба чуть не задохнулись от смеха. Если он предлагал Кори положить ладонь ему на затылок, Кори делала угрожающую гримасу и хватала его за горло. А когда Дуг попытался нежно поцеловать ее в ухо, она начала хихикать, потом хохотать; в конце концов в результате разных манипуляций пострадал нос Дуга.

Когда Дуглас провожал Кори до дома, они все еще смеялись.

— Сделай мне одолжение, — шутливо упрашивал он Кори уже у самых дверей ее дома, — не упоминай моего имени, если решишь рассказать Аддисону о наших сегодняшних опытах. Я вовсе не хочу, чтобы очумевший от ревности футболист сломал мне шею.

Они уже не впервые обсуждали способы заставить Спенса ревновать и таким образом привлечь его внимание к Кори, но все предлагаемые Дугом уловки, по мнению Кори, были слишком незамысловатыми и неизвестно, куда могли привести.

— Не представляю, чтобы Спенс мог к чему-то меня приревновать, — вздохнула Кори. — А тем более к кому-то.

— Не будь так в этом уверена, — с жаром сказал Дуг. — Даже самый уравновешенный тип выйдет из себя, если узнает, что его девушка целовалась с кем-то другим. — И добавил, уже повернувшись, чтобы уйти: — Я проверил это на собственном опыте.

Думая над его словами, Кори следила, как Дуглас идет к машине, и новая, еще неопределенная идея уже зародилась у нее в голове.

Она все еще стояла на веранде, хотя задние огни машины Дуга давно исчезли вдали. Когда наконец Кори вошла в дом, она приняла окончательное решение и теперь обдумывала мельчайшие детали плана.

В июне, как только Спенс вернулся домой, она через Диану намекнула матери, что было бы неплохо как-нибудь на неделе пригласить Спенса на ужин, и миссис Фостер с радостью согласилась.

— Спенс был очень доволен, — объявила она, вешая телефонную трубку.

— Этот молодой человек ценит здоровую домашнюю пищу, — подхватила бабушка Роза.

— И еще он любит наши беседы о бизнесе и о том, как зарабатывать деньги, — вступил в разговор мистер Фостер.

— Пожалуй, мне надо закончить начатую работу в столярной мастерской, — задумчиво сказал дедушка Генри. — Спенсер понимает в столярном деле. Ему бы следовало учиться на архитектора, а не на финансиста. Его интересует все, что связано со строительством.

Диана и Кори обменялись заговорщическими улыбками. Им было все равно, по какой причине Спенс придет на ужин, — главное, чтобы пришел, тогда Кори могла бы увести его в сад и осуществить задуманное. Помощь Дианы заключалась в том, чтобы после ужина уговорить всех других отправиться в кино. Диана специально выбрала фильм, который Кори уже смотрела, чтобы никто не удивлялся, почему она остается дома.

В назначенный день Спенс позвонил в дверь, и Кори открыла ему. Внешне невозмутимая, она наградила его спокойной улыбкой и, приветствуя, дружески обняла. За ужином она сидела напротив Спенса и, пока он рассказывал о своих планах поступить осенью в аспирантуру, тайком изучала перемены, произошедшие за полгода в любимом лице. Кори показалось, что его каштановые волосы немного потемнели, черты потеряли юношескую мягкость и стали более мужественными, но ленивая, ироничная улыбка, от которой у Кори замирало сердце, осталась прежней. Всякий раз, когда он улыбался какой-нибудь шутке Кори, сердце ее таяло, но в ответной насмешливой улыбке не было и капли обожания. С тех пор как они расстались в тот рождественский вечер, Кори, по ее собственным подсчетам, сорок шесть раз принимала приглашения молодых людей, и, хотя большинство приглашений исходило от Дугласа, шестимесячный ускоренный курс обучения основам кокетства и умению обращаться с молодыми людьми определенно пошел ей на пользу.

Кори очень рассчитывала на приобретенные знания, но когда Диана усадила всех членов семьи в машину, она вдруг заметила, что Спенс надевает свой спортивный пиджак, собираясь последовать за остальными.

— Ты не мог бы задержаться еще немного? — попросила Кори, притворяясь озабоченной. — Мне... мне нужен твой совет.

Спенсер кивнул, недоуменно нахмурившись.

— Какой тебе нужен совет, Герцогиня?

— Я не хочу говорить об этом здесь, давай лучше выйдем в сад. Погода прекрасная, к тому же я не стану беспокоиться, что нас подслушает экономка.

Он шел рядом с ней, перекинув пиджак через плечо, придерживая его за вешалку одним пальцем, и Кори завидовала его непринужденности. Вечер был теплым, но не душным, как это обычно бывает в Хьюстоне, когда влажная летняя жара превращает город в парилку.

— Хочешь, посидим? — предложила Кори, когда они миновали столики под зонтами и направились к плавательному бассейну подальше от дома. — Здесь нам будет удобно. — Кори показала на плетеный диван на краю бассейна, подождала, пока Спенс сядет, и смело опустилась рядом с ним. Закинув голову, она сквозь ветви цветущего мирта посмотрела на звезды, мерцавшие на темном безлунном небе, и приказала себе успокоиться. Она хотела думать лишь о рождественском поцелуе Спенса и о последующей нежности в его голосе и глазах. Кори не сомневалась, что тогда Спенсер испытывал к ней особое чувство. Теперь ей надо было пробудить в нем воспоминание о том вечере и то прежнее чувство. Вот только как это сделать...

— Скажи, Кори, зачем ты меня сюда привела и о чем хочешь спросить?

— Мне трудно тебе объяснить, — начала она с нервным смешком, — но я не могу спросить об этом маму, иначе она расстроится, — торопливо добавила Кори, отрезая ему путь к отступлению. — И я не хочу говорить об этом с Дианой. Она только и думает о том, как осенью начнет учиться в колледже.

Кори бросила быстрый взгляд на Спенсера и заметила, что он, прищурившись, наблюдает за ней. Глубоко вздохнув, она приступила к главному, словно прыгнув с вышки в холодную воду:

— Спенс, ты помнишь, как ты меня поцеловал на Рождество?

— Да. — Его ответ последовал не сразу.

— Ты, наверное, заметил, что в то время мне недоставало опыта? — Последний вопрос не входил в отрепетированную ею речь, и все же она ждала, что он скажет «нет».

— Да, — без обиняков подтвердил он.

По непонятной причине Кори почувствовала обиду.

— Так вот, с тех пор я приобрела значительный опыт! Очень большой опыт! — высокомерно информировала она Спенса.

— Поздравляю, — коротко ответил он. — А теперь скажи мне, в чем дело.

Голос Спенсера прозвучал так резко и нетерпеливо, что Кори от неожиданности повернула к нему голову. Никогда прежде он не осмеливался говорить с ней таким тоном.

— Хорошо, — сказала она, нервно потирая ладонями колени. — Я найду кого-нибудь еще, с кем посоветоваться.

— Кори, — взорвался он, — скажи мне, ты беременна?

Кори неестественно захохотала и откинулась на спинку дивана.

— От чего? От поцелуев? — смеялась она, закатив глаза и изображая ужас. — Ты что, в школе не посещал уроков здоровья и гигиены?

Во второй раз за эти несколько минут она увидела на лице Спенсера Аддисона несвойственное ему чувство, и этим чувством было раздражение.

— Похоже, ты действительно не беременна, — сказал он с притворным сожалением.

Обрадовавшись, что на этот раз ей удалось вывести его из равновесия, Кори продолжала поддразнивать Спенсера, едва скрывая свое удовлетворение.

— А что, разве в университете футболистов не учат биологии? Послушай, если ты идешь в аспирантуру только по этой причине, не проще ли будет сэкономить деньги и поговорить с Тедом Моррисом в Лонг-Вэлли в Техасе? У него отец врач, и Тедди в восемь лет на детской площадке у качелей посвятил нас во все тайны. — Когда Кори заканчивала свой рассказ, плечи Спенсера тряслись от смеха. — В качестве наглядного пособия Тедди использовал пару черепах. Возможно, теперь у них наконец все получилось.

Кори замолчала, а у Спенсера все еще подергивались уголки рта. Он выпрямил спину и вытянул правую ногу, упершись каблуком в каменный бордюр бассейна; в прошлом году он дважды повредил правую ногу в футбольных матчах. Его левая нога, согнутая в колене, находилась совсем рядом с бедром Кори.

— Пошутили, и ладно, — снисходительно произнес он, скрестив руки на груди и подняв брови. — А теперь рассказывай.

— Тебя беспокоит твое колено? — сделала попытку уйти от ответа Кори.

— Меня беспокоит твоя проблема, — подчеркнул Спенс.

— Ты еще не знаешь, в чем она состоит.

— Именно это меня и беспокоит.

Легкое подшучивание и обмен безобидными колкостями были теперь для Кори знакомой сферой общения, к тому же Спенс выглядел таким спокойным и уверенным, таким сильным и надежным, что, казалось, мог взять на свои широкие плечи все беды мира. Кори вдруг охватило безумное желание забыть о поцелуях, прижаться к нему и положить голову ему на грудь. С другой стороны, если она успешно осуществит свой план, она не только сможет прижаться к нему, но вдобавок он ее еще и поцелует. Последний вариант был куда более предпочтительным, и Кори быстро окинула себя мысленным взором, чтобы удостовериться, достаточно ли она привлекательна. Конечно, сейчас ей бы не помешало глубокое декольте

и узкое, обтягивающее фигуру платье вместо белых шортов и
вязаного топа, но они так хорошо подчеркивали ее загар!

— Кори, хватит увиливать, — строго приказал Спенс. —
Так в чем же проблема?

— Проблема... — запинаясь начала Кори. — Это связано с поцелуями...

— Я это уже слышал. Что ты хочешь знать?

— Я хочу знать, когда следует остановиться.

— Когда следует остановиться... — повторил Спенс, словно
не веря своим ушам, но тут же взял себя в руки и твердо,
наставительно пояснил: — Когда тебе слишком нравятся поцелуи, вот тогда и надо остановиться.

— Ты тогда и останавливаешься? — задала Кори вопрос
в лоб.

У него хватило совести смутиться, но он немного рассердился.

— Речь идет не обо мне.

— Верно, — согласилась Кори, довольная его растерянностью. — Речь идет о ком-то другом, к примеру, о некоем
Дугласе Джонсоне!

— Давай не будем играть в кошки-мышки, — сказал
раздраженно Спенс. — Значит, ты встречаешься с неким
Джонсоном, и он хочет получить от тебя больше того, что ты
согласна дать. Вот тебе мой совет: пошли его подальше, куда-
нибудь, где он выпустит пар, забивая сваи!

Так как Кори не знала, какую тактику применит Спенс,
чтобы избежать ловушки, у нее было заготовлено сразу несколько ответных ходов, задуманных с одной целью: заставить
его продемонстрировать свое умение целоваться. Она попробо-
вала первый прием.

— Это не помогает! Я встречаюсь с самыми разными
молодыми людьми, и стоит нам начать целоваться, как ситуация выходит из-под контроля.

— Что ты хочешь от меня? — осторожно спросил Спенс.

— Я хочу знать, как определить, что ситуация выходит из-под контроля, и я хочу, чтобы ты дал мне свои указания.

— Нет, от меня ты их не получишь.

— Прекрасно, — сказала Кори, испытывая горечь поражения, но скрывая ее, чтобы спасти свою гордость. — Но если я окажусь в приюте для матерей-одиночек из-за того, что ты все от меня скрывал, то это будет и твоя вина!

Она сделала попытку встать, но он схватил ее за руку и заставил снова сесть рядом.

— Нет, оставайся на месте! Я не хочу, чтобы наш разговор закончился такими словами.

Если минуту назад Кори считала себя побежденной, то теперь почувствовала, что одерживает верх. Спенс колебался. Потерял уверенность. Он покинул свои прежние укрепленные рубежи. Кори была готова к наступлению, но медленному, шажок за шажком.

— И что же ты на самом деле хочешь знать? — спросил он, явно испытывая неловкость, но храбрясь.

— Я хочу точно знать, когда следует остановиться. Должен быть какой-то верный признак.

Почувствовав, что ему приготовили ловушку, Спенс откинулся на спинку дивана и закрыл глаза.

— Есть несколько признаков, — неохотно начал он, — и я думаю, ты их прекрасно знаешь.

Кори широко открыла глаза и невинно спросила:

— Если бы я знала, разве я стала бы тебя спрашивать?

— Подумай, Кори, как я могу изобразить тебе все стадии и последствия поцелуя?

Дверца мышеловки открылась, и Кори оставалось только подтолкнуть Спенса внутрь.

— Может, ты мне покажешь?

— Ни в коем случае! Но я хочу дать тебе хороший совет. Берегись, ты встречаешься не с теми людьми, если тебя принуждают дать больше, чем ты хочешь.

— Наверное, я тебе не все объяснила. Боюсь, я сама веду себя с молодыми людьми не так, как надо, и они меня неправильно понимают. — Кори стояла у открытой мышеловки и широким жестом приглашала Спенса зайти внутрь. — Видимо, все дело в том, как я их целую.

Спенс вошел в мышеловку, и дверца за ним захлопнулась.

— Интересно, как же ты их целуешь? — спросил он и тут же рассердился, осознав свою ошибку.

Кори положила руку ему на плечо.

— Не надо волноваться, — сказала она участливо. — Расслабься.

Она ощущала его напряженное плечо под своей рукой, словно он готов был бежать от нее: игрок на футбольном поле, который знает, что его ждет поражение.

Кори невольно улыбнулась, глядя в его прищуренные глаза. Она вела его за собой, она чувствовала уверенность, и это делало ее необычайно счастливой.

— Спенс, — посоветовала она, — я тебе говорю: хватай мяч и беги вперед. Не усложняй, все очень просто.

Ее способность увидеть смешную сторону в его затруднительном положении еще больше разозлила Спенсера.

— Не могу поверить, что ты серьезно хочешь, чтобы я это сделал!

Кори бросила на него умоляющий взгляд из-под ресниц.

— Ну кого же мне еще попросить? Пожалуй, я могу обратиться к Дугласу, чтобы он объяснил мне, что я такого делаю...

— Хорошо, я согласен, — коротко прервал он ее.

Колено Спенса все еще было рядом с ее бедром и мешало ей подвинуться ближе к нему.

— Ты не мог бы убрать свое колено? — попросила Кори.

Молча он передвинул левую ногу, но только ногу — сам он остался на прежнем месте. Кори подвинулась ближе и устроилась так, чтобы видеть хотя бы в профиль его лицо.

— Что дальше? — сурово спросил он, скрестив руки на груди.

Именно на этот случай у Кори уже был заранее подготовлен ответ.

— Представь себе, что ты Дуг, а я — это я.

— Я не желаю быть Дугласом Джонсоном, — отрезал Спенс, явно недовольный всем происходящим.

— Будь кем угодно, только будь паинькой, хорошо?

— Хорошо! — почти прокричал он. — Я уже паинька.

Кори ждала, когда он сделает хотя бы одно движение, повернется к ней. Сделает хоть что-нибудь.

— Ты можешь начинать, как только будешь готов, — напомнила она, видя его бездействие.

— Это что — обязательно? — возмутился Спенс.

Кори взглянула на его упрямое лицо и чуть не расхохоталась. Этим вечером она надеялась осуществить самую заветную мечту своей жизни: добиться от него поцелуя, настоящего поцелуя, а не прежней пародии на поцелуй. Она жаждала его поцелуя больше всего на свете и в то же время нервничала и страшилась испытания. И вот она почти добилась своего, но теперь был в растерянности и нервничал сам Спенсер, а она, напротив, была спокойна и с трудом сдерживала смех.

— Ты должен начинать, — снова повторила Кори. — Так положено.

Спенс оставался неподвижен, и она с притворной заботой спросила:

— Может быть, ты не знаешь, как начинать?

— Нет, знаю, — пробормотал он.

— Потому что, если ты не знаешь, я могу тебе подсказать. В своем большинстве молодые люди...

Кори остановилась, заметив, что Спенс осознал нелепость ситуации, и его глаза насмешливо заблестели.

— Так что же делают в своем большинстве молодые люди? — спросил он лукаво и притянул Кори к себе. — Что, Джонсон начинает вот с этого?

Он наклонил голову, и Кори приготовилась к страстному поцелую, от которого можно упасть в обморок. Но вместо обжигающего прикосновения он неуклюже ткнулся в губы куда-то сбоку, и Кори неодобрительно затрясла головой.

— Что, не то? — Он стиснул ее в медвежьих объятиях и слегка куснул за ухо. — А как это?

Он шутит с ней, осенило Кори, и она испугалась, что дело ограничится игрой, без намека на серьезность. Нет, она не позволит Спенсу погубить ее тщательно разработанный план, но она не могла удержаться от смеха, когда он принялся, ссылаясь на воображаемого Дуга Джонсона, демонстрировать один прием за другим.

— Могу поклясться, что это его самый любимый, — объявил Спенс, ткнулся носом в ее нос, попробовал добраться до ее губ, и снова ему помешал нос Кори. — Что-то мне не везет, — пожаловался он.

Смеясь, Кори прижалась к его крепкой широкой груди и только и могла что кивнуть головой.

Он взял ее за подбородок, повернул в сторону и, как шаловливый щенок, носом потерся о ее шею.

— Сообщи мне, когда я заставлю тебя умирать от страсти, — сказал он, и Кори засмеялась еще сильнее. — Ну как, ты довольна? — спросил он, и его нос защекотал шею Кори за другим ухом. — Скажи, что это у меня плохо получается!

Кори подняла на него смеющиеся глаза и молча энергично закивала головой.

— Ты молодец... — Она запнулась. — Просто Дуг Джонсон совсем в другом роде.

Он усмехнулся в ответ, одобряя ее остроумие, все еще крепко обнимая ее и глядя ей в глаза, как добрый товарищ и хороший друг, и в этот миг Кори не хотела ничего другого, кроме этого молчаливого, спокойного единения с ним. Она была всем довольна, она была в мире с самой собой, и он тоже. Она знала, что сейчас он снова поцелует ее, и это будет совсем другой поцелуй. Она знала, что шутки кончились.

Удерживая своим взглядом ее взгляд, Спенс приподнял ее подбородок и медленно наклонил голову.

— Пришло время рассмотреть проблему с научной точки зрения, — сказал он тихо, и его губы неторопливо приблизились к ее губам.

При первом их прикосновении все тело Кори напряглось в ожидании. Спенс явно заметил ее реакцию, потому что оторвал свои губы от ее губ и переместил их на щеку, целуя ее и при этом нашептывая:

— Для получения надежных данных... — Его рот скользнул вниз, к подбородку. — Обе стороны... — Его теплые губы были уже около ее уха. — Обе стороны должны сотрудничать на равных в проведении эксперимента. — Он положил руку ей на затылок, поднимая голову повыше.

Его рот сначала слегка, потом сильнее прижался к ее рту, все усиливая давление, заставив губы Кори раскрыться под его настойчивым напором и вызвав в ее теле страстную всевозраставшую дрожь. Стон удовольствия прозвучал где-то в глубине ее груди, так и не вырвавшись наружу; Кори закинула руки Спенсу на плечи и отдалась поцелую, позволив ему раздвинуть ее губы, а языку проникнуть внутрь; ей уже было все равно, она безвольно подчинялась и даже жаждала подчинения.

Его пальцы запутались в ее волосах, расстегнули заколки, тяжелые золотые пряди упали ей на плечи, и это было как сигнал, после которого все вышло из-под контроля. Уже не раздумывая, Кори отвечала на поцелуи Спенса, и его язык бродил по всем закоулкам ее рта.

Его ладони легли на ее груди жестом собственника, и Кори впилась ему в губы, ее ногти царапали его плечи, тело откровенно прижималось к его телу, ощущая растущее в нем возбуждение.

Долгие годы затаенной любви и мечтаний с лихвой возмещали недостаток опыта. Кори с готовностью отвечала на каждый бесконечный жгучий поцелуй, ее ладони гладили напрягшиеся мускулы на его спине и плечах, раскрытые губы подчинялись его губам. Его пальцы, вызывая дрожь, ласкали ее груди, обещая, что это лишь начало. Для Кори перестали существовать время, окружение, обстоятельства, а осталось лишь одно победившее желание и его рот, все с большей жадностью терзавший ее губы... И его колено, настойчиво раздвигавшее ее ноги, и его руки, которые... Его руки внезапно остановились.

Спенсер оторвал свой рот от ее рта и резко отпрянул в сторону, так неожиданно освободив ее от веса своего тела, что Кори оторопела. А когда она увидела выражение его лица, у нее перехватило дыхание.

Его брови были сдвинуты в мрачную недоуменную гримасу, в растерянности он смотрел на свою руку, все еще лежавшую на ее груди. Спенс отдернул руку, словно она была в чем-то виновата. Растерянность на его лице сменилась выражением стыда.

Медленно, все еще сомневаясь, Кори начала понимать причину его растерянности и облегченно вздохнула. Спенсер потерял над собой контроль, и ему это не понравилось. Он и не предполагал, что она способна довести его до такого состояния, тем не менее ей это удалось. Она победила Спенсера. Переполненная гордостью, удовлетворением и любовью, Кори улыбнулась ему и спросила, все еще держа руку на его груди:

— Ну, и как я тебе понравилась?

— Все зависит от того, какие у тебя были дальнейшие планы, — коротко ответил Спенс.

Кори приподнялась, торжествуя, что заставила его пожелать себя; никакие его слова уже не могли погасить ее ликования.

— А теперь, когда ты все продемонстрировал, — поддразнила его Кори, — может, скажешь мне, в какой момент ситуация вышла из-под контроля?

— Нет, — сказал он и сел.

Кори села рядом, чувствуя себя хозяйкой положения и улыбаясь самой невинной из своих улыбок.

— Но ведь ты обещал объяснить мне, что я такое делаю, отчего все идет не так. Может быть, повторим?

— Больше никаких демонстраций. — С этими словами Спенсер встал. — Твой отец гонялся бы за мной с ружьем, узнай он, что здесь сегодня произошло. И он был бы прав.

— Но ничего не произошло.

— Если, по-твоему, сейчас ничего не произошло, то почему ты жалуешься, что молодые люди заходят с тобой слишком далеко?

Кори шла рядом со Спенсером и изо всех сил притворялась огорченной, хотя больше всего ей хотелось торжествовать победу.

— Тогда все-таки скажи: когда мы зашли слишком далеко?

— Не зашли. Но могли зайти — вот что главное.

# Глава 6

Спенсер уехал в Даллас, и Кори увидела его только в ноябре, в День благодарения. Когда он пришел их навестить, Кори поняла, что ей ни за что на свете не заманить его в укромное местечко, и она решила про себя, что майский поцелуй возымел свое действие и сделал его предельно осторожным.

Диана была склонна согласиться с сестрой, и Кори вновь заручилась ее поддержкой, чтобы окончательно осуществить свою мечту, с которой жила уже не один год. Кори неистово жаждала ее осуществления, и ей даже в голову не приходило, что ее противником в этом деле может выступить сама судьба. Для достижения своей цели она к концу визита Спенса притворилась несколько встревоженной и чуть печальной. Удостоверившись, что Спенс заметил ее взволнованное состояние, Кори оставила его наедине с Дианой в гостиной, а сама притаилась за дверью в соседней столовой.

— Бедняжка Кори, — посочувствовала Диана, как и было между ними условлено.

— Что случилось? — быстро спросил Спенс, и Кори чуть не подпрыгнула от радости, услышав тревогу в его голосе.

— Весь этот семестр Кори только и мечтала, что о рождественском школьном бале. Она уже давным-давно приготовила себе бальное платье.

— И в чем же загвоздка?

— Загвоздка в том, что ее партнером был Дуглас Джонсон — ты знаешь, он играет в Бейлорской футбольной команде, — но он позвонил сегодня утром и сказал, что его семья на Рождество едет на Бермуды и что они и слышать не хотят о том, чтобы он остался дома. Мне очень жаль Кори.

— Наверное, это только к лучшему, — заметил Спенс. — Ты ведь знаешь, какие они, эти футболисты, и чего они требуют от девушки, если удостаивают ее своим драгоценным вниманием.

— Ты сам играл в футбол, — смеясь, заметила Диана.

— Вот откуда я это и знаю.

— Дело в том, что она вообще может не попасть на бал. А это очень важное мероприятие, особенно для выпускников.

— Почему она не попросит сопровождать ее еще кого-нибудь? — спросил Спенс, удивленный, что Диана обращается к нему.

— У Кори много друзей, но все они уже выбрали себе пару.

Кори показалось, что прошла вечность, прежде чем Спенс ответил:

— Ты хочешь, чтобы я сопровождал Кори на бал?

— Я только сказала, а ты уж сам решай.

Диана встала и вышла из комнаты. Проходя мимо Кори в столовой, она приветствовала ее ободряющим жестом. Кори уже была на пороге гостиной, когда вдруг сообразила, что широко улыбается, и поспешила придать лицу соответствующее печальное выражение. Но Спенсер ничего не заметил: он как раз надевал куртку, чтобы уходить.

— Моя мать приезжает домой на Рождество, — оповестил он Кори.

— Я рада.

— Я жду ее приезда, — признался Спенс, немного смущенный своей сентиментальностью. — Я не видел ее целых три года, — пояснил он. — Диана сказала мне, что у тебя нет кавалера для рождественского бала. На Рождество я буду здесь, в Хьюстоне, и если ты не стесняешься такого старика, как я, и не можешь найти никого другого, то я с удовольствием буду тебя сопровождать.

У Кори закружилась голова от счастья, но она воздержалась от чрезмерного проявления чувств, чтобы не спугнуть Спенсера. Вместо этого она сдержанно сказала:

— Очень благодарна, что ты меня поддержал.

— Сейчас я еду обратно в Даллас. Ты мне скажешь, когда я должен вернуться, чтобы сопровождать тебя на бал?

— Я могу это сделать прямо сейчас. Бал будет двадцать первого, — поспешно сказала Кори. — Ты мог бы заехать за мной в семь?

— Конечно, нет проблем. Дай мне знать, если найдешь кого получше.

Он застегнул молнию на куртке и уже начал спускаться по ступенькам крыльца, когда Кори, совсем как взрослая, храбро похвалила его:

— Какой ты милый, Спенс!

В ответ он рассмеялся, пощекотал ее под подбородком, как будто она была шестилеткой, и ушел.

# Глава 7

Когда двадцать первого декабря в семь часов вечера Кори спустилась вниз в синем шелковом платье и такого же цвета туфлях на высоких каблуках, она и не выглядела, и не чувствовала себя маленькой девочкой. Она была женщиной, и ее глаза сияли счастьем и надеждой; она была Золушкой, ожидающей своего прекрасного принца у окна гостиной.

К сожалению, прекрасный принц опаздывал.

Когда без четверти восемь он все еще не появился, Кори позвонила ему домой. Она знала, что бабушка Спенса вернется из Скотсдейла только на следующий день и что она отпустила прислугу до Рождества, поэтому, когда никто не ответил, Кори решила, что Спенс уже на пути к ней.

Но в восемь пятнадцать его все еще не было, и отец предложил сам отправиться к миссис Бредли и выяснить, что задерживает Спенса и все ли там в порядке. Вся в напряжении и во власти тревожных предчувствий, Кори ожидала возвращения отца, уверенная, что только смерть или в крайнем случае дорожная катастрофа могут помешать Спенсу выполнить обещание.

Мистер Фостер вернулся через двадцать минут. Кори увидела его рассерженный, негодующий взгляд и сразу поняла, что он привез ей плохие новости. Новости оказались не просто плохими, но ужасными. Отец переговорил с шофером, который жил в квартире над гаражом, и тот рассказал мистеру Фостеру, что Спенсер в конце концов решил не приезжать домой на праздники. По словам шофера, мать Спенсера, которую ждали домой к Рождеству, вместо этого отправилась в Париж, в результате чего бабушка Спенсера, миссис Бредли, решила продлить до Нового года свое пребывание в Скотсдейле.

В отчаянии, еле сдерживая слезы, Кори выслушала отца. Но у нее не хватило сил выслушивать еще и соболезнования и законное возмущение членов своей семьи. Она заперлась в своей комнате, сняла прекрасное платье, выбранное ею с такой тщательностью для того, чтобы ослепить и покорить Спенсера. Всю следующую неделю, стоило зазвонить телефону, Кори вскакивала с места в надежде, что это Спенсер, готовый все объяснить и принести извинения.

В первый день нового года Кори, так и не дождавшись от Спенсера ни того ни другого, очень спокойно вытащила из шкафа прекрасное синее шелковое платье и упаковала его в коробку, затем сняла со стен, зеркал и других мест в комнате все до одной фотографии Спенсера.

Она спустилась вниз и попросила всех членов семьи никогда, ни под каким предлогом не говорить Спенсеру, с каким нетерпением она его ждала и как огорчилась, когда он не появился. Все еще в бешенстве от оскорбления, нанесенного Кори, мистер Фостер с горячностью доказывал, что Спенсер слишком легко отделался и что его следует строго наказать, к примеру, отхлестать кнутом, ну а если не кнутом, то хотя бы высказать ему в лицо все, что они о нем думают! Кори с прежним спокойствием ответила, что Спенсер не должен знать, как она, терзаясь и беспокоясь, ждала его у окна.

— Пусть он думает, что я отправилась на бал с кем-то другим, — твердо сказала она.

Когда же мистер Фостер продолжал настаивать, что в качестве отца Кори он имеет право «потребовать объяснений от наглеца», мать Кори положила мужу руку на плечо и сказала:

— Гордость Кори превыше всего, и она хочет ее спасти.

Диана была не менее отца зла на Спенсера и все же приняла сторону Кори.

— Мне бы тоже, папа, хотелось наградить его хорошей оплеухой, но Кори права. Мы не должны показывать ему, что он был дорог Кори.

На следующий день Кори отдала прекрасное синее шелковое платье в магазин, торговавший одеждой в благотворительных целях.

Она сожгла некоторые фотографии, но пожалела красивые толстые альбомы, хранившиеся под кроватью, и упаковала их в большую коробку вместе с фотографиями Спенсера, вставленными в рамки. Она отнесла коробку на чердак, думая, что когда-нибудь, если ей понадобятся альбомы или рамки, она выбросит старые фотографии и заполнит их снимками людей, более достойных, чем Спенсер Аддисон.

В ту ночь в постели Кори не плакала, но с тех пор никогда больше не позволяла себе думать о Спенсере Аддисоне. Она рассталась не только с фотографиями, она рассталась со своей юностью и свойственными ей обольстительными заблуждениями.

В дальнейшем судьба предоставила Кори всего два случая увидеть Спенсера и поговорить с ним, если бы у нее возникло подобное желание, а именно: похороны его бабушки, миссис Бредли, весной того же года и его свадьба летом с дебютанткой из нью-йоркского высшего света. Кори присутствовала на похоронах вместе со своей семьей, но когда они подошли к Спенсеру, чтобы выразить ему соболезнования, Кори намеренно скрылась в толпе людей, пришедших на похороны. Устремив взгляд на усыпанный цветами гроб, Кори помолилась за упокой души бабушки Спенсера, и слезы, которых она не замечала, катились у нее по щекам. Потом Кори незаметно ушла.

Она не присутствовала на свадьбе Спенсера, хотя свадьба состоялась в Хьюстоне, где жили близкие родственники невесты. Не присутствовала она и на приеме, состоявшемся после венчания, хотя все остальные члены семьи Фостер были и на приеме, и в церкви. Свадебную ночь Спенсера она решила провести точно таким же образом, как и он: заняться любовью.

К сожалению, Дуглас Хейвард, которому она решила подарить свою девственность, оказался куда лучшим другом, чем любовником, и дело завершилось исповедью и долгим искренним плачем у него на груди.

Прошло время, и Кори совсем забыла о Спенсере. Начались новые, более интересные события, оттеснившие Спенсера на задний план.

Прежде всего с каждым годом семья Фостер становилась все более известной. Увлечение семьи садоводством, кулинарией и столярным делом, которое многие считали пустым занятием, превратилось в нечто серьезное, в солидное дело, которое Марджори Крамбейкер продолжала с энтузиазмом пропагандировать в своей газетной колонке.

В тот год, когда Кори училась на первом курсе колледжа, редактор журнала «Лучшие дома и сады» прочла хвалебную колонку Марджори и после посещения дома Фостеров и присутствия на приеме по случаю Дня независимости четвертого июля решила напечатать у себя в журнале обширную статью под названием «Приемы у Фостеров и стиль их жизни».

Номер вышел с многочисленными снимками накрытых столов, уставленных посудой, расписанной бабушкой Розой, и украшенных салфетками ручной работы, а также букетами и композициями из цветов, выращенных матерью Кори в собственном саду и в небольшой теплице. Были и очень удачные снимки любимых блюд семьи, их подробные рецепты, советы, как выращивать зелень и ароматические травы, фрукты и овощи, использованные для приготовления кушаний на снимках. Но самым запоминающимся был конец статьи, где мать Кори объясняла, почему их семья посвятила себя этому нелегкому труду: «Я считаю, что успех любого дела, будь то приготовление обеда, прополка огорода, покупка мебели для спальни или организация вечеринки, зависит от того, с кем и для кого вы это делаете. Главное — вы должны заниматься этим с людьми, которых любите. Вот тогда вас ждет настоящее удовлетворение, независимо от конечного результата ваших усилий».

Журнал назвал эту мысль «идеал Фостеров», и с тех пор любое начинание или предложение семьи Фостер автоматически обретало это название. После статьи в журнале «Лучшие дома и сады» другие журналы обратились к Фостерам с предложением писать о них и платить за это деньги. Мать Кори и дедушка с бабушкой могли давать только наметки и необработанный материал, который Диана превращала в статьи, а Кори сопровождала фотоснимками.

Сначала это было для Фостеров не более чем семейным хобби.

Роберт Фостер умер от кровоизлияния в мозг в 1987 году, именно в тот момент, когда цены на бирже упали до самого низкого уровня. Его адвокат и бухгалтер открыли членам семьи истинную картину их финансового положения, и Фостеры поняли, отчего в последний год Роберт был нервным и озабоченным, отчего, охраняя их спокойствие, скрывал от них размеры катастрофы. После этого семейное хобби превратилось в бизнес, который позволил им выжить. Колонка Марджори Крамбейкер уже сделала Мери Фостер знаменитой хозяйкой светских приемов, но после смерти Роберта Фостера талант Мери оказался невостребованным и терял всякий смысл.

В конце концов Элиз Ланье, жена одного из ведущих предпринимателей Хьюстона, занимающегося организацией приемов, обедов, ужинов и свадеб, помогла Фостерам остаться на плаву. Спустя месяц после смерти Роберта она позвонила Мери и очень осторожно спросила ее, не возьмет ли она на себя подготовку буфета и оформление Бала орхидей. Мери согласилась, и тогда Элиз использовала все свое значительное влияние, чтобы заинтересовать этой идеей других членов комитета по организации бала.

Впервые за всю историю Бала орхидей на одного человека возлагалась такая огромная ответственность. Элиз проявила себя настоящим другом, и Мери не забыла ее поддержку. Через несколько лет, когда муж Элиз был избран мэром Хьюстона, Мери наконец сумела выразить ей свою благодарность. Она послала Элиз корзину величиной с небольшой автомобиль, до краев наполненную подарками и перевязанную широкой трехцветной лентой.

В корзине были расписанные вручную фаянсовые тарелки, кофейные чашки, подсвечники, кольца для салфеток, солонки и перечницы, а также салфетки ручной работы. Это был полный набор для пикника на двадцать четыре персоны, и в каждом предмете чувствовались любовь и мастерство дизайнера и художника. Каждая вещь была украшена монограммой Ланье красного, белого и синего цветов.

И хотя за один вечер после Бала орхидей Фостеры превратились в самых знаменитых в городе организаторов приемов, они не могли зарабатывать этим достаточно денег для поддержания привычного образа жизни, и очень скоро тяжелая каждодневная работа стала не под силу матери Кори, ее дедушке и бабушке.

Именно Диана решила, что им следует оставить этот изматывающий труд по организации и обслуживанию обедов и приемов, для которого им не хватало ни опыта, ни сил, и посвятить себя написанию статей для различных женских журналов по домоводству, тем более что в этой области они уже заработали себе имя. Диана проявила себя настоящей дочерью предпринимателя, и хотя Роберту Фостеру не повезло и он разделил печальную судьбу многих богатых техасцев семидесятых — восьмидесятых годов, Диана определенно унаследовала от отца умение заниматься бизнесом.

Она составила рабочий план, собрала все статьи и рецепты, появившиеся в журналах за прошлые годы, а также многочисленные снимки, сделанные Кори для иллюстрации этих статей.

— Если мы действительно хотим добиться успеха, — объяснила она Кори, отправляясь к банкиру, который был другом отца, — то должны сразу поставить дело на широкую ногу, получив хорошую финансовую поддержку. Иначе мы потерпим крах не из-за отсутствия опыта и таланта, а из-за недостатка средств, чтобы продержаться первые два года.

Каким-то образом Диане удалось получить необходимые деньги.

Первый номер журнала «Образцовое домоводство Фостеров» вышел через год, и, хотя Фостеры столкнулись с трудностями, причем кое-какие из них граничили с катастрофой, журнал нашел своего читателя. Фостеры начали также выпускать поваренные книги и красивые подарочные альбомы, благодаря которым Кори стала признанным фотографом и существенно пополняла бюджет фирмы.

И вот теперь этот заказ в Ньюпорте, подумала Кори. Десять лет работы, тысячи снимков, и она опять там, откуда начинала: она берет фотоаппарат и едет туда, где снова встретит Спенсера Аддисона...

Кори взглянула на часы и поспешно открыла дверцу машины. Уже поднимаясь по ступенькам крыльца, она вдруг поняла, что ее волнует будущая встреча со Спенсером. Почти полчаса просидела она в машине, перебирая неприятные воспоминания, некогда похороненные на чердаке вместе с альбомами, заполненными фотографиями Спенсера. Теперь, самостоятельной женщиной, она извлекла их на свет, но не почувствовала прежней боли.

Когда-то она была мечтательным подростком, влюбленным во взрослого мужчину. Этот взрослый мужчина сознательно избегал ее обожания, а потом грубо отверг ее любовь.

Далеко позади осталось то время, ей уже исполнилось двадцать девять, ее окружали друзья, она немалого достигла в жизни, и впереди ее ожидало еще много счастливых дней.

Спенсер... Кем он был для нее теперь? Незнакомцем, чей брак после пяти лет жизни окончился неудачей? Спенсер остался жить на восточном побережье, где поддерживал связь со своими единственными родственниками: сводной сестрой и племянницей, собиравшейся теперь выйти замуж.

Продумав все до мелочей, Кори удивилась, что сначала испугалась встречи со Спенсером. Возможность сфотографировать свадьбу для «Образцового домоводства» была для нее вызовом, проверкой ее профессиональных качеств, а она не сомневалась в своем профессионализме. Сейчас она относилась к Спенсеру с полным безразличием. Прошлое увлечение казалось ей таким по-детски наивным, что она решила достать с чердака коробку с альбомами и заранее отправить ее в Ньюпорт. Ей самой не нужны старые фотографии, но они рассказывали о молодости Спенсера, и, кто знает, может быть, он захочет их иметь.

Кори вошла в кухню и застала там всю семью, расположившуюся вокруг стола, заваленного списками необходимых покупок и неотложных дел.

— Привет, друзья! — поздоровалась Кори и села к столу. — Так кто же из вас отправляется со мной в Ньюпорт?

Ответом ей были довольные улыбки всех: матери, бабушки, дедушки и Дианы. Своим вопросом Кори подтвердила, что поездка состоится.

— Едут все, кроме меня, — сказал Генри Бриттон и взглянул на стоящую рядом палку, без которой не мог теперь обходиться. — Вы, девушки, всегда умеете взять от жизни лучшее!

## Глава 8

Самолет Кори опоздал на два часа, и было уже около шести, когда такси повернуло на тихую улицу с домами, построенными в начале века и похожими на дворцы, где все осталось неизменным с тех самых пор, как Вандербильты и Гульды проводили лето в Ньюпорте. Дом Спенсера находился в самом конце улицы и был одним из самых представительных.

Изогнутый в виде подковы, он был повернут открытой частью к улице и являл собой трехэтажное чудо во славу архитектуры и человеческого мастерства. Портик со стройным рядом белых колонн соединял концы подковы. Какие бы чувства ни испытывала Кори к Спенсеру Аддисону, она влюбилась в его дом с первого взгляда. Высокая узорчатая чугунная ограда отделяла зеленую лужайку двора от улицы, а въезд закрывали высокие, такие же замысловатые, как и ограда, но еще более нарядные ворота. Они отворились, когда шофер назвал имя Кори по внутреннему телефону.

Дворецкий открыл парадную дверь, и Кори последовала за ним через восьмигранную переднюю размером с танцевальную залу, окруженную галереей, поддерживаемой колоннами из бледно-зеленого мрамора. Ротонда скорее предназначалась для встречи дам в бриллиантах, бальных платьях и мехах, подумала Кори, но никак не современных деловых женщин в строгих темных костюмах и тем более не женщины-фотографа в голубой шелковой блузке, белых шерстяных брюках и таком же пиджаке. Если бы пропуском в этот дворец служили драгоценные украшения, то Кори наверняка бы осталась за дверями, несмотря на ее широкий золотой браслет на запястье и золотые с бирюзой серьги. Это были старинные украшения тонкой работы, но здесь больше подошли бы изумруды и рубины.

— Не скажете ли вы, где я могу найти сотрудников журнала «Образцовое домоводство Фостеров?» — спросила Кори дворецкого, когда они подошли к широкой лестнице, ведущей на второй этаж.

— Насколько я знаю, они на лужайке за домом, мисс Фостер. Если вам угодно, я могу сейчас же провести вас туда, а чемоданы прикажу отнести наверх в вашу комнату.

Так как Кори больше всего интересовалась ходом подготовки к свадьбе, она с готовностью согласилась.

В комнатах, через которые вел ее дворецкий, по сравнению с тишиной и покоем прихожей кипела оживленная суета: десятки людей переставляли мебель, украшали стены гирляндами и расставляли цветы, готовясь к свадебному торжеству.

Заботливая рука матери Кори и ее безупречный вкус ясно чувствовались в столовой, где казавшийся бесконечным стол был покрыт скатертью, отделанной кружевами ручной работы, и уставлен изящной фарфоровой посудой и хрусталем. Но Кори знала, что это еще не все, что утром в день свадьбы стол украсят вазами с цветами — особыми, не сравнимыми ни с чем букетами, известными под названием «Букеты Мери Фостер», по букету на каждую гостью. Во всех букетах будут одни и те же цветы, но каждый составлен по-своему, и каждая гостья после окончания обеда унесет с собой букет как знак уважения к ней хозяйки. Так расшифровала этот замысел в своей колонке в журнале «Образцовое домоводство Фостеров» миссис Мери Фостер.

В данный момент автор колонки стояла на лужайке позади дома и, не обращая никакого внимания на ослепительно синий морской простор и яркие золотисто-розовые краски заката, командовала четырьмя из шести предоставленных ей сестрой Спенсера помощников. Бабушка Роза находилась рядом и вносила свои поправки в то, как лучше установить и украсить цветами арки, под которыми в день свадьбы пройдут невеста и жених.

— Как дела? — спросила Кори, обняв сначала мать, а потом бабушку.

— Сама можешь догадаться, — отозвалась Мери Фостер, целуя дочь в щеку.

— Настоящая неразбериха! — без церемоний объявила бабушка. С возрастом она мало изменилась, если не считать чрезмерной откровенности, приводившей в замешательство окружающих, причину которой врач объяснял преклонными годами бабушки Розы и добавлял, что ею грешат многие старики. Свои суждения бабушка высказывала прямо, хотя и без ехидства.

— Анджела, мать невесты, лезет во все и очень мешает, — со всей откровенностью сказала бабушка.

— А как невеста? — поинтересовалась Кори, избегая спрашивать о Спенсере.

— Она добрая девочка, — ответила бабушка. — И очень хорошенькая. Ее зовут Джой. И еще она глупа как пробка, — добавила она и, заметив неполадку, направилась к одному из помощников.

Кори нервно рассмеялась, посмотрела вокруг и обменялась понимающим взглядом с матерью, которая немного нервничала.

— Я знаю, что репортажи с места событий бесценны для нашего журнала, но для бабушки в ее возрасте такие поездки явно утомительны. Она больше не способна работать в напряженном темпе.

— Ты права, — согласилась Кори, — но ведь бабушка всегда настаивает на своем участии. — Она посмотрела на новую беседку, на банкетные столы под белыми тентами и улыбнулась, довольная ходом приготовлений. — Не сомневаюсь, что все будет замечательно.

— Скажи это матери невесты, пока она не свела нас всех с ума, — отозвалась Мери. — Бедняга Спенс, я не удивлюсь, если он удушит Анджелу еще до свадьбы. Она вся на нервах и постоянно ноет. А если не жалуется, то следует за тобой по пятам, как бдительный терьер. Она придумала устроить свадьбу Джой именно здесь и поручить нам эту работу, а Спенс платит за удовольствие. Диана очень правильно все предугадала: Анджела только и делает, что причитает, а Спенс молча терпит.

— Непонятно только, почему платит Спенсер, если муж Анджелы немецкий аристократ, у которого, по слухам, целая куча титулованных родственников, — удивилась Кори.

Мери нагнулась, чтобы подобрать длинную полосу гофрированной бумаги.

— Джой говорит, а она настоящая болтушка, что у мистера Рейхардта действительно аристократические предки, но нет денег. В общем, он не так богат, как Спенс, но если подумать, то ведь у Спенса нет других родственников, кроме Джой и Анджелы. Отец Спенса развелся с его матерью и снова же-

нился, когда Спенс был еще в пеленках, и после никогда не
хотел видеть своего сына. Ну а мать, пока была жива, только
и думала о себе и своих развлечениях. Если быть справедливой, то в конце концов Джой ведь не дочь мистеру Рейхардту.
Отец Джой — второй муж Анджелы. Или третий? Как бы
там ни было, Джой утверждает, что Спенс оплачивает счета,
потому что его сестра хочет, чтобы свадьба прошла с пом-
пой, соответствующей статусу приемной дочери немецкого
аристократа.

Кори усмехнулась, услышав подобное объяснение.

— Ну а жених, какой он?

— Ричард? Прямо не знаю, что и сказать. Я его не видела, а Джой о нем помалкивает. Она проводит почти все время
в обществе Вилла, сына здешнего ресторатора. Насколько я
понимаю, они давно знакомы и с удовольствием встречаются.
Кстати, ты уже видела Спенса?

Кори покачала головой:

— Нет, но мы обязательно встретимся, это неизбежно.

— А вот мистер и миссис Рейхардт, а с ними Джой, —
кивнула Мери Фостер в сторону трех приближающихся к ним
гостей. — Ужин через два часа, так что поздоровайся с ними
и иди к себе распаковываться. Эти два часа будут у тебя
единственным спокойным временем в ближайшие три дня, до
тех пор пока мы не уедем из этого сумасшедшего дома.

— Пожалуй, я воспользуюсь твоим советом. К тому же
мне надо успеть до ужина кое-куда позвонить.

— Кстати, — уточнила Мери, — мы с бабушкой едим в
маленькой комнатке при кухне, а не в столовой со всей семьей.

У Кори эта новость вызвала неожиданное раздражение.

— Уж не хочешь ли ты сказать, мама, что Спенсер обращается с нами как с прислугой?

— Ну что ты! — ужаснулась Мери. — Просто мы пред-
почитаем есть на кухне. Поверь, это куда приятнее, чем слушать разговоры мистера и миссис Рейхардт и двух других пар,

которые приехали на свадьбу. И Джой обычно ест вместе с нами на кухне. Ей там тоже больше нравится.

Миссис Фостер сравнила Анджелу с терьером, но после встречи с ней у Кори возникла совсем другая ассоциация. Коротко стриженная, с почти белыми волосами и карими глазами, сухощавая и элегантная, Анджела скорее походила на нервную русскую борзую. А ее муж Питер был настоящим доберманом-пинчером: изящным, импульсивным и аристократически возвышенным. Ну а Джой? Джой в свои восемнадцать лет, со светло-коричневыми кудряшками и доверчивыми печальными карими глазами, напоминала миленького коккерспаниеля. Как только со знакомством было покончено, борзая и доберман, объединив усилия, набросились на бедную Мери и, оставив Кори наедине с Джой, утащили Мери с собой, чтобы показать ей какие-то неполадки в оформлении гостиной.

— Давайте я провожу вас в вашу комнату, — предложила Джой, увидев, что Кори направляется к дому.

— Если у тебя есть какие-то дела, я могу попросить об этом дворецкого.

— Нет, я не занята, — отозвалась Джой и зашагала рядом с Кори. — Я хотела с вами познакомиться, у вас такая симпатичная семья.

— Спасибо, — поблагодарила Кори, почувствовав искреннюю открытость Джой, которую, видимо, куда больше интересовала сама Кори, чем обсуждение деталей будущей свадьбы.

Мощенная камнем терраса, куда выходило несколько стеклянных дверей, окружала дом с двух сторон, и с нее открывался чудесный вид на море. Кори направилась было к одной из дверей, но Джой окликнула ее.

— Идите сюда, — позвала она Кори, — так будет быстрее. Мы пройдем через кабинет дяди Спенса.

Кори остановилась, решив отказаться от предложения, но было уже поздно. Спенсер Аддисон пересек террасу, направляясь в сад, и, хотя Кори не видела лица, она сразу узнала его по стремительной размашистой походке.

Он заметил ее и остановился, поджидая их с Джой, приветливо улыбаясь и держа руки в карманах. Когда-то именно эта его улыбка заставляла замирать сердце Кори, но теперь она только разбудила старые воспоминания, начисто лишенные того прежнего горячего чувства. В свои тридцать четыре года, одетый в простые серые брюки и белую рубашку с закатанными выше локтя рукавами, он казался таким же красивым и мужественно привлекательным, как и в двадцать три.

Кори подошла ближе, и улыбка на его загорелом лице стала еще шире и теплее, а когда он заговорил, его голос оказался более низким, более проникновенным, чем она помнила.

— Привет, Кори, — сказал Спенсер и, вытащив руки из карманов, сделал движение, словно намереваясь ее обнять.

Кори ответила улыбкой на его улыбку. Улыбкой, какой встречают обычного знакомого, с которым не виделся много лет: в меру дружелюбной, но спокойно-равнодушной.

— Здравствуй, Спенс, — сказала она и специально протянула одну руку, так что ему пришлось довольствоваться только рукопожатием.

Он понял ее намерение и подчинился, но задержал ее руку в своей дольше, чем положено, и она сама высвободила ее.

— Вижу, вы уже познакомились с Джой, — сказал он, вовлекая в разговор свою племянницу. Затем мягко упрекнул Джой: — Я думал, ты мне скажешь, что Кори приехала.

— Я приехала всего час назад, — объяснила Кори.

Когда-то намек, что он хочет ее видеть и даже мечтает об этом, сделал бы Кори счастливейшим человеком на свете. Теперь она была старше, мудрее и знала, как держать себя с ним в эту первую после долгих лет разлуки встречу. И прежде всего она помнила, что Спенсер всегда неотразим и сексуален, но за этим ничего не кроется. Кори похвалила себя за то, как умело руководит их встречей. Она взглянула на часы и с сожалением сказала:

— Прошу извинить, но мне надо до ужина кое-куда позвонить. — И чтобы окончательно отделаться от Спенсера на тот случай, если он предложит свои услуги, обратилась к Джой: — Ты не покажешь мне мою комнату?

— Ну конечно, — обрадовалась Джой. — Я провожу вас туда.

Кори вежливо кивнула Спенсеру и оставила его стоять на террасе. Она знала, что он смотрит ей вслед, так как видела его отражение в стеклянной двери кабинета, но ей было все равно. Она полностью контролировала себя и очень гордилась этим. Кори не могла отрицать, что, увидев Спенса, испытала некоторое волнение и что у нее участился пульс, когда он улыбнулся, глядя ей в глаза, но она нашла этому разумное объяснение: в тот миг сработал давний стимул, прежний условный рефлекс, что было вполне естественно. Давным-давно она реагировала подобным образом на его присутствие, но теперь чувства ушли, а рефлекс остался, как у собаки Павлова при звуке колокольчика.

Джой провела ее через зал и вверх по широкой лестнице с удивительной красоты чугунными перилами. На втором этаже лестница выходила на широкую галерею, с трех сторон опоясывающую зал. От галереи отходили длинные широкие коридоры. Джой повернула в первый из них и довела Кори до самого его конца, завершавшегося двойной дверью. Она взялась за медную дверную ручку, но остановилась и пояснила:

— Мама и отчим хотели поселить здесь своих друзей, но дядя Спенс сказал, что комната зарезервирована для вас.

Джой широко распахнула дверь и отступила в сторону, чтобы Кори могла беспрепятственно полюбоваться открывшимся видом, но при этом не спускала глаз с Кори, ловя ее реакцию.

Кори потеряла дар речи.

— Мы называем это «апартаменты Герцогини», — с готовностью пояснила Джой.

В немом изумлении Кори медленно вошла в просторную комнату, которая была словно перенесена сюда из покоев Николая и Александры. Комната была отделана в двух тонах: светло-голубом и золотистом. Высоко над кроватью замысловатая резная корона поддерживала блестящий голубой шелковый полог, изящно задрапированный по четырем углам и спускавшийся вниз до светло-голубого ковра. Голубое стеганое атласное покрывало довершало убранство кровати, и такой же голубой, стеганой и атласной была спинка кровати.

Ошеломленная Кори оглядывалась вокруг и почти не слушала объяснений Джой. Голубые шелковые портьеры были подхвачены толстыми золотыми шнурами, в углу стоял изящный, украшенный резьбой секретер, а перед ним — обитое голубым шелком кресло.

— Когда дядя несколько лет назад купил особняк, — тем временем продолжала свой рассказ Джой, — он отреставрировал его целиком, не только дом, но и мебель. Поэтому теперь здесь все выглядит так же, как и сто лет назад, когда дом был построен.

Кори с трудом вернулась к действительности.

— Потрясающе, — только и сумела произнести она. — Я видела такие спальни только на снимках дворцов европейских монархов.

Джой согласно кивнула:

— Дядя Спенс сказал, что, когда вы были в моем возрасте, он назвал вас Герцогиней. Наверное, поэтому он хотел, чтобы вы поселились здесь.

Слова Джой значительно смягчили отношение Кори к Спенсеру. В молодости он пренебрегал ее чувствами, но с возрастом определенно изменился в лучшую сторону. И все же, так ли много он для нее сделал, чтобы простить и даже хвалить его? К примеру, эта комната... Мелкая любезность, которая ему ничего не стоит.

— Значит, ужин в восемь, тогда и встретимся, — сказала Кори.

## Глава 9

Нахмурившись, Кори в раздумье разглядывала себя в зеркале. Она остановила свой выбор на узком черном комбинезоне из джерси, с открытыми плечами, глубоким вырезом на спине и узкими лямками, пристегнутыми к корсажу золотыми пряжками. Костюм облегал ее тело и ноги, словно мягкая перчатка, и лишь у самых щиколоток брюки были слегка расклешены. Кори подумалось, не слишком ли наряден ее туалет для ужина на кухне. А может быть, для здешней обстановки он, наоборот, слишком прост? Спенсу комбинезон наверняка понравится... Спенс, опять Спенс!

Кори рассердилась на себя за то, что хочет ему угодить, и поспешно надела босоножки, вдела в уши серьги в виде золотых дисков и защелкнула на запястье широкий плоский золотой браслет, с которым редко расставалась. Она было направилась к двери, но тут же снова вернулась к зеркалу, чтобы бросить последний взгляд на лицо и прическу. Сегодня она распустила волосы по плечам, и это ей нравилось, но, самое главное, ей больше не надо было думать о том, что она слишком молода для Спенсера Аддисона. Кори решила немного прибавить губной помады и быстро подвела губы. Она взглянула на часы и удивилась, что уже так поздно. Стрелки показывали восемь пятнадцать. Сегодня, чтобы одеться к ужину, ей понадобилось ровно вдвое больше времени, чем когда-то на подготовку к последнему Балу орхидей в Хьюстоне. Очень недовольная собой, Кори резко повернулась и пошла к двери.

Маленькая комнатка возле кухни оказалась не мрачной кладовкой, как представляла себе Кори, а уютным помещением с высокими окнами, выходящими на лужайку позади дома. Уже издалека Кори услышала голос матери и, улыбаясь, открыла дверь.

Первым, кого она увидела, был Спенс.

Он сидел в конце стола, небрежно положив руку на спинку стула, который занимала Мери Фостер. Бабушка Роза сидела рядом с Мери, а возле бабушки сидела Джой. Стол был накрыт на пять человек, и четверо из них уже занимали свои места. Кори была пятой. Значит, Спенсер ужинал с ними.

Улыбка исчезла с лица Кори, она чуть не повернула обратно, но вовремя опомнилась, тем более что бабушка Роза уже объявила:

— А вот и Кори. Ты опаздываешь, дорогая. Боже мой, какая ты сегодня нарядная! Это что — обновка?

Кори готова была провалиться сквозь землю. Бабушка намекала, что она специально оделась к ужину, и это, конечно, было правдой, чего Спенсер не мог не заметить.

Спенсер Аддисон действительно заметил, как прекрасно выглядела Кори. Но в первую очередь он обратил внимание на ее реакцию, когда она увидела его за столом. Он понял, что Кори не ожидала встретить его здесь. Она вообще не хотела его видеть. Это открытие озадачило и обидело Спенсера.

Он смотрел, как она шла к столу с той неизменной легкой грацией, присущей ей еще в подростковом возрасте, и улыбнулся ей. Кори ответила ему улыбкой, но при этом смотрела как бы сквозь него, и Спенсеру захотелось встать на ее пути и крикнуть: «Черт возьми, Кори, посмотри на меня!» Он все еще не мог поверить, что эта холодная, сдержанная молодая женщина была той самой Кори Фостер, которую он когда-то знал.

Одно осталось прежним, заметил Спенсер: стоило ей войти, как комната наполнялась теплом и светом. Вот и теперь, не успела она сесть напротив него и заговорить, как вся атмосфера вокруг изменилась. Это по крайней мере осталось таким же, как много лет назад. Только в те дни Кори всегда радовалась встрече с ним.

Картины тех дней... Воспоминания о прелестной девочке-подростке, которая появлялась с фотоаппаратом на всех его теннисных матчах. «Я должна снять тебя в первом сете, Спенс». Он неудачно начал партию и сказал ей об этом. «Ну и пусть, — ответила она с обычной заразительной улыбкой, — но какой снимок! Он у меня здорово получился!»

Когда он, бывало, неожиданно заезжал к ним домой, она так искренне радовалась ему, она сияла от счастья. «Привет, Спенс! Хорошо, что ты нас не забываешь!»

И вдруг однажды, когда ей было почти пятнадцать, он увидел ее в саду: она шла ему навстречу, и ветер раздувал ее распущенные по плечам светлые волосы, солнце золотило выгоревшие пряди, голубые глаза были отражением такого же ярко-голубого летнего неба. Золотая девочка, вся — сияние молодости и сгусток энергии, длинноногая и смеющаяся. С того самого дня она стала для Спенсера его золотой девочкой, изменчивой, но верной и всегда прекрасной.

Даже теперь, стоило ему закрыть глаза, и он видел ее стоящей под пучком омелы с заложенными за спину руками. Тогда ей было уже шестнадцать, и она выглядела совсем взрослой.

«Спенс, разве ты не помнишь, что нельзя нарушать рождественские традиции друзей? Это может принести им несчастье...»

Он тогда спросил ее: «А ты уверена, что достаточно взрослая для этого?»

Конечно, он знал, что Кори безумно влюблена в него, и он знал также, что придет время и она вырастет, вырастет из своей любви к нему. Вырастет и забудет его. Неизбежно и естественно молодые люди ее возраста вытеснят его из ее сердца. Разве может быть иначе?

Он ожидал этого и все-таки, когда это произошло, немного встревожился. Пожалуй, даже несколько больше, чем следовало. Он не замечал надвигающейся перемены до того самого вечера, когда она предложила ему принять участие в эксперименте с поцелуями. Господи, каким подлецом он себя чувствовал из-за своего поведения в тот вечер, а еще больше из-за того, что хотел с ней сделать, это с неопытной-то, невинной девушкой!

Со своей золотой девочкой.

Он тогда забыл о своем обещании сопровождать ее на рождественский бал, и это погасило остатки ее чувства к нему. Она отправилась на бал с кем-то, кто подвернулся ей в последнюю минуту, как когда-то подвернулся ей и он сам. По словам бабушки Спенса, миссис Бредли, Кори сопровождал кто-то более подходящий ей по возрасту и вообще «более подходящий кавалер для такой невинной девушки». Затем Кори совсем вычеркнула его из своего сердца, и на похоронах миссис Бредли, спустя несколько месяцев, даже не удосужилась сказать ему хотя бы несколько слов. Диана извинилась за нее, объяснив, что у Кори назначена встреча. Она не появилась и на его свадьбе, хотя получила приглашение прийти вместе со своим молодым человеком. Если, конечно, таковой имеется...

Люди за столом вокруг Спенса ужинали и вели общий разговор, он иногда вставлял одно-два слова, но и только: его мысли были заняты другим, он предпочитал наблюдать за Кори. А так как она смотрела в его сторону очень редко и лишь мельком, у него были для этого неограниченные возможности. Спенсер очень удивился, когда подали десерт; он съел ужин, не замечая вкуса, и уж совсем не хотел сладкого.

А то, что он хотел, было ему недоступно. Хотя бы на один миг Спенсер хотел перенестись назад, в прошлое, в тот далекий вечер, когда он ужинал в доме Фостеров и Диана попросила его сопровождать Кори на рождественский школьный бал. Уже тогда у Кори был молодой человек по имени Дуглас —

Спенсер не помнил его фамилии — и в придачу еще несколько других. Спенсер больше не играл значительной роли в жизни Кори, но тем не менее она, случалось, одаривала его улыбкой.

То, что теперь в его собственном доме и за его собственным столом Кори не обращала на него никакого внимания, не просто раздражало Спенса, это огорчало его. И он знал почему. Сильнее, чем он мог себе признаться, он ждал встречи с ней и с ее счастливой семьей. Когда он увидел Кори сегодня на лужайке, и ветер играл ее волосами, а солнце золотило светлые пряди, он подумал... Он подумал о недостижимом и неосуществимом.

— Дядя Спенс! — Это Джой прервала его мечтания. — Что ты делаешь со своим стаканом?

— Со стаканом?

— Ну да, со стаканом с водой. Ты не спускаешь с него глаз и вертишь его в руках.

Спенс выпрямился на стуле, готовый забыть о прошлом и вернуться в настоящее.

— Прости, я задумался. О чем вы беседуете?

— В основном о свадьбе, но эта тема уже порядком надоела. Так или иначе, все идет своим чередом, — сказала Джой.

Кори инстинктивно почувствовала, что Спенс готов вступить в разговор, а так как она не хотела с ним разговаривать, то постаралась привлечь внимание к Джой.

— Нет, — поспешила вставить Кори. — Эта тема не может надоесть. Пока все идет гладко, хотя в последнюю минуту могут возникнуть какие-нибудь неполадки. Иногда что-то действительно важное.

— Например что? — спросила Джой.

Кори принялась торопливо выискивать в памяти какие-либо упущения.

— Ну, например, вы оформили разрешение на брак? — наконец нашлась она.

— Нет, но судья принесет его с собой.

— Боюсь, что это невозможно, — сказала Кори, забеспокоившись, что Анджела, слишком занятая внешней, показной стороной свадьбы, забыла о более прозаичных деталях. — Я была подружкой невесты на нескольких свадьбах и знаю, что разрешение следует запрашивать заранее, так как его выдают не сразу, а только через несколько дней. Да, забыла — еще требуется анализ крови!

Услышав об анализе крови, Джой вздрогнула.

— Я падаю в обморок при виде шприца. Судья, который поженит нас, друг дяди Спенса, и он сказал, что это не обязательно. Он имеет право решать, нужно ли делать анализ.

— Пусть так, но все-таки как насчет разрешения и испытательного срока? — настаивала Кори.

— Я уже обо всем позаботился. Между прочим, здесь, на Род-Айленд, нет испытательного срока, — наконец вмешался Спенс, и хотя Кори уже убедила себя, что ее не трогает этот низкий проникновенный голос, тем не менее при его звуках у нее защемило сердце. Кори начала сознавать, что ностальгия — великая сила.

— Я не знала об этом, — сказала Кори и отвела глаза в сторону, чтобы не смотреть на Спенсера. Она не стала искать другую тему для разговора, а последовала примеру остальных: принялась за десерт. К сожалению, Джой мало интересовалась куском торта на своей тарелке, но зато не спускала глаз с Кори и Спенса.

— Удивительно, — заметила она, переводя взгляд с одного на другого, — но я считала, что вы близкие друзья.

Спенсер больше не мог сдерживать обиды, что Кори смотрит на него как на пустое место, и решил заявить о себе и своих чувствах.

— Я тоже считал, что мы друзья, — сказал он резко и с удовлетворением отметил, что вся «галерка» из трех человек одобрила его реплику и повернулась к Кори в ожидании ответа.

Кори подняла голову и встретила его вызывающий взгляд. Мысленно она протянула руку, схватила его тарелку и опрокинула ее содержимое ему на колени.

— Да, мы были друзьями, — сказала она и недоуменно пожала плечами.

— Но вам почему-то не о чем говорить, — удивилась Джой, не скрывая своего разочарования.

«Галерка» посмотрела сначала на Спенсера справа, затем на Кори слева, но Кори положила в рот большой кусок торта и предоставила Спенсеру выкручиваться одному.

— Это было очень давно, — объяснил Спенсер.

— Все это так, дядя Спенс, но два дня назад ты огорчился, что Кори отложила свой приезд на несколько часов. Я было подумала, что, может быть, вас в молодости связывали... какие-то отношения.

Теперь, как и все остальные, Кори в упор смотрела на Спенсера. Она изумленно подняла брови, как бы удивляясь его оплошности и говоря «ты сам навлек на себя беду». Зрители с любопытством наблюдали за их единоборством.

— Я вовсе не огорчился, что Кори отложила свой приезд, — начал оправдываться Спенс. — Я огорчился, что она может вообще не приехать. — Все молча ждали продолжения. — Кори отличный фотограф, и Анджела договорилась с журналом, что именно Кори будет делать все снимки на свадьбе. Мы заключили с ней юридический договор, который, я надеюсь, она выполнит.

Услышав эту вопиющую ложь, Кори открыла от удивления рот, но мать поспешила ей на помощь, чтобы предотвратить столкновение.

— Кори всегда выполняет все свои обязательства, — обратилась она к Джой. — Для нее это вопрос чести.

— Между прочим, — добавила Кори, подозревая, что Джой приготовила новый неловкий вопрос, — Спенс был другом всей нашей семьи, а не только моим.

Кори осталась довольна своим объяснением, Джой тоже одобрительно посмотрела на нее, но, к сожалению, бабушка Роза была другого мнения.

— Мне кажется, Кори, — заметила она, — ты немного ошибаешься.

— Нет, бабушка, это так, — твердо сказала Кори, и в ее голосе послышалось предостережение.

— Возможно, это и так, дорогая, но ты была единственной из нас, кто вместо обоев оклеивал стены своей спальни фотографиями Спенсера.

Кори была готова убить бабушку Розу на месте, но ей не оставалась ничего другого, как, не подвергая сомнению главное, сосредоточиться на мелочах.

— Ну уж не вместо обоев! — устыдила она бабушку.

— Твоя комната была храмом во славу Спенсера, — настаивала бабушка. — Если бы ты возжигала там свечи, люди вполне могли бы приходить туда молиться. Господи, да у тебя под кроватью было полно альбомов с его фотографиями!

— И что же произошло дальше? — спросила Джой.

— Ничего не произошло, — с нажимом произнесла Кори, одновременно пытаясь взглядом усмирить бабушку.

— Вы хотите сказать, что в один прекрасный день дядя Спенсер вдруг вам разонравился и вы сняли со стен его фотографии? Вот так просто, ни с того ни с сего?

Кори одарила Джой безмятежной улыбкой.

— Вот так просто, ни с того ни с сего, — подтвердила она.

— Я не представляла себе, что такое может быть, — мрачно сказала Джой. — Разве человек может вдруг сразу разонравиться?

Кори заметила, что теперь Джой не просто любопытствовала, но проявляла кровную заинтересованность.

Бабушка Роза тоже уловила странности в поведении Джой, но обвинила во всем предсвадебное волнение. Она похлопала

Джой по руке, почувствовала при этом, что рука нервно сжата в кулак, и успокоительно сказала:

— У Кори была на то серьезная причина, милочка. Тебе, я уверена, это не угрожает.

— Какая?

— Спенсер разбил ей сердце.

Кори мысленно смирилась с неизбежным — не могла же она заткнуть бабушке рот салфеткой — и покорилась судьбе. Ей оставалось ждать, как растерзают в клочья ее гордость ради того, чтобы извлечь на свет правду и удовлетворить пустое любопытство молоденькой глупенькой невесты. Кори откинулась на спинку стула и скрестила руки на груди. Ей не оставалось ничего другого, как ждать реакции Спенса, которому тоже приходилось несладко. Его лицо выражало полную растерянность, рука с чашкой кофе застыла на полпути ко рту.

— Что я сделал? — переспросил он, не понимая, и взглянул на Кори, словно ожидая, что она придет ему на помощь и все разъяснит. Вместо этого Кори подняла брови и пожала плечами, но промолчала.

— Ты разбил ей сердце, — повторила бабушка Роза.

— Интересно, как я это сделал? — потребовал ответа Спенсер.

Бабушка Роза осуждающе посмотрела на Спенсера, как на труса, неспособного признать свою вину, и обратилась к его племяннице:

— Когда Кори училась в последнем классе, твой дядя Спенсер предложил сопровождать ее на рождественский школьный бал. Я никогда не видела Кори в большем волнении. Они с Дианой, это сестра Кори, обошли все магазины в округе в поисках подходящего платья для Кори, такого, чтобы свести Спенсера с ума, и в конце концов отыскали такое платье. Наступил день бала, и Кори до самого вечера прихорашивалась у себя в комнате перед зеркалом и только перед самым приездом Спенсера спустилась в гостиную. Боже мой, как шло ей это платье! Она выглядела настоящей красавицей и совсем взрослой девушкой, мы с дедушкой любовались ею со слезами на глазах. Мы ее сфотографировали, а потом собирались снять их вместе со Спенсером.

Бабушка остановилась, чтобы выпить глоток воды, а заодно паузой подогреть интерес слушателей. У Кори мелькнула мысль, что у бабушки открылся невостребованный драматический талант. Джой вытянула шею и передвинулась на самый кончик стула, ловя каждое слово и неодобрительно поглядывая на дядю, готовая осудить его за неблаговидный поступок. Вопреки всему Кори наслаждалась ситуацией.

— И что было дальше? — умоляюще спросила Джой.

Бабушка медленно поставила стакан с водой на стол и печально посмотрела на Джой:

— Твой дядя подвел Кори и не явился.

Джой устремила негодующий взор на дядю, пригвоздив его к позорному столбу. Кори почувствовала, как в ее собственной душе зашевелилась жалость к Спенсеру.

— Неужели, дядя Спенс? Неужели ты мог так поступить?

— Еще как поступил! — развеяла последние сомнения бабушка Роза. Спенсер открыл рот, видимо, для того чтобы замолвить за себя словечко, но бабушка опередила его: — Я смотрела, как она ждет его у окна, и у меня сердце разрывалось на части. Она никак не могла поверить, что он ее подвел.

— И вы так и не попали на бал? — спросила Джой Кори со всем сочувствием и жалостью, на которые способны женщины в подобных обстоятельствах.

— Нет, попала, — вмешался Спенсер.

— Нет, не попала.

Последние слова принадлежали бабушке.

— Мне кажется, вы ошибаетесь насчет этого и кое-чего еще, — сказал Спенсер, раздраженный тем, что его обвиняют в большем преступлении, чем он совершил на самом деле. — Я не отрицаю, что обманул Кори в тот вечер, — продолжал он, адресуясь в первую очередь к своей племяннице, смотревшей на него широко открытыми глазами. — Я забыл о том, что обещал сопровождать Кори на бал, и отправился на каникулы в Аспен вместо того, чтобы ехать домой в Хьюстон. Конечно, я не должен был поручать моей бабушке извиняться за меня перед Кори, но она настаивала, и я согласился. Я признаю, что виноват в этих двух вещах, но остальное... — Спенсер замялся, не зная, как поделикатнее сказать, что бабушка Кори сильно ошибается. — У меня сохранилось об этом совсем другое представление. У Кори уже был сопровождающий, и она уже приготовила себе платье, но случилось так, что ее молодой человек отказался в последнюю минуту. Другие знакомые молодые люди Кори уже договорились со своими девушками, поэтому Диана попросила меня пригласить Кори, что я и сделал. Я был не добровольцем, а скорее рекрутом, и сама Кори остановила на мне свой выбор, потому что не было никого другого. Даже когда я не появился, она все равно нашла кого-то еще. Я был для Кори чем-то вроде запасного игрока, — завершил Спенсер свое оправдание. — Высказав все это, Спенсер с примирительной улыбкой посмотрел на бабушку Розу и добавил: — Я тоже не могу особенно похвастаться своей памятью, но все это я прекрасно помню, так как сильно переживал, что забыл о рождественском бале. Для меня было большим облегчением узнать, что Кори нашла кого-то еще.

— Не сомневаюсь, что у тебя прекрасная память, — ядовито заметила бабушка Роза. — Жаль только, что ты не мог быть на моем месте и видеть, как Кори пошла к себе в комнату в своем великолепном синем платье — я бы даже уточнила, темно-синем, потому что это был твой любимый цвет и она специально его искала, — и там его сняла. Не знаю, почему ты решил, что она избрала тебя в качестве замены, но уверена: если бы ты слышал, как Кори рыдала, пока не уснула, ты бы запомнил это на всю свою жизнь. Она была в отчаянии, бедная девочка!

Хотя кое-что из рассказа пожилой женщины и показалось Спенсу неправдоподобным, он сердцем чувствовал, что она говорит правду. Племянница Джой тоже это знала. Сгорая от стыда, он смотрел на их укоризненные лица и мысленно представлял себе, как его золотая девочка спускается по лестнице в темно-синем платье, а потом долго ждет его у окна. Он думал о Кори, рыдающей в подушку в спальне, полной его фотографий, и ему становилось дурно. Он не знал, для чего Кори придумала уловку с заменой кавалера, но одного взгляда на миссис Фостер было достаточно, чтобы понять очевидную вещь: все без исключения знали о чувствах Кори к нему. Все, кроме него самого.

Он взглянул на Кори, но она оперлась локтями на стол и закрыла лицо руками. Он был противен самому себе, а тут еще его оскорбительное замечание насчет выполнения якобы подписанного договора. Неудивительно, что Кори не желает даже смотреть на него!

Сквозь пальцы Кори наблюдала за виноватым выражением на лице Спенсера и довольной усмешкой на лице бабушки. Вся эта фантастичная мелодраматическая сцена должна была бы вызвать слезы... А вместо этого Кори одолевал смех.

— Кори, — начал Спенс, подняв глаза на ее закрытое руками лицо и готовый принять любое словесное наказание. — Я не знал... Я не понимал... — начал он запинаясь и вдруг увидел, как у нее затряслись плечи. Кори плакала! — Кори, прошу тебя, не надо! — сказал он умоляюще, протягивая к ней руки, но боясь притронуться и усугубить положение.

Ее плечи затряслись еще сильнее.

— Я очень сожалею, — продолжал Спенсер жалобным голосом. — Я не знаю, что еще сказать...

Кори отняла руки от лица, и Спенсер в изумлении увидел пару смеющихся глаз, смотрящих на него с сочувственным любопытством и без всякой вражды.

— На твоем месте, — посоветовала она Спенсеру, продолжая задыхаться от смеха, — я бы пожелала всем спокойной ночи и поскорей удалилась. Особенно если ты не убедил бабушку в своем искреннем раскаянии.

Ее превращение из холодной незнакомки в очаровательную союзницу было таким неожиданным, таким неоправданным и одновременно таким привычно знакомым, что Спенсер почувствовал, как его захлестнула волна нежности.

Он встал из-за стола, подмигнул бабушке Розе и протянул руку Кори:

— Наверное, будет лучше, если я сыграю сцену раскаяния в саду, чтобы избавить бабушку Розу от этого ужасного зрелища.

— Следовало бы тебя хорошенько наказать, — отозвалась Кори, улыбаясь своей заразительной улыбкой, которую он так любил, — но поздно, я уже тебя простила и все забыла. Между прочим, я отправила сюда вместе с оборудованием и прочими вещами старые альбомы с фотографиями. Хочу подарить их тебе, так что тебе незачем в знак раскаяния рвать на себе волосы или раздирать одежду, да еще публично на лужайке перед домом.

— Я настаиваю, — произнес Спенсер с тихим упорством и взял Кори за локоть.

Джой вышла из комнаты следом за Кори.

— Пожалуй, мне надо немного побыть с мамой и Питером и их гостями, — объяснила она.

Миссис Фостер подождала, пока Джой, Кори и Спенсер скроются из виду.

— Мама, — обратилась она к бабушке Розе, — как ты на это решилась?

— Я только сказала правду, дорогая.

— Иногда правда причиняет людям боль.

— Правда остается правдой, — удовлетворенно сказала бабушка Роза, вставая из-за стола. — Правда заключается в том, что Спенсер достоин хорошей взбучки за свое поведение в тот вечер, а Кори заслужила, чтобы у нее попросили прощения. Я сегодня добилась и того и другого, и это пошло им обоим на пользу.

— Если ты думаешь, что теперь они влюбятся друг в друга, то ты глубоко ошибаешься. Как гласит пословица: «Обжегшись на молоке, будешь дуть и на воду». Кори именно из таких, ты сама об этом сто раз говорила.

— Да, это правда.

— А не могла бы ты, мама, — спросила миссис Фостер, переходя от Кори и Спенсера к основной проблеме, — не могла бы ты не высказывать правду вслух и почаще помалкивать?

— Нет, не могу.

— Почему не можешь?

— Мне семьдесят один год. Я больше не имею права тратить время на пустые слова. К тому же в моем возрасте причуды простительны.

## Глава 10

Смех и громкие голоса доносились из окна столовой, где собрались гости Анджелы, но снаружи ночь была тихой и теплой. Они направились через лужайку к воде, и Кори удивлялась тому, какой умиротворенной и счастливой она чувствовала себя рядом со Спенсером. Она припомнила, что прежде рядом с ним она всегда испытывала волнение и ее нервы были напряжены до предела. Это новое спокойное состояние нравилось ей гораздо больше.

Исчезла необходимость что-либо прятать или о чем-то сожалеть, потому что бабушка в подробностях описала детскую влюбленность Кори, раскрыла всем ее тайну и в процессе разоблачения продемонстрировала самой Кори, чем ее любовь была на самом деле: невинным чувством девочки-подростка к ничего не подозревающей жертве, а не болезненной страстью к эгоистичному чудовищу, каким она воображала себе Спенсера. Кори заметила, что загорелое лицо Спенсера побледнело, когда бабушка, не жалея красок, описывала, какие ужасные страдания Кори претерпела по его вине.

Перед отъездом сюда, в Ньюпорт, Кори заставила себя с философским равнодушием взглянуть на те прошлые события, и все же до сегодняшнего вечера она чувствовала себя уязвленной. Теперь же, после драматического изложения событий бабушкой, она смеялась и над собой, и над «злодеем», преувеличивающим свою ответственность. Исповедь, пришла она к выводу, всегда благо для души, даже если тебя принудила к ней собственная бабушка. Наконец она оборвала последние нити, связывавшие ее со Спенсером, и остались лишь ностальгия по прошлому, ощущение свободы и полного покоя.

Спенсер остановился у высокого дерева рядом с водой, и Кори прислонилась спиной к широкому стволу, глядя на полукружие мерцающих вдали огней на берегу моря и ожидая, что он ей скажет. Похоже, Спенсер не знал, с чего начать, и она находила эту несвойственную ему застенчивость забавной и даже трогательной. Спенсер смотрел на красивый профиль молодой женщины, пытаясь определить ее настроение.

— О чем ты думаешь? — наконец спросил он.

— О том, что прежде я не замечала, чтобы ты терялся.

— Я не знаю, с чего начать.

Кори скрестила руки на груди и шутливо склонила голову набок.

— Хочешь, чтобы я тебе помогла?

— Нет, я как-нибудь справлюсь сам, — торопливо сказал Спенсер. Кори рассмеялась, а он вслед за ней, и вдруг все между ними стало как прежде, только еще лучше, еще увлекательнее, потому что их отношения обрели для него особую ценность. Ему льстило, в чем он смущенно признался себе, что когда-то его фотографии украшали стены ее спальни, и он с большим опозданием обрадовался, что Кори с самого начала хотела, чтобы именно он сопровождал ее на рождественский бал.

Спенсер решил начать не с бала, а с этих самых фотографий.

— Это правда, что ты оклеивала свою комнату моими фотографиями? — начал он очень осторожно, чтобы Кори не сочла это издевкой и не обиделась.

— Они были повсюду, — призналась Кори и улыбнулась воспоминанию. — Уж наверняка ты догадывался, что я по уши влюблена в тебя, если всюду таскаюсь за тобой с фотоаппаратом.

— Догадывался. Только я думал, что все кончилось, когда тебе исполнилось семнадцать.

— Вот как? Почему?

— Почему? — повторил он, растерявшись от ее вопроса. — Наверное, потому, что тогда ты попросила научить тебя целоваться, чтобы попробовать новые приемы на каком-то типе... — Он замолчал, припоминая. — Да, вспомнил. Его звали Дуглас.

— Дуглас Джонсон, — подтвердила Кори.

— Совершенно верно, Джонсон. Кстати, Диана говорила мне, что именно Джонсон должен был сопровождать тебя на рождественский бал, но в последнюю минуту отказался, и тогда я предложил свои услуги. Естественно, я тогда решил, что ты влюблена не в меня, а в Джонсона. Как я мог подумать, что именно я был твоим избранником? — Он взглянул на Кори в уверенности, что победил ее своей логикой, но она молчала. — Так что же?

— Никакого Дуга Джонсона никогда не было.

— Как это не было? — изумился Спенсер.

— Я хотела, чтобы ты меня поцеловал, и для этого изобрела Дуга Джонсона. Я хотела, чтобы ты пошел со мной на бал, и снова вспомнила о Джонсоне. И на свидания я ходила только для того, чтобы научиться вести себя с тобой, если ты наконец меня пригласишь. — Кори улыбнулась, и Спенсер с трудом удержался, чтобы не поцеловать ее в губы, особенно когда она, удивляясь себе, покачала головой и тихо добавила: — Это всегда был ты. Только ты один. С того самого вечера, когда мама устроила первый прием, и до рождественского бала. Я еще потом ждала целую неделю, надеялась, что ты позвонишь, чтобы извиниться или все объяснить.

— Послушай, Кори, была еще одна причина, отчего я забыл о бале и уехал в Аспен, — с раскаянием произнес Спенсер. — Моя мать обещала приехать на Рождество в Хьюстон, и я очень ее ждал, но скрывал это от всех. С самого детства я только и делал, что придумывал всякие объяснения, почему она отсутствует и не проявляет интереса ко мне. Теперь я понимаю, как это глупо, но тогда мне казалось, что если она узнает меня взрослым, то у нас с ней наладятся отношения. Вместо этого она позвонила мне в последнюю минуту и сказала, что едет в Париж, и я уже не мог ее простить. Мы собрались тогда с друзьями, у которых у всех были нелады в семье, и напились до чертиков, а потом все вместе отправились в Аспен, где у одного из нас был дом. А что касается Рождества, то мы решили его вообще не праздновать.

— Я все помню, — сказала Кори. — Ты говорил мне, что ждешь приезда матери, и я догадалась, как много она для тебя значит, хотя ты это скрывал. Я все о тебе знала и обо всем догадывалась, ведь я жила только тобой.

Ее слова тронули его, и, опершись рукой о ствол дерева, он наклонился к ней, чтобы поцеловать, но снова удержался, потому что еще не высказал ей всего.

— Я собирался позвонить тебе, чтобы все объяснить или хотя бы извиниться, но позволил бабушке убедить меня, что я и так наделал бед и что мне вообще лучше исчезнуть с твоего горизонта. Бабушка сказала мне, что ты отправилась на бал с каким-нибудь юношей — она в этом не сомневалась — и что я вообще неподходящая компания для молодой скромной девушки. В это она тоже свято верила. Я уже и без того чувствовал себя подлецом из-за своего поведения у плавательного бассейна, так что ее слова звучали очень убедительно.

Кори заметила, что его взгляд остановился на ее губах, и недавно обретенное ею спокойствие начало потихоньку улетучиваться.

— Теперь, когда мы покончили с объяснениями, нам остается сделать только одну вещь, — сказал Спенс очень торжественно.

— Какую? — осторожно спросила Кори.

— Нам надо поцеловаться, чтобы заключить мир. Таков обычай.

Кори невольно прижалась спиной к дереву.

— А почему бы нам не ограничиться рукопожатием?

Спенсер чуть улыбнулся и медленно покачал головой.

— Разве ты не знаешь, что нельзя нарушать традиции дома? Это может принести несчастье его хозяину.

Сладость того прежнего воспоминания поблекла по сравнению с тем, что Кори почувствовала, когда ладонь Спенсера коснулась ее щеки и он шепнул:

— Давным-давно золотая девочка сказала мне эти слова на Рождество.

Он наклонился, не спеша провел губами по ее губам, и Кори насладилась моментом, не принимая в нем участия, но это было еще не все.

— Если ты не ответишь на мой поцелуй, — предупредил он, и его губы продолжили свое путешествие уже по ее щеке, — то нарушишь традицию. А это очень, очень плохо.

Его язык так же неспешно прошелся по краю ее уха, отчего Кори покрылась мурашками и беспомощно улыбнулась, запрокинув голову, а он ткнулся теплыми губами ей в шею.

— Это может принести очень большое несчастье, — снова предостерег Спенсер, и на этом шутливая игра закончилась. Он взял ее лицо в ладони, и Кори поразило напряженное выражение его глаз. — Ты представляешь себе, как я тогда ненавидел Дуга Джонсона?

Кори хотела было снова улыбнуться, но непонятные слезы обожгли ей глаза.

— Ты представляешь себе, — так же тихо продолжал Спенсер, и его рот потянулся к ее рту, — сколько лет я мечтал вот об этом...

Кори почувствовала, что слабеет, и попыталась обратить все в шутку.

— Пожалуй, я еще слишком молодая... — прошептала она.

Чувственная улыбка появилась на его губах, произнесших три слова:

— Но достаточно смелая...

Он обнял ее уже двумя руками и продлил поцелуй. Кори сказала себе, что ей нечего бояться одного поцелуя и что, пожалуй, она может без ущерба для себя ответить на него, ну, хотя бы чуть-чуть, и, для удобства упершись ладонями ему в грудь, поддалась настойчивому давлению его языка. И совершила ошибку. В то же мгновение его руки еще крепче обхватили ее, губы еще неистовее прижались к ее губам, столь недавно обретенное хрупкое равновесие разлетелось на тысячу осколков, и Кори невольно ухватилась за широкие плечи Спенсера, стараясь удержаться на ногах в вихре закружившегося вокруг нее мира. Его язык уже нашел ее собственный, и со вздохом отчаяния Кори обвила его шею руками и, больше не раздумывая, поцеловала Спенсера в ответ.

Она смягчила ярость его поцелуя, нежно лаская его язык своим языком, и почувствовала, как он задохнулся от страсти и притянул ее еще ближе к себе; его ладонь легла на ее ягодицы, не давая Кори отодвинуться. Он вплотную прижал ее к своим бедрам. Кори медленно поцеловала Спенсера, продлевая удовольствие, поглаживая его лицо и шею пальцами, и он подчинился ее спокойному ритму, неторопливо путешествуя ладонью по ее спине, целуя ее рот множество раз, но не переходя установленные ею границы. И когда Кори решила, что держит ситуацию под контролем, Спенсер в один миг разрушил это впечатление. Он погрузил пальцы в ее волосы на затылке, впился в ее губы, мешая дышать, прижал ее своим телом к дереву и освободил руки, чтобы накрыть ладонями ее груди. Медленно он начал поглаживать и ласкать их, и Кори почудилось, что сейчас она умрет от сладкой пытки, которую была готова терпеть до бесконечности.

Теперь время измерялось только мучительными поцелуями и смелыми прикосновениями. Ласки шли по восходящей, чтобы Кори и Спенсер могли остановиться в высшей их точке и начать все сначала.

Кори услышала собственный стон, когда в последний раз Спенсер оторвался от ее губ. Он спрятал свое лицо у нее на шее, затем тяжело выдохнул и еще крепче сжал ее в объятиях.

Ее голова лежала у него на груди, глаза были крепко зажмурены, а мысль уже бешено работала, ужасаясь глупости и безумию происходящего. Кори с опозданием возвращалась в мир реальности. Нет, она определенно ненормальная! Она одержима Спенсером Аддисоном. Она потратила на него свои школьные годы, и вот теперь, стоило ему сказать нежное слово, как влюбленная дурочка тут же упала к нему в объятия. Но никогда, никогда за всю свою жизнь она не испытывала таких чувств, как сегодня... За исключением разве того давнего летнего вечера у плавательного бассейна. Слеза скатилась у нее по щеке. Она по-прежнему ничего для него не значит, как не значила тогда, много лет назад...

— Кори, — сказал Спенсер, целуя ее волосы, — может, ты объяснишь, почему я теряю разум, стоит мне к тебе прикоснуться?

Сердце Кори сделало скачок, мысли остановились. Во второй раз за сегодняшний день ею овладело необъяснимое желание плакать и смеяться одновременно.

— Мы оба явно не в своем уме, — сказала она, втайне радуясь, что камень упал с ее сердца. Спенсер обнял ее за плечи, и так они пошли к дому.

Задумавшись, Кори не заметила, что он довел ее до дверей «апартаментов Герцогини». Она остановилась и повернулась к Спенсеру. Они могли бы назвать эти последние полчаса любовным свиданием, и Кори хотелось сказать ему «спасибо за прекрасный вечер», но вместо этого она произнесла:

— Мы уже поцеловались с тобой на прощание, так что нам больше нечего делать.

Спенсер усмехнулся, глядя на нее сверху вниз, и оперся рукой о дверную раму. Он держался свободно и уверенно. Пожалуй, слишком уверенно, подумала она.

— Мы всегда можем это повторить, — предложил он.

— Не стоит, — солгала она.

— Тогда ты можешь пригласить меня что-нибудь выпить на дорожку.

— Вот этого уж точно не стоит делать, — сказала она с видом скромницы.

— Лгунья, — усмехнулся он, наклонился, быстро поцеловал в губы и открыл перед ней дверь.

Высоко держа голову, Кори вошла в комнату, закрыла за собой дверь и без сил прислонилась к ней. Ее взгляд упал на циферблат часов на секретере: они показывали полночь. Они пробыли вместе больше часа.

# Глава 11

На лужайке за домом Кори наблюдала, как Майк Макнейл и Кристин Нордстром устанавливали оборудование для съемок, хотя главная работа должна была начаться завтра, когда банкетные столы под тентами будут окончательно украшены в «стиле Фостеров». А пока группа садовников, плотников и флористов трудилась наравне с рестораторами, которые по завершении вечерней репетиции свадебной церемонии должны были подать на террасе такой же репетиционный свадебный ужин.

Опытным глазом Кори определила, что подготовка идет успешно. Она видела, как Джой о чем-то беседует с молодым человеком из фирмы по обслуживанию приемов и как он улыбается ее словам, а стоящие рядом повара и официанты даже громко смеются. Кори знала, что это семейная фирма и что у нее отличная репутация. Кроме того, всем им явно нравилось работать вместе. Джой заметила Кори и помахала ей, Кори помахала ей в ответ и направилась к Майку и Кристин, которые приехали сегодня утром вместе с оборудованием.

— Как дела, Майк? — спросила Кори.

— Все в порядке, пока никаких проблем.

Майк Макнейл был маленького роста, очень толстый и с трудом волочил за собой по траве тяжелую коробку. Кори знала, что последует, если она предложит Майку свою помощь.

— Как тебе нравится твоя новая помощница? — спросила она.

Майк бросил взгляд на высокую Кристин, которая без видимого усилия несла в руках точно такую же коробку.

— Послушай, Кори, разве ты не могла подыскать для меня кого-нибудь повыше и покрепче? — пошутил Майк.

Кори несколько минут следила за ходом работы, а затем поспешила в дом, где ее ждали другие обязанности. Где ее ждал Спенсер...

Накануне она уснула, обняв подушку, грезя о нем, и сегодня мысли о Спенсере не давали ей покоя. Да и как могло быть иначе, если Спенсер своими поступками сам привлекал к себе внимание. Утром он вошел в маленькую столовую при кухне, где они вчера ужинали, и на глазах матери и бабушки

Розы, а также своей опешившей племянницы растрепал волосы Кори и запечатлел на ее щеке поцелуй.

В полдень Кори увидела Спенсера среди множества людей в холле около кабинета; он шел, держа в руках пачку бумаг, и, казалось, был полностью погружен в чтение. Не поднимая глаз, он кивнул одному из гостей, оказавшемуся поблизости, и обогнул группу из трех человек. Но, проходя мимо Кори и словно не замечая ее, он сделал резкий поворот и пошел прямо на нее, так что под его напором ей пришлось отступить назад, прямо в открытую дверь чулана, которую Спенсер тут же закрыл за собой. Пока Кори фыркала от гнева, он положил на пол бумаги, притянул ее к себе и с таким усердием начал целовать, что она тут же забыла об обиде.

— Я очень по тебе соскучился, — сказал он, прежде чем отпустить Кори. — И не планируй ничего на вечер. Мы будем ужинать вдвоем у тебя на балконе. Балкон в моей комнате выходит на заднюю лужайку, это все равно что ужинать на стадионе.

Кори знала, что ей следует отказаться, но не сделала этого. Она уезжала в воскресенье, и у нее оставалось всего два вечера, чтобы провести их вместе с ним. Но она поставила условие:

— Если ты обещаешь, что будешь хорошо себя вести.

— Даю слово... — поклялся он, после чего обнял ее и целовал до тех пор, пока она бессильно не повисла у него на шее, — что буду вести себя точно так же... А теперь вон отсюда, не то я передумаю и это плохо кончится для нас обоих. — И Спенсер шутливо шлепнул ее пониже спины. — Мы с тобой задохнемся в этом душном чулане.

Пока они целовались, кто-то все время проходил мимо чулана, и Кори отрицательно потрясла головой:

— Нет, ты иди первый и проверь, все ли спокойно.

— Кори, — взмолился Спенсер, — ты ведь понимаешь, что я не могу сразу показаться на людях. Я не могу предстать перед гостями в подобном состоянии.

Смущенная и в то же время довольная, Кори приложила ухо к двери и, послушав, осторожно повернула ручку.

— Мне бы следовало в наказание запереть тебя здесь, — бросила она через плечо.

— Только посмей, и я устрою такой шум, что все сбегутся. Я расскажу им, что ты покушалась на наши серебряные ложки.

Кори все еще улыбалась, когда в саду чуть не столкнулась с Джой, которая куда-то шла с отрешенным выражением лица. Она выглядела такой несчастной, что Кори, поколебавшись, нагнала ее.

— Что-нибудь случилось, Джой?

— Я не хочу об этом говорить, — ответила Джой и, прежде чем повернуться к Кори, быстро смахнула кончиками пальцев слезу со щеки.

— Если ты не хочешь сказать мне, почему плачешь, то, может быть, тебе лучше поговорить с матерью или с кем-нибудь еще? Разве можно расстраиваться накануне свадьбы? Ричард приедет сегодня вечером, и для него это будет неприятным сюрпризом.

— Ричард очень рассудительный человек, и он скажет мне, что я все выдумываю. И другие будут утверждать то же самое. — Джой покорно пожала плечами и направилась к дому. — Давайте поговорим о чем-нибудь другом. Расскажите мне подробней о себе и дяде Спенсе. — Джой запнулась, но потом спросила тоном, в котором прозвучало отчаяние: — Вы уверены, что по-настоящему его любили, когда были в моем возрасте?

Кори почувствовала, что Джой движет не одно простое любопытство, а нечто большее, что Джой ищет у нее помощи и что обман причинит ей огромный вред.

— Я бы хотела честно ответить на твой вопрос, — задумавшись, произнесла Кори, — но сейчас мне трудно судить о моих прошлых чувствах: издалека они кажутся детскими и несерьезными, но это не значит, что они не были настоящими.

— Вы могли бы убежать с дядей Спенсом, чтобы тайком пожениться?

Вопрос был столь неожиданным, что Кори рассмеялась, но тем не менее кивнула:

— Но только если бы инициатива исходила от него.

— А если бы он не был из богатой семьи?

— Мне нужен был только он сам, остальное не имело значения.

— Значит, вы его любили?

— Я... — Кори задумалась. — Я верила в него. Я уважала его и восхищалась им. Для этого были все основания, и я понимала это даже тогда. Мне было все равно, что в колледже он футбольная звезда и на какой машине он ездит. Мне всегда казалось, что ему нравится быть со мной, я мечтала сделать его счастливым и верила в это. По ночам я лежала в постели и воображала, что жду от него ребенка, — призналась Кори. — Я представляла, что он спит рядом со мной, обняв меня, и что он, как и я, радуется будущему ребенку. Это была моя самая заветная мечта, помимо целой тысячи других, тоже связанных с ним. Если все это, вместе взятое, называется любовью, то, значит, я его любила. Хочу открыть тебе еще один секрет, — закончила Кори, — с тех пор я никогда никого так не любила.

— И поэтому вы не вышли замуж?

— Отчасти поэтому. С одной стороны, мне не хотелось вновь пережить такое чувство: я была словно одержимая. А с другой — я не выйду замуж, если вновь не испытаю нечто равное по силе.

Они уже входили в дом, и, к удивлению Кори, Джой неожиданно крепко ее обняла.

— Спасибо, — сказала она растроганно и повернула обратно в сад.

Кори проследила, как Джой направилась прямо к рестораторам, а сама медленно пошла в столовую, где собиралась провести остаток дня, делая снимки. Что-то тревожило ее, и она решила поговорить со Спенсером о его племяннице. Что-то было не так, и это следовало выяснить.

## Глава 12

Осторожно, стараясь никому не мешать, Кори переставила на другое, более выигрышное место старинный канделябр.

— Не ходи на цыпочках, Кори, — заметил ей Спенсер, сидевший тут же во главе стола. — Делай свое дело и не беспокойся о шуме.

Он принес свои бумаги в столовую, чтобы быть поблизости. Кори боялась признаться даже себе, как радовало ее его присутствие и как она горда тем, что он не хочет оставлять ее ни на минуту.

— Я не хочу тебя отвлекать, — сказала она.

— В таком случае тебе следует немедленно покинуть Ньюпорт, — заметил Спенсер, и неторопливая, полная значения улыбка появилась на его лице.

Каждый ход в их игре был заранее известен, но Кори от души наслаждалась, кокетничая со Спенсером и одерживая над ним верх, и не могла отказать себе в этом удовольствии.

— Потерпи немного, Спенс, утром в воскресенье мы избавим тебя от нашего присутствия, и ты снова станешь полноправным хозяином своей старой хижины.

— Ты знаешь, что я не это имел в виду, — отозвался Спенсер, отказываясь отбивать посланный ему мяч.

Его реакция удивила Кори. Иногда он откровенно флиртовал с ней, и Кори начинала играть в эту игру по всем известным правилам, но внезапно он прекращал жонглировать словами и становился очень серьезным.

— Не могла бы ты задержаться еще на несколько дней?
Кори замялась, пытаясь побороть искушение.

— Нет, не могу, — вздохнула она. — У меня все расписано на полгода вперед.

Она подождала в надежде, что он будет уговаривать ее, и одновременно боясь, что не выдержит и уступит. Но Спенс не стал ее уговаривать. Видимо, его приглашение было чистой любезностью. Чтобы окончательно не обидеться, Кори взглянула на лежавшие перед Спенсером документы и перешла на более нейтральную тему.

— Чем ты занимаешься? — спросила она.

— Я взвешиваю «за» и «против» одного делового соглашения, оцениваю все возможности, степень риска и предполагаемый размер прибыли, читаю сопроводительные бумаги. Обычный процесс перед принятием решения.

— Мне он кажется необычным, — призналась Кори, отойдя в сторону и разглядывая, удачно ли она разместила букеты цветов среди свечей и старинной посуды. — Если бы мне пришлось все это учитывать, я бы никогда не смогла принять решение.

Удовлетворенная достигнутым эффектом, Кори направилась к штативу и сделала снимок. Затем слегка изменила угол съемки, чтобы солнечные лучи заиграли на гранях хрусталя, и сделала еще два снимка.

Спенс наблюдал за ней, сначала залюбовавшись ее ловкими профессиональными движениями, а затем сосредоточив внимание на особо привлекательных особенностях ее лица и фигуры. Он не мог отвести глаз от мягкого изгиба ее шеи, нежной припухлости рта, волос, переливающихся на солнце. Кори связала их в хвост, выпустив завитки над ушами, и с такой прической ей можно было дать не больше восемнадцати. Она была в белых шортах и майке, и Спенсер погрузился в созерцание ее длинных ног и полных грудей, представляя себе, как вечером в постели сожмет ее в своих объятиях.

Она могла зажечь его одним-единственным поцелуем, и сегодня Спенсер собирался раздуть этот огонь до огромного костра, чтобы он поглотил их обоих. И раздувать его снова и снова, пока Кори не запросит пощады, и тогда он даст ей передышку только для того, чтобы она умоляла его продолжить ласки.

Они были предназначены друг для друга, теперь он знал это так же точно, как и то, что Кори боится вновь доверить ему свое сердце. Он мог уговорить ее сегодня отдать ему свое тело, но потребуется много дней, чтобы убедить ее отдать ему сердце, а у него оставались лишь короткие часы. Спенсер уже знал, какой упорной она может быть, поставив себе цель; Кори любила его много лет, и теперь она твердо решила сохранять между ними дистанцию, не допускать его в заповедную зону своей души. Впервые в своей взрослой жизни Спенсер испытывал страх и бессилие, потому что удержать Кори около себя он мог, только связав ее веревкой.

— Прекрати разглядывать меня, — приказала Кори со сдержанным смешком и не глядя в его сторону.

— Откуда ты знаешь, что я на тебя смотрю?

— Я чувствую, как твой взгляд ползает по мне.

Он расслышал чуть заметную дрожь в ее голосе.

— Интересно, как ты принимаешь свои решения? — спросил он, возвращаясь к теме разговора.

— Ты серьезно? — спросила Кори, бросив на него испытующий взгляд.

— Совершенно серьезно, — ответил Спенс, вкладывая в свои слова особый смысл.

Но Кори не обратила на это никакого внимания.

— В большинстве случаев я подчиняюсь чутью и внутреннему побуждению. Мне подсказывает вот это, как поступать. — Кори положила руку себе на грудь. — Я научилась на опыте верить своему сердцу.

— Рискованный способ решать важные проблемы.

— Но только так я и могу с ними справиться. Если я займусь долгим взвешиванием «за» и «против», сопоставлением риска и выигрыша, меня парализует неуверенность и кончится тем, что я вообще не приму никакого решения. Мой ум действует лучше всего, руководствуясь внутренним голосом и инстинктом.

— Наверное, это свойство твоей художественной натуры.

— Возможно, но тут играет роль и наследственность. Моя мать точно такая же. Если нам предоставляется слишком много времени для размышлений или слишком широкий выбор, мы застываем в бездействии. Мама как-то призналась, что если бы мой отчим не поспешил со свадьбой, прежде чем она разобралась в преимуществах и недостатках брака, если бы она действовала не под влиянием минуты, а по законам логики, то еще неизвестно, вышла бы она за него замуж.

Спенсер уже спрятал полученную информацию в свой внутренний компьютер для использования при дальнейшем общении с Кори.

— Так вот почему ты не вышла замуж! Слишком велик риск неудачи и чересчур много времени на обдумывание всех возможных вариантов?

— Может, и так, — уклонилась от ответа Кори и быстро перевела разговор на самого Спенсера. — А что случилось с твоим браком?

— Ничего особенного, — ответил он сдержанно, но тут же вспомнил, что должен заставить ее понять. — Родители Шейлы умерли за год до смерти моей бабушки, и мы остались совсем одни. Осознав, что только чувство одиночества нас и связывает, мы решили развестись, пока еще оставались друзьями.

Кори открыла репортерскую сумку, осторожно уложила туда фотоаппарат и повернулась к Спенсеру:

— Спенс, к вопросу о браке... Я хотела бы поговорить с тобой о твоей племяннице. Мне кажется, она сомневается в том, что делает правильный шаг. Скажи мне, она кому-нибудь доверяет? Где ее друзья, ее подружки, ее жених?

Кори ожидала, что Спенсер отмахнется от вопросов, но этого не случилось; он пальцами погладил себе лоб, как будто эта тема вызывала у него головную боль.

— Ее мать выбирает для нее друзей, она выбрала ей подружек на свадьбу, и жениха тоже, — с горечью признался он. — Джой неглупая девочка, просто ей никогда не давали самостоятельно мыслить. Анджела сама принимает все решения, а потом навязывает их дочери.

— А какой у нее жених?

— Ему двадцать пять, и, по-моему, это самовлюбленный эгоист, который женится на Джой, чтобы лепить из нее что угодно и заставить боготворить собственную персону. Не последнюю роль играет также связь нашей семьи с немецкой аристократией. С другой стороны, когда я видел их вместе в последний раз, Джой, кажется, была им вполне довольна.

— Так ты поговоришь с ней? — настаивала Кори, укладывая в сумку остальное оборудование.

— Да, — согласился Спенсер где-то прямо за ее спиной, и его дыхание раздуло волосы у нее на шее, затем его губы слегка погладили ее кожу, и Кори вздрогнула даже от такого легкого прикосновения. — Ты не против позднего ужина? — спросил он. — Мне безразличны все эти гости, но у меня есть обязанности как у хозяина дома.

Он пригласил ее на репетицию свадебного ужина на террасе, но Кори отказалась. Она знала, что ужин наедине с ним в ее комнате был безумным поступком, но уверила себя, что будет держать ситуацию под контролем, и к тому же они ужинают не в постели, а на балконе...

— Поздний ужин — это прекрасная идея. Я еще успею немного поспать.

— Тоже прекрасная идея, — сказал Спенсер с таким нажимом, что Кори обернулась, но на его лице не было и тени улыбки.

# Глава 13

Балкон в комнате Кори действительно выходил на тихую боковую лужайку, но из других окон открывался отличный вид на террасу, где проходил ужин, и Кори было удобно сверху незаметно наблюдать за Спенсером, так что он не мог ни о чем догадаться. Она вдруг осознала, что провела с ним всего два дня и вот уже, как прежде, подкарауливает его, лишь бы бросить на него хотя бы один взгляд. Кори вздохнула, признавая свое поражение, но продолжала следить за Спенсером.

С нежностью она думала о том, что в Спенсере странным образом уживались абсолютные противоположности: высокий, атлетического сложения, он излучал силу, даже мощь, что контрастировало с мягкой чувственностью рта и внезапным обаянием улыбки. Он сохранил мужественный облик молодого футболиста, способного преодолеть линию чужой обороны, и в то же время это был элегантный, уверенный в себе хозяин богатого аристократического особняка, каким он и родился на этот свет.

Сегодня Спенсер непринужденно играл роль радушного хозяина, внимательно слушающего своих гостей, но Кори обратила внимание, что он уже три раза за последние десять минут посмотрел на свои часы. Пять минут назад он прислал наверх ужин, и стол на балконе был уставлен закрытыми блюдами и судками, приборы и бокалы ждали Кори и Спенсера. Кори тоже взглянула на часы и увидела, как секундная стрелка сделала последний маленький скачок. Часы показывали ровно десять. Кори посмотрела в окно и заметила, как Спенсер торопливо поставил свой бокал на стол, отрывисто кивнул гостям, с которыми разговаривал, и знакомым размашистым шагом направился в дом. Он выполнил свои светские обязанности и теперь спешил.

Он спешил на ужин с ней.

А десертом в его меню была сама Кори.

С усмешкой Кори посмотрела на балкон, где лампа выхватывала из темноты желтый круг. Балкон в ночи, романтический свет лампы, шампанское в ведерке со льдом, доносящаяся издалека музыка и рядом в комнате роскошная широкая кровать с атласными простынями. Кори отдавала должное заботливости Спенсера и его умению предусмотреть мельчайшие детали, но она не собиралась ложиться с ним в постель. Уступи она ему, и ей придется жестоко поплатиться за это, события одиннадцатилетней давности побледнеют перед этой новой трагедией. Кори представила себе, как Спенсер небрежным поцелуем прощается с ней, прежде чем отправить ее домой.

У Кори не было никаких сомнений относительно его намерений. Что ее сбивало с толку, так это неожиданно появившийся интерес к ней. Прошлой ночью она лежала без сна, обдумывая причину вспыхнувшего у него чувства, и пришла к выводу, что его терзают угрызения совести, особенно если вспомнить яркую картину, нарисованную бабушкой Розой: Кори у окна в тоске ждет появления Спенсера.

Его поведение подтверждало ее теорию: сегодня он пустил в ход весь свой любовный арсенал, начиная с голосовых модуляций и кончая умелым использованием рук. Он даже попросил ее остаться еще на несколько дней, хотя в конечном итоге не стал слишком настаивать на этом. И все-таки здесь крылась некая тайна. Среди гостей на террасе Кори выделила несколько потрясающе эффектных женщин, с которыми она и думать не могла соперничать. Она заметила, что кое-кто из них не обходил Спенсера своим вниманием. Спенсер был привлекательным, сексапильным и богатым. Он располагал самым широким выбором женщин, принадлежащих к его среде. Вот в чем была подлинная причина, почему он прежде никогда не интересовался Кори, даже когда ей было восемнадцать, и разница в возрасте между ними уже не имела большого значения.

Теперь Спенсер внезапно начал упорно ухаживать за ней, и она знала, что этому должно быть объяснение. Возможно, его увлекла мысль закрутить роман с подругой детства, но Кори тут же отвергла догадку как несправедливую. Спенсер не был циником или расчетливым соблазнителем; будь он пресыщенным казановой, она не любила бы его сейчас с такой безоглядностью.

Кори отошла подальше от окна, чтобы Спенсер не догадался, чем она была занята в его отсутствие.

Не дождавшись ответа на свой стук, Спенсер повернул ручку и вошел. Он уже был на середине комнаты, когда увидел Кори: она стояла на балконе в длинном зеленом шелковом платье. Совсем прямое, без рукавов, с вырезом на шее и почти до щиколоток. «Она ждет меня», — улыбнулся он про себя. После всех этих лет его золотая девочка по-прежнему ждет его. Хотя он этого и не заслуживает, судьба во второй раз дает ему шанс, и он не собирается его упустить, чего бы это ему ни стоило.

Ужин с Кори оказался настоящим праздником, и Спенсер наслаждался каждой его минутой. Кори развлекала его смешными историями из его жизни, которые он успел забыть. Потом они пили бренди, и Кори показала ему один из альбомов фотографий, привезенных для него. Свет лампы был недостаточно ярким, но Кори настаивала, что в данном случае это не помеха, а, наоборот, достоинство, так как это были ее самые первые снимки. Спенсер во всем соглашался с Кори, шампанское и бренди тоже были его союзниками, в его интересах было смягчить Кори и сделать ее податливой.

Подперев подбородок ладонью, Спенсер смотрел то на оживленное лицо Кори, то на фотографии, которые она ему показывала.

— Почему ты хранишь этот снимок? — показал он на фотографию сидящей на земле девушки в бриджах, чье лицо было почти скрыто упавшими волосами.

Кори слегка смутилась.

— Этот снимок когда-то мне очень нравился, — сказала Кори. — Вижу, ты не узнаешь, кто на нем.

— Нет, ведь лица почти не видно.

— Это Лиза Мерфи. Ты с ней встречался летом после первого курса.

Спенсер понял и с трудом удержал смешок.

— Вижу, ты ей не слишком симпатизировала.

— Нет, особенно после того, как она отвела меня в сторону и намекнула, что я ей сильно примелькалась и чтобы я держалась от тебя подальше. Это произошло на выставке лошадей. Кстати, я даже не знала, что ты там будешь.

На последней странице альбома была фотография Спенсера с бабушкой, сделанная Кори на том самом памятном вечере по-гавайски. Они некоторое время молча смотрели на нее.

— Твоя бабушка была удивительным человеком, — тихо сказала Кори и кончиком пальцев коснулась щеки миссис Бредли на фотографии.

— И ты тоже удивительный человек, — добавил Спенсер так же тихо, закрывая альбом. — Ты всегда была необыкновенной, даже в те времена.

Кори догадалась, что начинается та самая часть вечера, о которой она мечтала и которой страшилась, и, как все трусы на свете, решила свести разговор к шутке.

— Уверена, что в те времена, когда я повсюду таскалась за тобой и делала снимки, ты не считал меня необыкновенной личностью, — заметила она и, встав, подошла к перилам балкона.

Он последовал за ней и положил ей руки сзади на плечи.

— Я всегда считал тебя особенной, Кори, — сказал он, и когда она промолчала, добавил: — Ты поверишь, что у меня тоже есть твоя фотография?

— Наверное, одна из тех, что я засовывала тебе в бумажник, когда ты не смотрел?

Он приготовился поцеловать ее, но вместо этого рассмеялся и зарылся лицом в ее волосы.

— Неужели ты это делала?

— Нет, но у меня была такая идея.

— У меня твоя фотография с обложки «Образцового домоводства Фостеров», — признался он.

— Интересно, как ты ее рассмотрел, ведь она крошечная.

Спенсер поцеловал Кори в висок и нежно шепнул:

— Подари мне фотографию размером побольше, на которой ты в моих объятиях.

Кори попыталась воздвигнуть мысленный барьер, чтобы защититься от его слов и прикосновений, но тепло уже разлилось по ее телу, а когда Спенс обнял ее за талию и прижался к ней сзади, она почувствовала ответную мучительную тягу к нему.

— Я от тебя без ума, — шепнул он.

— Прошу тебя, Спенс, не надо, — попросила она жалобно, но было уже поздно. Он повернул ее к себе и с жадностью начал целовать в губы, и она безропотно подчинилась и его пылким поцелуям, и его рукам, которые сначала легли ей на грудь, затем скользнули вниз, прижав ее бедра к своим бедрам. Когда он прервал поцелуй, чтобы набрать воздуха в легкие, Кори уже плохо понимала, что с ней происходит.

— Останься еще на несколько дней, — шепнул он и потерся подбородком о ее волосы.

Еще несколько дней... Боже, как ей хотелось остаться... Несколько дней, чтобы вспоминать их всю жизнь. И сожалеть, что проявила слабость...

— Мне... Мне надо работать, у меня расписание...

— Вот и включи меня в свое расписание. У меня есть для тебя работа.

Он шутил, называя это работой, и она прислонилась лицом к его груди. Она останется с ним на эти несколько дней, будь что будет.

— Разве это работа? — сказала она голосом, дрожащим от страха и любви.

Спенс почувствовал, что она колеблется, и усилил нажим.

— Я совершенно серьезен, — сказал он, пуская в ход единственный аргумент, придуманный им за весь день, чтобы уговорить ее остаться. — Я хочу написать книгу об этом доме и еще нескольких других, построенных в то же время, и уже собрал кое-какие материалы, но мне нужны снимки для иллюстрации текста. Ты могла бы...

Она оттолкнула его так неожиданно, что он чуть не упал.

— Так вот для чего ты затеял эту процедуру обольщения! — Она отпрянула в сторону, и ее голос задрожал от слез и обиды. — Вот что тебе нужно! — Он потянулся к ней и хотел обнять, но она отбросила его руки. — Убирайся отсюда!

— Выслушай меня! — Спенс схватил ее уже внутри комнаты. — Я тебя люблю!

— Если ты хочешь, чтобы я сделала снимки дома, позвони в агентство Вильяма Морриса в Нью-Йорке и побеседуй с моим агентом. А еще лучше сразу пошли ему чек на предъявителя!

— Кори, прекрати это и выслушай меня. Я выдумал насчет книги. Я тебя люблю.

— Ты низкий обманщик! Убирайся!

Кори изо всех сил пыталась сдержать слезы, и он знал, что если она расплачется перед ним, то возненавидит его еще больше. Он отпустил ее, но не сдался.

— Давай поговорим обо всем утром.

Только когда Спенсер добрался наконец до своей комнаты, он осознал всю грандиозность совершенной ошибки. Сколько бы он ни оправдывался завтра утром, вряд ли Кори ему поверит. Он уже никогда не сумеет доказать ей, что ему не нужно ничего, кроме нее самой.

В бешенстве от своей ошибки, он стащил с себя смокинг, сорвал рубашку, не переставая думать о том, что есть еще одно не учтенное им обстоятельство: а вдруг Кори вообще его не любит? Нет, он знал, что нечто теплилось в ее душе и это нечто вспыхивало, стоило ему обнять Кори. Вот только было ли это нечто любовью? Спенсер уже направился к бару, как вдруг заметил конверт, лежащий на кровати.

Внутри оказалось поспешно написанное письмо от Джой, где она сообщала, что уезжает с Виллом Марчилло, сыном ресторатора, чтобы обвенчаться с ним, и просит Спенсера рассказать обо всем матери завтра утром. В остальной части письма Джой сбивчиво пыталась убедить дядю, что именно после утреннего разговора с Кори она приняла решение выйти замуж за любимого человека. Насколько Спенсер мог понять из беспорядочных объяснений Джой, Кори призналась ей, что всегда любила только одного Спенсера и мечтала иметь от него детей, но что она боится вновь рисковать своими чувствами. Именно такие чувства Джой питает к Виллу, только Джой больше ничего не боится.

Спенсер вновь перечитал письмо, положил его на стол и уставился в стену, стараясь осознать все, что ему сообщила Джой о себе и о Кори. Он пытался придумать выход из положения, в котором оказался из-за собственной лжи.

Значит, Кори его любит и мечтает иметь от него детей. Но она боится рисковать.

Как призналась ему сама Кори, она не способна к долгому раздумью, действует сразу по чутью и внутреннему побуждению или не действует вообще.

Так случилось, что он уже не сможет заставить ее поверить, что ему нужна только она и ничего больше. Завтра должна состояться свадьба, но где жених и невеста? А что, если... Спенсер минуту колебался, а затем снял телефонную трубку.

Судья Латтимор как раз вернулся домой после репетиции свадебного ужина в доме Спенсера и очень удивился звонку. Но он удивился еще больше, когда Спенсер сказал, зачем он ему звонит.

# Глава 14

Было семь часов утра, но Кори уже расставляла аппаратуру на лужайке, готовясь к съемке, и именно в этот ранний час ей передали записку от Спенсера с просьбой немедленно зайти к нему в кабинет. Кори не сомневалась, что Спенс придумал какую-нибудь новую ложь, и решила перехитрить его, захватив с собой Майка и Кристин.

Уже утихшая злость вновь вспыхнула в ней, пока она быстро шла к дому. Кори никак не могла поверить, что Спенс таким образом решил получить бесплатные услуги профессионального фотографа для своей никчемной книги. Однако стоимость услуг Кори, когда она работала на стороне, была очень высокой, и по личному опыту она знала, как, случается, скряжничают некоторые миллионеры. Жадность не украшает человека, но лживость и уловки совершенно непростительны. А Спенс вообще прибегнул к запрещенным приемам, он обнимал и целовал ее, он даже настаивал, что любит ее. Это совсем отвратительно.

Но как только Кори вошла в кабинет, она сразу поняла, что на этот раз у Спенсера не было никаких черных замыслов. Анджела в халате сидела в кресле у стола и нервно комкала носовой платок; ее муж, тоже в халате, стоял навытяжку рядом с креслом, готовый в любую секунду атаковать врага. Спенсер, соблюдая спокойствие и не выдавая своих чувств, устроился на краю письменного стола и смотрел в окно, поигрывая пресс-папье.

Он взглянул на Кори и ее сопровождение, и на его лице она не прочла ни враждебности, ни раскаяния, а лишь равнодушие, как если бы события прошлого вечера вообще не имели места. Он кивнул на кресла, приглашая Кори, Майка и Кристин сесть. Кори растерянно переводила взгляд с Анджелы на Спенсера.

— Что случилось? — наконец, не выдержав напряжения, спросила она.

— Она убежала, вот что случилось! — выкрикнула Анджела. — Эта идиотка убежала... с подлым официантом! Разве я думала, что такое случится, когда выбирала для нее имя? Я назвала ее Джой, Радость! Лучше бы я назвала ее Горем!

Кори не могла вымолвить ни слова. Первоначальное потрясение сменилось ликованием: Джой сделала правильный выбор и предпочла счастье всему остальному. Но за ликованием пришла отрезвляющая мысль: побег Джой в последнюю минуту — настоящее бедствие для Кори и журнала. Слишком поздно было заменять репортаж об этой свадьбе на другой. Журнал вот-вот должен был пойти в печать. У них не оставалось в запасе ни единого дня.

— Я известил семью жениха час назад, — сказал Спенсер. — Они постараются связаться с возможно большим числом гостей, а тех, кого они не найдут, будет встречать здесь кто-нибудь из родственников невесты, чтобы объяснить создавшееся положение.

— Такое не приснится даже во сне! — бушевала Анджела.

— Это также создаст огромные трудности для журнала Кори. Они уже потратили на мероприятие массу денег и времени. — Спенсер замолчал, давая присутствующим возможность осознать глубину катастрофы. — Но я уже обдумал проблему и, кажется, нашел подходящий выход. Я предлагаю Кори продолжить работу и фотографировать свадьбу.

— Но ведь свадьбы не будет! — почти рыдая, выкрикнула Анджела.

— Я предлагаю, чтобы Кори фотографировала все...

— За исключением жениха и невесты, которых нет и не будет! — прервала брата Анджела.

— Кори может использовать замену, — пояснил Спенсер.

Кори сразу схватила его идею и поспешила к нему на помощь, уже прикидывая, как сделать выигрышные снимки, не показывая лиц жениха и невесты.

— Мы можем снять в отдалении пару, одетую женихом и невестой, миссис Рейхардт. Что мне надо, так это народ на заднем плане... Пусть небольшая, но все-таки толпа...

— Я категорически против! — отрезала Анджела.

— И я тоже! — поддержал ее мистер Рейхардт.

— Вы забыли, что за все плачу я, а не вы. — Никогда прежде Кори не слышала такой резкости в голосе Спенсера. — Я понимаю твои чувства, Анджела, но ты упустила из виду моральные и этические соображения. Мы обязаны сделать так, чтобы журнал Кори не пострадал из-за опрометчивого поступка Джой.

Кори, опешив, молча слушала Спенсера, стараясь понять ход его мыслей. Вчера она решила, что он столь корыстен, что ухаживает за ней ради бесплатных иллюстраций для своей книги. А сегодня утром он говорит об этике и морали и отвергает возможность вообще отменить свадьбу и таким образом спасти для себя целое состояние, оплатив лишь первоначальные расходы.

— А что все-таки мы скажем нашим гостям, Спенс? — настаивала Анджела. — Не забывай, что многие из них твои близкие друзья.

— Мы скажем, что одобряем решение невесты и сожалеем, что она не может присутствовать на церемонии... И что мы приглашаем их всех принять участие в празднике, как если бы новобрачные были здесь, с нами.

Спенсер кончил говорить и посмотрел на Кори, ища поддержки, и она одобрительно улыбнулась ему, но все же ради справедливости решила поддержать и Анджелу:

— Согласись, что все это несколько необычно, Спенс.

— Ничего страшного, я уверен, гости поймут, — сухо заметил он. — Им, наверное, даже понравится оригинальность идеи: прием в честь отмены свадебной церемонии. Такого в их жизни еще не бывало. Своего рода новый опыт для пресыщенных циников.

Похоже, Анджела была готова дать Спенсу хорошую затрещину. Она вскочила на ноги и, задыхаясь от ярости, выбежала из комнаты. Ричард последовал за ней.

Спенсер подождал, когда их шаги затихнут вдали, и совсем другим, энергичным тоном объявил:

— А теперь переходим к обсуждению деталей. Прежде всего нам необходимо добыть жениха и невесту и, конечно, судью.

Кори знала, что он ждет ее реакции и поддержки, и она была готова прийти ему на помощь. Если минутой раньше перед ней был враг, то теперь он превратился в надежного, спешащего на помощь друга, готового взять на свои сильные плечи все ее беды. Спенсер прочел в глазах Кори произошедшую перемену, и его голос прозвучал почти как ласка.

— Я подыщу замену судье, — предложил он.

— В таком случае нам остается только найти дублеров для жениха и невесты. — Кори посмотрела на Майка и Кристин: — Как насчет вас двоих?

— Кори, подумай, что ты говоришь! — устыдил ее Майк. — Я безобразно толстый, а Кристин стройная и на голову выше меня! Остается только написать под фотографией: «Пончик женится на диетической соломке».

— Прекрати думать о пище, — остановила его Кристин, — и начинай искать выход из положения.

Спенсер первым нарушил затянувшееся молчание.

— Как насчет меня в качестве поддельного жениха? — словно в шутку, предложил он.

— Нет, это не пройдет, — покачала головой Кори.

— Насколько я помню, прежде ты находила меня достаточно фотогеничным, — заметил Спенсер, и на его лице промелькнула обида. — Конечно, я теперь уже не прежний молодой красавец, и ты, наверное, боишься, что я своим видом испорчу тебе снимки.

— Скорее наоборот, ты сделаешь их чересчур красивы-
ми, — сказала Кори, представив себе высокую мужественную
фигуру Спенсера в черном как ночь смокинге и белоснежной
рубашке, подчеркивающей красивый загар его лица.

— Тогда в чем дело?

— Твоя задача — объяснять гостям, отчего произошли
перемены, и поддерживать с ними светский разговор. Запом-
ни, Спенс, на снимках должны быть счастливые лица. В данном случае все будет зависеть от общей атмосферы, а не от
моего умения фотографировать.

— Я могу осуществлять сразу две функции: веселить гостей и заменять жениха. Мы устроим на лужайке несколько
баров и к тому же будем непрерывно обносить гостей спирт-
ным. А если потребуется, закажем несколько такси, чтобы
потом развозить самых веселых по домам.

— В таком случае я согласна, — с облегчением вздохнула
Кори. — Ты будешь женихом, а тебе, Кристин, придется
быть невестой. Слава Богу, Спенсер значительно выше тебя
ростом.

Спенсер уже открыл рот для протеста, но Кристин его
опередила:

— Мне надо похудеть фунтов на двадцать, чтобы влезть
в подвенечное платье Джой, и все равно оно будет мне до
колена.

— У нас остается только один выход, Кори, — твердо
произнес Спенсер. — Невестой будешь ты.

— Я не могу быть невестой. Ты забыл, что я фотограф?
Придется нам поискать еще кого-нибудь.

— Кого, Кори? Может, ты предложишь эту роль кому-
нибудь из гостей? А не проще ли будет расставить в разных
местах сразу несколько штативов, ты наведешь все камеры на
фокус, займешь место невесты, а Майк или Кристин нажмут
на кнопку?

Кори молчала, обдумывая предложение. Ей понадобится всего два или три снимка жениха и невесты, один в саду, в увитой розами беседке, другой во время приема, и не обязательно, чтобы пара находилась в самом центре, так что идея со штативами была вполне приемлемой.

— Хорошо, — согласилась она.

— Как насчет того, чтобы выпить по бокалу шампанского? — предложил Спенсер, явно довольный ходом обсуждения. — Обычай требует сказать тост за нас с Кори.

— Не смей так шутить, — предупредила Кори, и всех, в том числе и ее саму, удивила досада, прозвучавшая в ее голосе.

— У невесты разыгрались нервы, — высказал догадку Спенсер, и Майк засмеялся.

Все стали расходиться, но Спенсер остановил Кори, взяв ее за локоть.

— Я хочу попросить тебя об одолжении, Кори, — сказал он, когда поблизости уже никого не было. — Я понимаю чувства, охватившие тебя вчера вечером, но очень прошу забыть о них хотя бы на один сегодняшний день. — Кори в изумлении посмотрела на него, и Спенсер пояснил: — Если откажешься, тогда никакой свадьбы. Все отменяется, как и наш с тобой уговор.

Он был абсолютно непредсказуем, непроницаем и неотразим с этим издевательским блеском в глазах.

— Ты совершенно беспринципен, — заметила она без особого осуждения.

— Поверьте, мадам, у вас никогда не было более искреннего друга. — И добавил, увидев, что она возмущена наглостью его слов: — У меня есть письмо Джой, которое она написала перед побегом. Она там весьма недвусмысленно говорит, что именно вчерашний разговор с тобой убедил ее выйти замуж за любимого человека, иначе она будет страдать всю оставшуюся жизнь. Значит, что бы ни думала моя сестра, это ты во всем виновата. Так как же — ты согласна или я отменяю свадьбу?

— Ты победил, — рассмеялась Кори. Она не могла решить, довольна или огорчена тем, что он не хочет обсуждать вчерашнее.

— Значит, никаких черных мыслей обо мне сегодня? — повторил Спенс и, когда она кивнула, сказал: — Вот и отлично. А теперь признавайся: чем еще я могу помочь до свадьбы?

— Ничем. Ты и так уже много для меня сделал, и я очень тебе благодарна, — неохотно призналась Кори. — Я подавлена твоей добротой, — добавила она и, уходя, улыбнулась ему.

Спенсер любовался легкостью ее движений и стремительностью походки и обдумывал ее последние слова. Если на Кори так действуют уже известные его поступки, то что же будет, когда перед ней откроется весь размах его замысла? Уже сейчас портниха переделывала подвенечное платье Джой по размерам одного из платьев Кори. В Хьюстоне адвокат Спенсера уже составлял письмо, уведомляющее арендаторов особняка его бабушки миссис Бредли, что договор прекращается, за что им будет выплачена крупная компенсация. В самом Ньюпорте судья Лоуренс Латтимор уговаривает по телефону сонного служащего мэрии подготовить, несмотря на субботу, свидетельство о браке.

Спенсер решил, что для одного утра он неплохо потрудился.

И все-таки он испытывал тревогу, как если бы скрыл от Кори еще нечто важное, помимо того, что она скоро станет его женой. Спенсер очень надеялся, что Кори не ввела его в заблуждение, рассказывая о своей привычке к быстрым решениям; он также надеялся, что она была искренна, признаваясь Джой, что всегда любила его и мечтала иметь от него детей.

Больше всего Спенсера беспокоила сама свадьба. Он знал, что Кори его любит, он не сомневался в этом, но как отнесется она к его обману? Спенсер не был в восторге от собственной выдумки.

Конечно, если вспомнить историю их отношений с самого начала, то Кори должна испытать огромное удовлетворение от

того, что заставила Спенсера прибегнуть к столь сложным ухищ-
рениям, чтобы завлечь ее к алтарю.

Он улыбнулся, представив себе, как когда-нибудь Кори
будет рассказывать об этом дне их детям, но постепенно улыбка исчезла с его лица. Спенсер наблюдал с террасы за парус-
ными лодками, скользящими по воде, и пытался оценить
масштабы катастрофы, которая произойдет, если он ошибся.
Если он ошибся, то будет погребен под обломками, если нет,
то к чему себя терзать... Наверное, как и полагается жениху, у
него сдают нервы.

Спенсер вернулся к себе в кабинет, чтобы сделать несколько телефонных звонков. В худшем случае Кори потребу-
ет развода, и никто никогда не узнает, что они были женаты.

## Глава 15

Стоя у беседки, увитой розами, Спенсер был занят любез-
ной беседой с двумя дамами, которые в самом ближайшем
будущем должны были стать его родственницами. Судья, на-
ходящийся в прекрасном расположении духа после нескольких
бокалов вина, вот-вот готов был соединить Спенсера узами
брака с ничего не подозревающим фотографом.

Кори мечтала видеть на своих снимках побольше счастливых людей, и Спенсер обеспечил ей целых двести сияющих
радостью лиц с помощью моря французского шампанского, горы
русской икры, стоившей целое состояние, и коротенькой ост-
роумной речи, которая позволила ему завоевать симпатии всех
гостей. Гости ели, пили и веселились от души.

Жених тоже наслаждался жизнью.

Отпивая из бокала шампанское, Спенс наблюдал, как его
будущая жена заботливо устанавливает аппаратуру с учетом
солнечного освещения и прочих многочисленных деталей. Она

чуть не упала, наступив на длинный шлейф своего свадебного платья ценой в десять тысяч долларов, и решила проблему, подобрав шлейф и превратив его в некое подобие турнюра, а также закинув за спину свою длинную кружевную фату. Спенс решил, что никогда в жизни не видел такого очаровательного существа, столь изящного и совершенного. И при этом как уверенно она держится! Подумать только, что через какие-то мгновения она станет его собственностью! Сияя глазами, она спешила к нему, чтобы похвастаться, как здорово она все устроила.

— Все готово, можно начинать, — объявила Кори.

— Вот и отлично, — отозвался Спенсер, — а то судья Латтимор уже целый час задыхается от жары в своей мантии, и все для того, чтобы тебе угодить. Ко всему прочему он уже давно утоляет жажду, и совсем не минеральной водой.

Бабушка Роза потянулась поправить фату Кори и сделала свои собственные выводы.

— Судья пьян! — объявила она во всеуслышание.

— Не так громко, бабушка! — попросила Кори и обернулась, чтобы посмотреть, как ее мать осторожно раскладывает на земле шлейф ее платья. — Он вовсе не судья. Спенсер говорит, он водопроводчик.

— Он пропойца, вот он кто, — настаивала бабушка Роза.

— Как мои волосы — не растрепались? — спросила Кори, когда они кончили разглаживать и расправлять платье.

Сегодня Спенсеру особенно нравилась прическа Кори, хотя он предпочитал, чтобы волосы были распущены по плечам. Такую прическу с распущенными волосами он хотел бы видеть у Кори вечером, когда они лягут вместе в постель. Сейчас волосы были уложены на затылке, отчего прическа выглядела особенно аккуратной, что было важно для съемки.

— Нет, все лежит волосок к волоску, — подтвердила миссис Фостер и поправила венок на голове дочери.

Спенсер предложил Кори руку, он был так счастлив, что все время улыбался.

— Ты готова? — спросил он Кори.

— Подожди.

Кори поправила черную бабочку Спенсера, и тот представил себе целую череду счастливых лет с Кори, поправляющей ему галстук.

У Кори сжалось сердце при взгляде на элегантного мужчину в смокинге, который улыбался ей с нежностью настоящего жениха. Сотни, тысячи раз она воображала себе эту сцену, и вот долгожданный миг наступил, но это был не более чем обман. К своему ужасу, Кори почувствовала, что слезы набежали ей на глаза, и она постаралась скрыть свое горе за счастливой улыбкой.

— А как выгляжу я? — спросил Спенсер, и его голос показался Кори странно взволнованным.

— Прекрасно, — проглотив комок в горле, подтвердила Кори. — Мы с тобой точная копия Кена и Барби. Идем.

Не успели они сделать первый шаг по белому ковру, протянувшемуся между рядами стульев до самой розовой беседки, как некто в первом ряду обернулся и добродушно громко спросил:

— Эй, Спенс, нельзя ли поживее? Мы тут совсем вспотели.

Именно в этот момент Спенса осенило: а как же кольца? Он огляделся вокруг в поисках чего-нибудь, что могло бы их заменить, и его взгляд упал на обрывок медной проволоки, валявшийся на траве.

— Ну как, готовы? — На этот раз это был судья Латтимор, который пальцем оттягивал свой тесный воротник.

— Готовы, — подтвердил Спенсер.

— Вы не против, если... мы немного все укоротим?

— Конечно, — согласилась Кори, вытягивая шею, чтобы увидеть, где расположилась Кристин с запасной камерой: они решили продублировать кое-какие снимки.

— Мисс... Фостер?

— Да?

— Принято, чтобы невеста смотрела на жениха.

— Простите, — всполошилась Кори. Ранее судья Латтимор послушно выполнял при съёмке все её команды, и если теперь он хочет до конца сыграть свою роль, она совсем не против.

— Прошу вас, положите свою руку на руку Спенса.

Скосив глаза вправо, Кори увидела, что Кристин подняла фотоаппарат.

— Спенсер Аддисон, согласны ли вы взять Кори... Каролину Фостер в законные жёны и быть ей верным мужем до самой смерти? — спросил судья Латтимор так быстро, что слова слились в сплошное жужжание.

Спенсер улыбнулся Кори.

— Да, — подтвердил он.

Улыбка Кори дрогнула.

— Согласны ли вы, Каролина Фостер, взять Спенсера Аддисона в законные жены... мужья... и быть ему верной женой до самой смерти?

Тревога охватила Кори, появившись неизвестно откуда и по непонятной причине.

— Ради Бога, Кори, — шутливо заметил Спенсер, — уж не собираешься ли ты сбежать прямо от алтаря?

— Ты это заслужил, — сказала Кори, выискивая глазами Майка.

— Прошу тебя, скажи «да».

Она упорствовала, чувствуя в этом обмане что-то нехорошее.

— Это не кино, снимки не надо озвучивать, — сказала она.

Спенсер взял Кори за подбородок и приказал:

— Скажи «да».

— Для чего?

— Я тебе говорю: скажи «да».

Спенсер наклонил голову, и его губы приблизились к ее губам. Кори шестым чувством ощутила, как Кристин бросилась вперед, чтобы не упустить непредусмотренный кадр.

— Ты не можешь ее поцеловать, пока она не скажет «да», — предупредил Латтимор, еле ворочая языком.

— Скажи «да», Кори, — шепнул Спенсер. Его рот был так близко, что Кори чувствовала его дыхание на своем лице. — И тогда добрый судья разрешит нам поцеловаться.

Наконец Кори со смехом уступила его настойчивым требованиям.

— Да, — произнесла она, — но смотри, чтобы это был хороший...

Его губы закрыли ей рот, заставив замолчать; он крепко прижал ее к себе, почти задушив в объятиях, и судья наконец произнес заветные слова:

— Объявляю вас мужем и женой. Надень ей кольцо.

Гости разразились смехом и аплодисментами.

Страстный поцелуй застал Кори врасплох, голова закружилась, и она с трудом удержалась на ногах. Но тут же овладела собой и уперлась ладонями в грудь Спенсеру, отталкивая его.

— Перестань, — шепнула она, вырываясь из его объятий. — Честное слово, довольно.

Он выпустил ее, но крепко ухватил за руку и надел ей на палец что-то жесткое и царапающее.

— Мне надо поскорее переодеться, — сказала Кори, как только они вышли из беседки.

— Прежде чем вы уйдете, мы должны... — начал судья Латтимор.

— Можешь поздравить меня через пару минут, Ларри, — перебил его Спенсер. — Давай встретимся в библиотеке, там потише, но сначала я провожу Кори в дом. После машина доставит тебя домой, Ларри.

Странная перемена произошла в настроении Кори, пока они со Спенсером добирались до «апартаментов Герцогини». Если сначала она была полна ликования по поводу удачных снимков — а в том, что это были выдающиеся снимки, у Кори не было никаких сомнений, — то когда они вошли в дом, ее настроение почему-то сильно испортилось. Кори попыталась объяснить это нервным напряжением и тяжелой работой, которой с утра был заполнен день. Она не могла ни в чем обвинить Спенсера. Он уверенно и с подъемом сыграл роль жениха и держался как нельзя лучше.

Кори все еще пыталась разобраться в своих чувствах, когда Спенсер открыл дверь «апартаментов» и отступил, пропуская ее вперед. Она уже почти вошла в комнату, но он остановил ее на пороге.

— Что тебя тревожит, любимая? — спросил он.

— Прошу тебя, не надо трогательных слов, а то я расплачусь, — сказала она со смешком.

— Ты была потрясающей невестой.

— Я же предупредила тебя: не надо распускаться.

Он вдруг обнял ее и прижал ее лицо к своей груди в том месте, где билось сердце, с такой нежностью, что Кори с трудом сдержала слезы.

— Это был жалкий спектакль, — прошептала она.

— Свадьбы обычно не более чем спектакль, — заметил Спенсер. — Важно то, что следует за ними.

— Наверное, ты прав, — рассеянно подтвердила Кори.

— Вспомни свадьбы, на которых ты была, — продолжал он, не обращая внимания на удивленные взгляды гостей, которые, проходя мимо, невольно видели их через открытую дверь. — Жених по большей части еще не пришел в себя после мальчишника, а невеста страдает от утренней тошноты. Весьма убогое зрелище.

Плечи Кори затряслись от смеха, смешанного со слезами, и Спенсер тоже улыбнулся, радуясь ее смеху, как это было всегда. Он любил заставлять ее смеяться, потому что чувствовал себя сильным, добрым и лучше, чем был на самом деле.

— И все же ты должна признать, что это была почти образцовая свадьба, — сказал он.

— Я так не считаю, мне бы хотелось, чтобы моя свадьба была на Рождество.

— Значит, сейчас ты недовольна только одним — ты предпочла бы другое время года? Скажи, может быть, я могу тебе в этом помочь?

«Можешь, но для этого ты должен любить меня», — подумала Кори, прежде чем успела остановить себя.

— Ты уже сделал все, что мог, и даже больше того, — сказала она вслух. — Не знаю, отчего я так расчувствовалась и капризничаю. Свадьбы всегда плохо на меня действуют, — солгала она и высвободилась из его объятий.

Он не стал ее удерживать.

— Я поговорю с Латтимором и отправлю его домой. Мне надо еще переодеться. Я пришлю сюда шампанское, и после мы выпьем здесь с тобой. Ты не против?

— Отчего же, — согласилась Кори.

## Глава 16

Душ немного освежил Кори, и она принялась перебирать наряды в стенном шкафу, не зная, что больше подойдет фальшивой невесте, которую пригласил выпить шампанского фальшивый жених после того, как они отпраздновали фальшивую свадьбу.

— Пожалуй, это подойдет больше всего, — сказала Кори, извлекая из шкафа кремовые шелковые шаровары и такую же длинную тунику; она захватила их с собой, потому что они подходили для любого приема или вечера в особняке подобного класса.

Она причесывала волосы щеткой перед зеркалом в ванной, когда Спенсер постучал в дверь и сразу вошел.

— Подожди минутку, — крикнула она и надела серьги с жемчужинами. Кори отошла от зеркала и посмотрела на себя. Она выглядела довольной и счастливой, а на самом деле ей казалось, что она существует в некоем призрачном, выдуманном мире. Сегодня в подвенечном платье и фате она стояла в увитой розами беседке рядом со Спенсером, и он держал ее за руку и нежно смотрел ей в глаза. Он даже надел ей на палец кольцо... Разве сможет она когда-нибудь забыть их «свадьбу»? Она навеки запечатлелась в ее памяти... Нет, не навеки, поправила она себя, а только на время. Очень скоро действительность вытеснит воспоминания. Свадьба была обманом, кольцо — куском проволоки, а от реальности становилось холодно на душе.

Спенсер снял смокинг и бабочку и расстегнул верхние пуговицы белой плиссированной рубашки. Он выглядел таким же элегантным и привлекательным, как и на свадьбе, только куда-то исчезла его раскованность. Его губы были сурово сжаты, движения резки, и, забыв о шампанском в ведерке со льдом, он достал из бара графин, выдернул пробку и налил жидкость в хрустальный стакан.

— Что ты делаешь? — ужаснулась Кори, увидев, что он пьет неразбавленное виски.

Спенсер отнял стакан ото рта и повернулся к ней.

— Это отвечает моему настроению, — пояснил он. — Я и тебе сейчас налью.

— Нет, не надо, — поспешно отказалась Кори. — Я бы предпочла шампанское.

— А я тебе советую выпить чего-нибудь покрепче, — настаивал он.

— Почему?

— Потому что это тебе пригодится.

Он сделал виски с содовой и со льдом и подал ей стакан. Кори отпила немного в ожидании объяснения, но он молчал, глядя на стакан в своей руке.

— Спенс, — обратилась к нему Кори, — лучше уж не молчи, а то я подумаю, что случилось нечто непоправимое, а такого не может быть.

— Посмотрим, что ты скажешь через несколько минут, — мрачно заметил Спенсер.

— Так что же случилось? Кто-нибудь тяжело заболел? — настаивала Кори.

— Нет.

Он поставил стакан на стол, подошел к камину и, опершись о каминную полку, устремил взгляд в холодный очаг. В его позе было столько безнадежного отчаяния, что в душе Кори поднялась волна нежности. Она подошла к нему и положила руку на его широкое плечо. Впервые после приезда в Ньюпорт она прикасалась к нему по собственной воле, если не считать тех поцелуев под деревом у воды, и Кори почувствовала, как он напрягся под ее ладонью.

— Пожалуйста, не пугай меня, я ведь не знаю, что и думать!

— Час назад мне позвонила моя глупая племянница и сообщила, что они с ее ресторатором уже поженились.

— Это не такая уж страшная весть, скорее наоборот.

— Согласен, но остальное куда хуже.

Кори представила себе гору искореженных автомобилей и вой машин «скорой помощи».

— Что хуже, скажи мне, Спенс?

Он секунду колебался, потом посмотрел ей прямо в лицо.

— А хуже вот что. Мы также обсудили с ней то самое письмо, которое она оставила мне вчера вечером. Похоже, она слишком торопилась объяснить, что поддалась твоему влиянию и решила бежать. Кажется, она перепутала прошлое с настоящим.

— Как это перепутала? — осторожно спросила Кори. — И как это я на нее повлияла?

— Читай, — сказал Спенсер, вытащил из кармана брюк два сложенных листка бумаги и протянул Кори верхний из них.

Кори бросила беглый взгляд на письмо и сразу поняла, в чем дело.

«Кори сказала мне, что любит тебя и хочет иметь от тебя детей, она сказала мне, что ты единственный мужчина, к которому она испытывает такое чувство, и поэтому она не вышла замуж. Дядя Спенс, я люблю Вилла. Я хочу, чтобы когда-нибудь у нас с ним были дети. Вот почему я не могу выйти замуж ни за кого другого...»

С равнодушной улыбкой Кори вернула Спенсеру письмо, хотя унижение было невыносимым.

— Прежде всего я говорила о прошлом, о моих чувствах к тебе, когда я была подростком. И потом, не я, а сама Джой высказала причину, по которой я не вышла замуж.

— Видишь ли, Кори, в письме все звучит немного по-другому.

— Это тебя и волнует? — спросила Кори, довольная, что он принял ее объяснения.

Вместо ответа Спенсер засунул руки в карманы и принялся молча изучать Кори. Он так долго не спускал с нее взгляда, что Кори нервно отпила из своего стакана.

— Я тебе скажу, что меня волнует, — наконец заговорил он. — Меня волнует то, что я не знаю, как ты относишься ко мне сейчас.

Поскольку Кори не имела ни малейшего представления о том, как он сам к ней относится, и он явно не собирался давать ей об этом какую-либо информацию, Кори решила, что Спенсер не вправе задавать ей вопросы и требовать на них ответы.

— Я считаю, что ты один из самых красивых мужчин, за которых я когда-либо выходила замуж! — пошутила она.

Он оставался серьезным.

— Сейчас не время уклоняться от ответа, — строго заметил он.

— Что ты хочешь этим сказать?

— Я хочу сказать... я точно знаю, что ты испытываешь ко мне какие-то чувства, пусть даже самое примитивное вожделение.

Кори смотрела на него, открыв рот.

— Ты хочешь, чтобы я тебе призналась?

— Отвечай на мой вопрос, — приказал он.

— Хорошо, я тебе отвечу. — Кори изо всех сил старалась обратить все в шутку. — К примеру, если мы когда-нибудь поместим в журнале статью под названием «Искусство поцелуя», то ты наверняка займешь место в первой десятке специалистов и получишь от меня отличную характеристику. Так как? Что ты на это скажешь?

— Боюсь, тебе поставят в вину, что ты подыгрываешь собственному мужу.

— Не называй себя моим мужем, — отрезала Кори. — Это не смешно.

— А я и не считаю это шуткой.

— Именно это я и сказала, — рассердилась Кори.

— Мы с тобой муж и жена, Кори.

— Прошу тебя, не говори глупости.

— Возможно, для тебя это глупость, но это правда.

Кори всматривалась в его непроницаемое лицо и не знала, что и думать. Его глаза... Она читала в них нечто такое...

— Свадьба была обманом, а судья — водопроводчиком.

— Его отец и дядя действительно водопроводчики, но сам он судья.

— Я тебе не верю.

Вместо ответа Спенсер протянул Кори второй сложенный листок бумаги.

Кори развернула его и не поверила своим глазам. Это было свидетельство о браке на имя Каролины и Спенсера

Аддисонов, датированное сегодняшним днем и подписанное судьей Лоуренсом Э. Латтимором.

— Мы с тобой женаты, Кори.

Ее рука невольно сжалась в кулак, комкая бумагу, боль и растерянность охватили душу.

— Ты решил сыграть со мной злую шутку? — шепотом произнесла она. — Ты решил унизить меня?

— Пойми меня, Кори. Ты знаешь, что написала Джой, и я решил, что это и есть твое желание.

— Безжалостный наглец! — Голос Кори дрожал. — Ты хочешь сказать, что женился на мне из сострадания и чувства вины? И ты думал, мне это понравится? Неужели я такая жалкая, что удовлетворюсь чужой свадьбой, чужим платьем и кольцом из обрывка проволоки?

Спенсер увидел слезы в ее глазах и схватил ее за плечи.

— Поверь, Кори, я женился на тебе, потому что люблю тебя.

— Ты меня любишь, — передразнила она; ее плечи тряслись от смеха, а лицо было мокрым от слез. — Ты меня любишь...

— Да, черт возьми, я тебя люблю.

Кори захохотала еще громче, и слезы еще сильнее потекли у нее из глаз.

— Ты не знаешь, что такое любовь, — всхлипывала она. — Ты так сильно меня любишь, что даже не удосужился сделать мне предложение. Ты не постеснялся даже превратить нашу свадьбу в комедию.

Со своей точки зрения Кори была права. Спенсер понимал это, и поэтому ему особенно невыносимо было видеть слезы на ее побледневшем лице и читать муку в ее глазах.

— Я представляю, что ты сейчас обо мне думаешь.

— Нет, не представляешь! — Она вывернулась из его рук и сердито смахнула слезы. — Сейчас я тебе раз и навсегда все объясню: ты мне не нужен! Ты был не нужен мне раньше, ты мне не нужен теперь, и ты мне не нужен в будущем! — Ее ладонь с такой силой ударила Спенсера по щеке, что он пошатнулся. — Теперь тебе все ясно? — Повернувшись, Кори стремительно бросилась к стенному шкафу, где лежали ее чемоданы. — Я не буду ночевать в одном доме с тобой и, как только вернусь в Хьюстон, сразу подам на развод. А если ты станешь мне препятствовать, то я потребую арестовать и тебя, и твоего пьяницу судью, и на это у меня уйдет меньше времени, чем ты потратил на устройство этой дурацкой свадьбы!

— Я не буду препятствовать разводу, — объявил Спенсер ледяным тоном. — Более того, ты можешь использовать вот это для оплаты услуг адвоката.

С этими словами он швырнул некий предмет на кровать, вышел из комнаты и захлопнул за собой дверь.

Кори рыдала, закрыв лицо руками, и не могла остановиться. Наконец всхлипывания прекратились и холодное равнодушие овладело ею. Она подошла к телефону и попросила разыскать свою мать и бабушку Розу, она хотела, чтобы они немедленно пришли к ней в комнату; затем она попросила найти Майка Макнейла и передать, чтобы он позвонил ей.

Когда Майк позвонил, Кори объяснила, что возникли непредвиденные обстоятельства и что она должна сегодня же вечером самолетом вернуться домой. Телефон зазвонил снова, как только Кори повесила трубку.

— Мисс Фостер, — сообщил ей дворецкий, — автомобиль мистера Аддисона через минуту будет ждать вас у подъезда.

И хотя Кори мечтала побыстрее покинуть этот дом, она по непонятной причине неожиданно рассердилась, что ее вот так бесцеремонно торопят. В мгновение ока она собрала чемоданы и вдруг вспомнила о небольшом предмете, который ее муж бросил на кровать. Она обшарила взглядом покрывало, ожидая увидеть бумажник с деньгами, но вместо него на голубой атласной подушке сияло в закатных лучах солнца бриллиантовое кольцо таких размеров и красоты, что было бы под стать герцогине.

Мать с бабушкой постучались в дверь, и Кори взяла под мышку сумку, а в руки чемоданы. Миссис Фостер бросила взгляд на бледное лицо дочери, потом на чемоданы и застыла на месте.

— Боже милостивый, что случилось?

Кори отрывистыми фразами рассказала им обо всем и кивнула на кольцо на кровати:

— Позаботьтесь, пожалуйста, чтобы Спенс получил его обратно, и скажите ему, что, если когда-нибудь он осмелится приблизиться ко мне, я вызову полицию!

Кори ушла, и миссис Фостер с бабушкой Розой некоторое время в изумленном молчании смотрели друг на друга. Наконец Мери Фостер сказала:

— Какую глупость сделал Спенс!

— Он заслуживает того, чтобы его хорошенько высекли, — заметила бабушка, но в ее голосе не было осуждения.

— Кори никогда его не простит. Ни за что на свете. И Спенс тоже страшный гордец. Он не сделает ей снова предложения, — вздохнула миссис Фостер.

Бабушка Роза подошла к кровати, взяла кольцо и с улыбкой повертела его в руках.

— Когда Кори станет его носить, Спенсу придется нанимать ей телохранителя, — заметила она.

## Глава 17

— Как это он не даст разрешения на публикацию снимков, которые мы сделали в Ньюпорте? — взорвалась Кори.

— Я не сказала, что он наотрез отказывается подписать документы, — уклончиво сказала Диана.

Миновала всего неделя с тех пор, как Кори вернулась из Ньюпорта, но она успела нагрузить на себя десяток разных проектов, чтобы отвлечься от мыслей о своей свадьбе и бракоразводном процессе, который она уже начала. Было заметно, как она утомилась.

— Он сказал, что все подпишет, но только если ты собственной персоной представишь ему бумаги завтра вечером.

— Я не поеду снова в Ньюпорт, — предупредила Кори.

— А тебе и не надо туда ехать. Спенс будет по делам в Хьюстоне.

— Я не желаю видеть его ни в Хьюстоне, ни где-либо еще.

— Думаю, и это тоже ему известно, — заметила Диана. — Ты ведь не только начала дело о разводе, но и потребовала судебного решения, запрещающего ему приближаться к тебе.

— Как, по-твоему, он поступит, если мы выпустим журнал без его разрешения?

— Он просил передать тебе, что в таком случае его адвокаты сживут нас со света.

— Как я ненавижу этого человека! — устало пробормотала Кори.

Диана благоразумно не стала подвергать сомнению заявление Кори, но решила поднять еще один вопрос.

— Существует достаточно безболезненный выход из положения, — начала Диана. — Спенсер сказал, что остановится у себя в Ривер-Оукс, так что завтра вечером...

— Завтра вечером состоится Бал орхидей, поэтому ему придется подписать бумаги днем.

Кори была в бешенстве оттого, что Спенсер контролировал не только ее, но и журнал.

— Я объяснила Спенсу, что мы в числе спонсоров бала и обязательно должны быть на нем. Он сказал, что ты можешь заехать к нему перед балом, в семь часов.

— Я не поеду к нему одна.

— Хорошо, — уступила Диана. — Мы с мамой будем ждать в машине, пока ты переговоришь со Спенсом, и от него отправимся прямо на бал.

# Глава 18

Кори не была в доме Спенсера с тех самых пор, как здесь жила его бабушка, и ей казалось странным после стольких лет снова видеть некогда знакомые места.

Кори знала, что Спенсер сдавал особняк внаем, и жильцы сохранили почти всю прислугу и содержали дом в том же идеальном порядке, что и при хозяевах. А так как Спенс остановился в своем доме, Кори сделала вывод, что дом пуст или потому, что Спенс решил его продать, или потому, что люди, которые жили в нем на протяжении многих лет, по какой-то причине выехали.

Подъезд дома был ярко освещен, как всегда, когда в доме ожидали гостей, но, помимо этого, странный мягкий свет пробивался через задернутые занавески на окнах в гостиной.

— Я недолго, — пообещала Кори матери и Диане, выходя из машины, и поднялась по ступенькам крыльца.

Держа в руке папку с документами, она позвонила в дверь, и ее сердце громко забилось, когда в прихожей раздались шаги, и еще сильнее, когда дверь отворилась и на пороге появилась экономка, служившая еще у миссис Бредли.

— Добрый вечер, мисс Фостер, — поздоровалась она, — входите, мистер Аддисон ждет вас в гостиной.

Кори миновала полутемную переднюю и вошла в гостиную. Она собрала все свое мужество перед предстоящей встречей, первой после той ужасной сцены в Ньюпорте.

Спенс стоял посреди освещенной свечами комнаты, непринужденно опершись на крышку рояля и скрестив руки на груди. Он был в смокинге.

Гостиная была украшена, словно к рождественскому празднику.

— Поздравляю тебя с Рождеством, Кори, — негромко сказал Спенсер.

В изумлении и растерянности Кори смотрела на пышные хвойные гирлянды, обвивающие камин, букет омелы на люстре под потолком, огромную елку в углу в красных шарах и мигающих фонариках и, наконец, горку подарков под деревом. Все подарки были упакованы в золотую фольгу, и к каждому была привешена большая белая бирка.

И на всех бирках было крупно написано «Для Кори».

— Когда-то я лишил тебя рождественского бала, а потом и рождественской свадьбы, — очень серьезно сказал Спенсер. — Я хотел бы вернуть их тебе. Если ты мне позволишь...

Спенсер ожидал от Кори самой неожиданной реакции — от хохота до взрыва бешенства, но он никак не предполагал, что Кори отвернется от него, низко опустит голову и расплачется. При первых же всхлипываниях Спенсер понял, что побежден. Он было протянул к ней руки, но опустил их и вдруг услышал ее шепот:

— Мне никогда не надо было ничего, кроме тебя.

Он повернул ее к себе и так крепко обнял, что у Кори перехватило дыхание. Ее рука, рука его жены, коснулась его щеки, и дорогой ему голос повторил:

— Мне никогда не надо было ничего, кроме тебя.


Миссис Фостер из машины наблюдала за силуэтом обнимающейся пары в окне гостиной. Ее зять целовал ее дочь, и не похоже было, что он когда-нибудь остановится или выпустит ее из объятий.

— Мне кажется, мы напрасно ждем, — со счастливым вздохом обратилась она к Диане. — Кори никуда не пойдет сегодня вечером.

— Нет, обязательно пойдет, — не согласилась Диана, включая заднюю скорость. — Спенс обманул ее тогда с рождественским балом, и сегодня вечером он собирается искупить свою вину.

— Ты хочешь сказать, что он собирается повести ее на бал? — удивилась миссис Фостер. — Но ведь билеты распроданы несколько месяцев назад.

— Спенс каким-то образом сумел их зарезервировать, и мы все вместе занимаем один столик. Нам легко будет его найти: вместо белых орхидей, как у всех, стол украшен букетом остролиста в красных рождественских саночках.

## Эпилог

Закутавшись в красный бархатный халат, Кори стояла у окна, откуда открывался широкий вид на озаренные луной, заснеженные холмы Вермонта, где они проводили свое первое настоящее Рождество. Спенсер утверждал, что это их второй медовый месяц, тот самый, который был бы у них, исполнись мечта Кори о рождественской свадьбе, и теперь он, как и положено, был самым влюбленным и страстным новобрачным.

Кори вернулась к кровати, на которой спал Спенсер, наклонилась и поцеловала его в лоб. Уже близился рассвет, а они всю ночь до изнеможения занимались любовью, но это было рождественское утро, и Кори почему-то очень хотелось, чтобы Спенс поскорее открыл приготовленный для него подарок. Ведь он почти каждый день дарил ей что-нибудь, и вот теперь она хотела поразить его своим необыкновенным выбором.

Улыбка тронула его губы.

— Почему ты не спишь? — спросил он, не открывая глаз.

— Наступило Рождество, и я хочу сделать тебе подарок. Ты не против?

— Совсем нет, — рассмеялся он и притянул ее к себе на грудь.

— Я не имела в виду этот подарок, — заметила Кори, опершись локтями ему на грудь, а он тем временем раздвигал ее халат. — Ты уже недавно получил такой.

— И хочу получить еще один, — настаивал Спенс, и его рука сделала решительную попытку продвинуться дальше.

— Два Рождества и два медовых месяца — не многовато ли для одного года? — рассмеялась Кори, в то время как его рот уже последовал за рукой и прижался к ее груди. — Что за привычка требовать, чтобы всего было по паре?

Ответ на этот вопрос появился девять месяцев спустя в журнале «События и люди» в рубрике извещений о рождении: «Поздравляем Спенсера Аддисона и его жену фотографа Кори Фостер с появлением на свет 25 сентября дочерей-близнецов Молли и Мери. Вот что значат искусство фотографа и двойная выдержка!»

# ДЖУД ДЕВЕРО
## Мне просто любопытно

Jude Deveraux
**JUST CURIOUS**

# Глава 1

— Я не верю в чудеса, — объявила Карен, строго поджав губы и глядя на свою золовку Энн. Чисто вымытое лицо Карен блестело на солнце, и она походила на фотомодель до того, как визажист приступил к нанесению косметики. Правда, отсутствие краски имело свои преимущества, так как позволяло видеть безупречную кожу, идеальные черты лица и глаза — два темно-зеленых изумруда.

— Разве я говорила что-нибудь о чудесах? — пришла в отчаяние Энн. В отличие от белокурой Карен Энн была темноволосой, на две головы ниже и соблазнительно пышной. — Я только сказала, что на Рождество тебе надо обязательно пойти в клуб на танцы. При чем здесь чудеса?

— Ты сказала, что я могу встретить там какого-нибудь замечательного мужчину и снова выйти замуж, — упрямо повторила Карен, стараясь не вспоминать о том, что автомобильная катастрофа отняла у нее любимого мужа.

— Ну хорошо, я виновата и прошу меня извинить.

Прищурившись, Энн смотрела на свою некогда красавицу невестку и не могла поверить, что в былые времена бешено завидовала ее наружности. Теперь волосы Карен безжизненными прядями висели по плечам, и даже невооруженным глазом были видны их сеченые концы. Бледное, без косметики лицо Карен делало ее похожей на школьницу. Вместо прежней элегантной одежды она теперь была облачена в тренировочный костюм, принадлежавший некогда ее покойному мужу Рею.

— Ты была самой ослепительной женщиной в нашем клубе, — почти со слезами сказала Энн. — Как сейчас вижу вас с братом, танцующими на Рождество: ты в красном платье, помнишь, в том самом, с разрезом чуть не до пояса? На вас стоило посмотреть, когда вы танцевали вместе! Все мужчины в зале пускали слюни, глядя на твои ноги. Все мужчины в Денвере, но, конечно, за исключением моего Чарли, он-то никогда не бросил на тебя даже взгляда.

Карен слабо улыбнулась, спрятавшись за своей чашкой.

— Если тебя внимательно слушать, то в твоих речах можно выделить всего два главных слова: «красавица» и «Рей», — вздохнула Карен. — И то и другое уже в прошлом.

— Дай мне высказаться! — Голос Энн стал умоляющим. — Можно подумать, что тебе сто лет и заботит тебя лишь одна мысль: какой гроб себе выбрать! А тебе тридцать, разве это много? Мне уже стукнуло тридцать пять, и то возраст меня не остановил.

С этими словами Энн тяжело поднялась со стула и, положив руку на поясницу, проковыляла к плите, чтобы налить себе очередную чашку травяного чая. Беременность сделала ее столь необъятной, что она с трудом дотянулась до чайника.

— Ты правильно рассуждаешь, — сказала Карен. — Но молодая я или старая, Рея уже не вернуть. — Она произнесла имя мужа с таким глубоким благоговением, словно это было имя божества.

Энн тяжело вздохнула, потому что они говорили об этом уже несчетное число раз.

— Рей был моим братом, и я очень его любила, но, Карен, Рей умер. Он умер два года назад. Тебе пора начинать новую жизнь.

— Ты ничего не понимаешь обо мне и Рее. Мы были...

С выражением высшей степени сочувствия на лице Энн взяла руку Карен в свою и крепко сжала.

— Я знаю, Рей был для тебя всем на свете, но у тебя еще кое-что осталось и для другого мужчины. Я подчеркиваю: для живого мужчины.

— Ни за что! — прервала ее Карен. — На свете нет такого человека, который мог бы сравниться с Реем, да я и не позволю никакому мужчине тягаться с ним. — Она резко встала из-за стола и подошла к окну. — Никто не может понять... Мы с Реем были не только мужем и женой, мы были еще и деловыми партнерами. Мы были равными, у нас все было общим. Рей спрашивал мое мнение обо всем, начиная с бизнеса и кончая цветом своих носков. С ним я чувствовала себя нужной. Ты можешь это понять? Я встречала многих мужчин до Рея и после него, и все они требовали от женщины одного: чтобы она была хорошенькой и не вмешивалась в их дела. Как только ты начинаешь излагать мужчине свои взгляды на жизнь, он зовет официанта и просит подать счет.

— Ладно, — согласилась Энн, — я молчу. Если это твоя судьба и ты готова совершить во имя Рея акт самосожжения, пусть будет так. — Энн нерешительно посмотрела на спину невестки. — Расскажи мне лучше о своей работе.

Ее тон красноречивее любых слов говорил о том, что она думает об этой работе.

Карен рассмеялась:

— Ты, Энн, не из тех, кто скрывает свое мнение. Сначала тебе не нравится, что я люблю своего мужа, а потом ты показываешь, что не одобряешь мою работу.

— Думай что хочешь, но ты не заслужила того, чтобы оставаться вечной вдовой или уморить себя, печатая пустые бумажки.

Карен не могла сердиться на Энн, потому что Энн искренне верила в уникальность Карен, и это никак не зависело от их родственных отношений.

— Я вполне довольна своей работой, — сказала Карен и опять села к столу. — У меня хорошие сослуживцы, и все идет прекрасно.

— Но наскучило, верно?

— Не слишком, но чуть-чуть, — согласилась Карен.

— Тогда почему бы тебе не уйти? — И прежде чем Карен успела ответить, Энн предостерегающе подняла руку. — Сразу приношу свои извинения. Не мое дело, если ты со своим умом хочешь похоронить себя в каком-то машбюро. — Взгляд Энн оживился. — Как бы там ни было, расскажи мне о вашем божественном, неотразимом боссе. Как поживает этот красавец?

Карен улыбнулась и пропустила мимо ушей просьбу Энн рассказать о хозяине.

— На прошлой неделе девушки отметили мой день рождения, — сказала она и приподняла брови, бросая Энн вызов, потому что та постоянно отпускала ехидные замечания о шести женщинах, которые работали в машбюро вместе с Карен.

— Вот как? И что же они тебе преподнесли? Вязаную шаль собственной работы или, может, качалку? Или живую кошку для уюта?

— Лечебные чулки против варикозного расширения вен, — сказала Карен и рассмеялась. — Нет, я пошутила. Между прочим, они купили мне в складчину очень хороший подарок.

— Какой же?

— Цепочку для очков, — пояснила Карен и отпила чай.

— Что-что?

— Цепочку для очков. — Глаза Карен весело заблестели. — Знаешь, такую штуковину, которую носят на шее, чтобы очки не упали. Очень красивую, золотую. Высшей пробы. А там, где цепь крепится к дужкам, застежки... в виде кошачьих голов.

Энн оставалась серьезной.

— Карен, тебе надо уходить оттуда. Твоим девушкам в общей сложности наверняка лет триста. Неужели они не заметили, что ты не носишь очки?

— Триста семьдесят семь, вот сколько. — А когда Энн вопросительно взглянула на нее, Карен уточнила: — В общей сложности получается триста семьдесят семь лет. Я как-то села и подсчитала. И еще они сказали мне, что хотя я и не ношу очки, но, раз мне стукнуло тридцать, они мне обязательно скоро понадобятся.

— Для такой развалины, как ты, лечебные чулки тоже были бы кстати.

— Открою тебе, что мисс Джонсон уже подарила мне пару на прошлое Рождество. Ей семьдесят один, и она клянется, что на свете нет более нужной вещи.

В этом месте Энн не выдержала и расхохоталась.

— Карен, я не шучу, — наконец сказала она. — Тебе надо выбираться оттуда.

— Не знаю... — протянула Карен, глядя в чашку. — У моей работы есть свои достоинства.

— Это какие? — подскочила Энн.

Карен с самым невинным видом посмотрела на золовку.

— Что это ты так взвилась? — спросила она.

Энн откинулась на спинку стула и некоторое время молча изучала Карен.

— Наконец до меня начинает доходить, — сказала она после паузы. — Ты чересчур умна, чтобы начисто забыть о своих интересах. Так вот, Карен Лоуренс, если ты мне сейчас все не скажешь, я измыслю для тебя страшную казнь. К примеру, запрещу тебе навещать моего ребенка, пока ему не исполнится три года.

Карен побледнела, и Энн поняла, что одержала верх.

— А теперь выкладывай! — скомандовала она.

— Это хорошая работа, и люди, с которыми я работаю, тоже...

Внезапно лицо Энн осветила догадка.

— Хватит притворяться, — перебила она Карен. — Не забывай, что я знаю тебя с восьми лет. Эти старые перечницы загружают тебя лишней работой, и ты молчишь, только бы тебе быть в курсе всех дел. Бьюсь об заклад, ты знаешь о том, что происходит на фирме, больше, чем сам Таггерт. — Энн улыбнулась собственной сообразительности. — Если бы эта змея мисс Грэшем увидела тебя такой, какой ты была пару лет назад, она бы нашла предлог тебя уволить.

Краска на щеках Карен подтвердила Энн правильность ее догадки.

— Прости мою тупость, — продолжала Энн, — но объясни: почему ты не найдешь работу, где тебе платили бы побольше, чем секретарше?

— Я пыталась! — громко запротестовала Карен. — Я обращалась в разные компании, и всякий раз они отказывались рассматривать мою кандидатуру, потому что у меня нет диплома о высшем образовании. Восемь лет управления большим хозяйственным магазином ничего не значат для кадровой службы.

— Ты в четыре раза увеличила доходность магазина.

— Всего в четыре, сущая ерунда. Кто станет это учитывать? Зато у меня нет бумажки, подтверждающей, что я годы отсидела на скучных лекциях, от которых нет никакой пользы.

— Тогда почему бы тебе не поступить в колледж и не получить эту пустую бумажку?

— Мне идти учиться? — Карен поперхнулась чаем. — Послушай, Энн, я понимаю, ты желаешь мне добра, но я хочу сама распоряжаться своей судьбой. Я знаю, что никогда больше не встречу другого такого мужчину, как Рей, с которым бы я могла работать. Одна надежда, что я смогу сама открыть магазин. У меня есть деньги от продажи нашей доли, и я откладываю почти все, что зарабатываю. А тем временем узнаю все тонкости управления такой компанией, как «Монтго-

жет быть, он продаст наряды и купит взамен целую кучу колец, ведь он только успевает раздавать их направо и налево.

— Хотела бы я знать, почему ты его не любишь? — поинтересовалась Энн. — Он ведь взял тебя на работу, разве не так?

— Да, у него работает много женщин. Могу поклясться, он поручил кадровой службе брать на работу женщин в зависимости от длины их ног. У него несколько миленьких дамочек-заместителей.

— А ты сама чем недовольна?

— Он никогда не разрешает им действовать самостоятельно! — вскипела Карен. — Таггерт сам принимает все решения до единого. Насколько мне известно, он даже не спрашивает у своих красоток мнения или совета, не говоря уж о том, чтобы доверить им исполнение. — Карен с такой силой сжала ручку чашки, что было непонятно, как она не отломилась. — Макаллистер Таггерт без труда прожил бы на необитаемом острове. Он ни в ком не нуждается.

— Тем не менее похоже, что он нуждается в женщинах, — без нажима вставила слово Энн, она дважды издалека видела босса Карен и была им совершенно очарована.

— Он тот самый легендарный американский плейбой, — объяснила Карен. — Чем длиннее ноги и волосы, тем больше нравится ему женщина. Красивые пустышки — вот каких женщин он предпочитает. — Коварная улыбка заиграла на ее губах. — И все же пока ни одна из них не была так наивна, чтобы выйти за него замуж. Стоит им узнать, что в результате брака они получают только Таггерта в чистом виде и ничего больше, как они тут же пускаются в бега.

— Хорошо, я молчу, — пообещала Энн, увидев, как рассердилась Карен. — Давай поговорим о чем-нибудь другом. Как тебе удастся завести ребенка, если ты бежишь прочь, стоит мужчине взглянуть на тебя? И наверное, ты нарочно так одеваешься, чтобы держать мужчин на расстоянии?

— Господи, ну и вкусно ты меня угостила! — сказала Карен. — Ты действительно очень хорошо готовишь, Энн, и я прекрасно провела у тебя время, но теперь мне пора идти. — С этими словами она встала и пошла к двери.

— Ой! — раздался ей вслед пронзительный вопль Энн. — У меня начались роды! Помоги мне!

Карен побледнела и подбежала к подруге.

— Откинься назад и не двигайся. Я сейчас позвоню в больницу.

Но когда Карен сняла телефонную трубку, Энн обратилась к ней вполне нормальным голосом:

— Похоже, все прошло, но ты не уходи, пока Чарли не вернется домой. На всякий случай. В жизни всякое бывает.

Секунду Карен осуждающе смотрела на Энн, потом, признав свое поражение, села и устроилась поудобнее.

— Так что же тебе рассказать, Энн?

— Не знаю почему, но в последнее время я очень интересуюсь малышами, — серьезно пояснила Энн. — Должно быть, я что-то съела. Во всяком случае, стоило тебе заговорить о младенцах, и я уже сама не своя.

— Мне нечего сказать тебе, Энн. Нечего, поверь мне. Просто я...

— Просто ты что?... — подогнала ее Энн.

— Просто я жалею, что у нас с Реем не было детей. Мы оба считали, что впереди еще вся жизнь.

Энн молчала, позволяя Карен разобраться в своих чувствах.

— Недавно я ходила в клинику искусственного оплодотворения и сделала полное обследование. Они говорят, что я совершенно здорова.

И так как Карен замолчала, Энн осторожно спросила:

— Значит, ты побывала в клинике, и что дальше?

— А дальше я должна выбрать по каталогу донора, — простосердечно призналась Карен.

Здравый смысл подсказывал Энн, что следует промолчать, но она не выдержала:

— И тогда надо взять кисточку, которой ты смазываешь индейку при жарке, и...

Карен даже не улыбнулась, и ее глаза сердито блеснули.

— Ты, конечно, можешь надо мной издеваться, потому что у тебя есть любящий муж, способный выполнить эту работу, а мне что делать? Поместить объявление в газете? «Одинокая вдова хочет забеременеть. Обращаться: почтовый ящик триста пятьдесят шесть».

— Если бы ты не отсиживалась в углу, а бывала на людях и встречалась с мужчинами, ты бы могла... — Энн остановилась, увидев, что Карен опять начинает сердиться. — Знаю, знаю, не надо мне повторять... А почему бы тебе не обратиться за помощью к твоему потрясающему боссу? Бьюсь об заклад, он практикуется каждый день и оставит далеко позади твою клинику вместе с кисточкой.

Мгновение Карен боролась со смехом, но не выдержала.

— Мистер Таггерт, у меня к вам большая просьба, — пропищала она, — не могли бы вы дать мне немного вашей семенной жидкости? Вместо прибавки к зарплате. Да, я принесла баночку... Нет, ничего, не спешите, я подожду.

Это была прежняя Карен, какую Энн не видела уже целых два года.

— По моим расчетам, день Рождества особенно благоприятен для зачатия, — продолжала Карен, — так что, пожалуй, я подожду Санта-Клауса.

— Это ты здорово придумала, — похвалила Энн. — Только берегись, как бы тебя не замучила совесть оттого, что Санта всю ночь проведет у тебя и забудет о бедных детишках.

Энн так долго смеялась собственной шутке, что неожиданно смех перешел в крик.

— Господи, — испугалась Карен, — разве это было так уж смешно? Энн, в чем дело? Энн!

— Позвони Чарли, — прошептала Энн, поддерживая свой огромный живот, и когда ее настигла вторая схватка, попросила: — К дьяволу Чарли, звони в больницу, и пусть они прихватят с собой морфин! Мне очень больно!

Дрожа, Карен бросилась к телефону и вызвала «скорую».

— Идиотка! — ворчала Карен, глядя в зеркало на себя и на слезы, которые продолжали течь из уголков глаз. Она оторвала бумажное полотенце, промокнула глаза и увидела, что веки стали совсем красными. Конечно, это закономерно, поскольку она проплакала почти все последние двадцать четыре часа.

— Все плачут, когда рождается ребенок, — вслух успокоила себя Карен. — Люди плачут при всех счастливых обстоятельствах, плачут на свадьбах, на помолвках и при рождении ребенка.

Она на секунду перестала всхлипывать, снова посмотрела в зеркало и поняла, что обманывает себя. Накануне вечером она держала на руках новорожденную дочь Энн и не хотела отдавать ее обратно. Она дошла до того, что готова была унести младенца с собой. Нахмурившись, Энн взяла девочку из рук невестки.

— Я не могу отдать тебе своего ребенка, — сказала она сочувственно. — Заведи собственного.

Карен попыталась шуткой скрыть свое смущение, но не рассмешила Энн и в конце концов ушла из больницы, чувствуя себя почти такой же несчастной, как после смерти Рея.

И вот теперь Карен была на работе и изнемогала от ужасной тоски по собственному дому и семье, которых у нее не было. Она снова промокнула лицо, но, услышав голоса, не раздумывая нырнула в открытую кабинку и заперла за собой дверь. Нет, она не позволит, чтобы кто-то увидел ее с заплаканными глазами. Сегодня на работе отмечали Рождество, и все были в приподнятом настроении. Утром компания «Монтгомери — Таггерт» сделала каждому служащему подарок в виде солидной премии, вечером ожидались бесплатное праздничное угощение и неограниченная выпивка, и все вокруг бурлило в предвкушении веселья.

Если бы Карен уже не была в плохом настроении, оно бы у нее обязательно испортилось, когда она услышала голос одной из двух женщин, вошедших в туалет. Это была Лоретта Саймонс, которая считала себя главным экспертом по всем вопросам, касающимся Макаллистера Джорджа Таггерта. Карен знала, что попала в ловушку: стоит ей выйти из кабинки, как Лоретта поймает ее и начнет нудить о необычайных достоинствах праведного М. Дж. Таггерта.

— Ты уже видела его сегодня? — спросила Лоретта приглушенно-почтительным голосом, который некоторые люди приберегают для посещения Сикстинской капеллы. — Он совершеннейшее из всех земных творений. Высокий, красивый, добрый, умный...

— А как насчет той женщины сегодня утром? — спросила ее собеседница. Если она еще не слышала всех подробностей о Таггерте, значит, это была новая помощница начальника кадровой службы и Лоретта вводила ее в курс дела. Похоже, новенькая не считала Таггерта таким уж замечательным.

Карен невольно улыбнулась в своей кабинке: приятно знать, что не все так слепы, как Лоретта.

— Но вы, дорогая, просто не представляете, через какие муки прошел этот страдалец, — говорила Лоретта, как будто речь шла о ветеране войны.

Карен закинула голову назад, готовая взвыть от тоски. Неужели Лоретта только и способна говорить о великой трагедии Макаллистера Дж. Таггерта? Разве у нее в жизни нет других интересов?

— Три года назад мистер Таггерт был безумно, бешено влюблен в молодую женщину по имени Элейн Вентлоу. — Лоретта так произнесла имя возлюбленной босса, словно это

было нечто низкое и отвратительное. — Одна мечта питала
его душу: он хотел жениться на ней и создать семью. Он хотел
завести свое гнездышко, свой надежный теплый уголок, где он
мог бы укрыться от бурь. Он хотел...

Карен возвела глаза к потолку: всякий раз, рассказывая
эту историю, Лоретта все обильнее сдабривала ее
мелодраматическими эффектами и все меньше придерживалась
фактов. Лоретта как раз описывала роскошную свадьбу, которую один, без всякой помощи организовал Таггерт и которую
сам целиком оплатил из собственного кармана. Если верить
Лоретте, то невеста не знала никаких забот, кроме как нама-
никюривать себе ногти.

— Она его бросила? — с дрожью в голосе спросила новая помощница начальника кадровой службы.

— Она бросила бедняжку прямо на ступенях церкви на
глазах у семисот приглашенных, прилетевших со всех концов
земли.

— Какой кошмар! — ужаснулась помощница начальника. — Какое унижение для него! Почему она так поступи-
ла? И если у нее была действительно серьезная причина, то
почему она не сделала это более деликатным образом?

Карен сжала зубы. Она считала, что Таггерт предъявил
невесте свой знаменитый брачный контракт или вечером накануне свадьбы, или утром прямо в день свадьбы, чтобы хорошенько ее унизить. Несомненно, Карен не могла никому
рассказать об этом, так как не она должна была печатать личные документы Таггерта. Это было обязанностью его личной
секретарши. Но красавица мисс Грэшем воображала себя слишком важной персоной, чтобы вводить письма в компьютер,
поэтому она передавала работу старейшей служащей компании, а именно мисс Джонсон. Но мисс Джонсон уже перева-
лило за семьдесят, и слабое здоровье не позволяло ей сильно
утруждать себя. Мисс Джонсон также знала, что, если правда
о ее немощи выйдет наружу, она лишится места, а у нее было

несметное число кошек, которых следовало кормить, и поэтому мисс Джонсон тайком отдавала Карен печатать все личные письма и бумаги Таггерта.

— Значит, все невесты от него убегают... — задумчиво сказала помощница начальника кадровой службы. — А эта женщина сегодня утром...

Карен незачем было слушать пересказ эпизода из уст Лоретты, поскольку тема обсуждалась всеми с самого утра. А если к размолвке Таггерта с возлюбленной добавить еще такие события, как рождественская вечеринка и получение премий, то надо было только удивляться, что женщины выдержали подобный накал страстей. Карен серьезно опасалась, как бы у мисс Джонсон не случился сердечный приступ.

Этим утром, сразу после того как произошла раздача премий, рыжеволосая красавица ворвалась в учреждение, сжимая в трясущейся руке коробочку, видимо, с обручальным кольцом. Дежурная секретарша у входа не стала спрашивать посетительницу, кто она такая и что ей нужно: рассерженные женщины с коробочками в руках были привычным явлением в офисе Макаллистера Дж. Таггерта. Поэтому все двери открывались перед рыжеволосой одна за другой, пока она не добралась до святилища: кабинета Таггерта.

Через пятнадцать минут красавица в слезах вышла из кабинета, сжимая в руке уже не коробочку, а нечто покрупнее: футляр, где мог свободно поместиться солидный браслет.

— Как они могут так безжалостно с ним поступать? — шептались женщины, обрушивая весь свой гнев на рыжеволосую красавицу. — Он такой добросердечный, такой внимательный и тактичный. Вся беда в том, что он влюбляется не в тех женщин. Вот если бы он нашел порядочную девушку, она полюбила бы его навсегда, — завершали они разговор одной и той же фразой. — Ему нужна женщина, которая поймет всю глубину его страданий.

После этих слов все женщины в возрасте до пятидесяти пяти отправлялись в комнату отдыха рядом с туалетом и проводили перед зеркалом обеденный перерыв, стараясь сделать себя как можно более привлекательными.

Все, за исключением Карен. В самый разгар обсуждения Карен держала свое мнение при себе и оставалась за рабочим столом.

Лоретта глубоко и печально вздохнула, и, казалось, дверь кабинки задрожала под напором ее чувств. Лоретту не беспокоило, что ее может кто-то подслушать, поскольку вокруг не осталось ни одной женщины, которой бы она не успела поведать о бесподобном мистере Таггерте.

— Теперь он вновь свободен, — сказала Лоретта полным печали голосом, жалея неудачника и в то же время определенно не теряя надежды. — Он продолжит свои поиски истинной любви, и в один прекрасный день какая-нибудь счастливая женщина станет миссис Макаллистер Таггерт.

— Какая трагедия для него! — поддержала Лоретту помощница начальника кадровой службы, и Карен поняла, что армия верных почитателей босса выросла еще на одну единицу. — Даже если он стал ненавистен той самой Элейн Вентлоу, как могла она так подвести гостей, пришедших на свадьбу?

— Что вы делаете? — вдруг спросила Лоретта.

— Я хочу торжества справедливости. — Это был голос новой фанатки Таггерта.

Через секунду Карен услышала вздох, вырвавшийся из самой глубины души Лоретты.

— Как я с вами согласна, как вы правы! А теперь пойдемте. Мы не должны пропустить хотя бы минуту нашей рождественской вечеринки. — Лоретта на миг смолкла, затем со значением завершила: — Кто знает, что может произойти сегодня под омелой.

Карен подождала, когда парочка уйдет, и вышла из своего убежища. Посмотрев в зеркало, она отметила, что время, проведенное в засаде, пошло ей на пользу: глаза уже не были такими красными. Она вымыла руки, подошла к автомату с бумажными полотенцами и тут поняла, о чем шел разговор. Уже очень давно одна из женщин, возможно, сама Лоретта, где-то добыла фотографию Таггерта и повесила ее на стене комнаты отдыха. Внизу она прикрепила дощечку с его именем, тоже, вероятно, похищенную, под которой теперь на стене было приписано ручкой: «Несправедливо отвергнутый».

Карен некоторое время созерцала надпись, потом неодобрительно покачала головой, полезла к себе в сумку, вытащила оттуда маркер с несмывающимися черными чернилами и внесла небольшую правку, после чего надпись уже читалась так: «Справедливо отвергнутый».

Она улыбнулась впервые за целый день и в хорошем настроении покинула туалет. В таком хорошем, что позволила сослуживцам затащить себя в лифт, чтобы подняться на верхний этаж, где происходила организованная Таггертами грандиозная рождественская вечеринка.

Целый этаж здания, принадлежащего Таггертам, предназначался для проведения конференций и совещаний. Он не был разделен на однообразные рабочие комнаты, а оформлен как жилой дом или как одна огромная квартира, прекрасно, хотя и несколько необычно обставленная. Так, в ней была комната с японскими татами, ширмами и предметами из нефрита, она предназначалась для клиентов из Японии. Английская комната, казалось, переместилась сюда из старинного особняка где-нибудь в Суссексе, а особо просвещенных клиентов ждала библиотека, включавшая несколько тысяч томов, выстроившихся в красивых шкафах орехового дерева. Была здесь и просторная кухня для профессионального повара, и отдельная небольшая кухонька для приезжих любителей готовить для себя что-то особое. Калифорнийская комната была украшена предметами из Санта-Фе: расшитыми бисером мокасинами и кожаными рубашками с кистями из конского волоса.

И еще там был огромный пустой зал, который можно было заполнить по желанию чем угодно. Как это и было сделано сегодня, когда посреди зала возвышалась высокая пушистая елка, украшенная чуть ли не тонной белых и серебряных игрушек. Каждый год служащие с нетерпением ждали, когда откроются двери зала и все увидят елку, всякий раз убранную новым модным дизайнером, всякий раз непохожую на предыдущую и всякий раз необыкновенную. Месяц спустя служащие все еще будут вспоминать о ней.

Самой Карен больше нравилась елка в детском саду компании «Монтгомери — Таггерт». Она никогда не была выше человеческого роста, чтобы дети могли дотянуться до всех ее ветвей, и украшена непритязательными игрушками, сделанными самими детьми: бумажными цепями и гирляндами из воздушной кукурузы.

Карен решила отправиться в детский сад, но по пути ее остановили трое мужчин из бухгалтерии, их головы украшали идиотские бумажные колпаки, и они уже были сильно навеселе. Сначала они пытались уговорить Карен пойти вместе с ними, но когда до них дошло, с кем они имеют дело, они оставили ее в покое. Давным-давно Карен заставила здешних мужчин усвоить, что она не для них — как в рабочее, так и в нерабочее время, как в официальной, так и в неофициальной обстановке.

— Простите, — пробормотали мужчины и двинулись дальше.

В детском саду было полным-полно детей, и среди них целая группа маленьких Таггертов.

— В одном вы никак не можете отказать Таггертам: они плодовиты, — как-то заметила мисс Джонсон, и все, за исключением Карен, рассмеялись.

Они хорошо смотрелись, эти дети, призналась себе Карен. Ей не был симпатичен Макаллистер Таггерт, но это не означало, что она должна переносить неприязнь на весь его род.

Члены семейного клана Таггертов всегда были исключительно вежливы, но держали всех на расстоянии, что было вполне объяснимо: при такой большой семье у них вряд ли оставалось время для кого-нибудь чужого. Теперь, глядя на детей и взрослых, Карен повсюду видела двойников, и это тоже было объяснимо: близнецы были семейной маркой Таггертов. Вот и сейчас в комнате находились взрослые близнецы, и близнецы, которые только еще учились ходить, и совсем крошечные близнецы-младенцы.

Никто, в том числе и Карен, не мог их различить. У самого Макаллистера были братья-близнецы, у которых офисы находились в том же здании, и всякий раз, когда один из них заходил к Маку, ему всегда задавали один и тот же вопрос: «Кто из вас кто?»

Какой-то доброжелатель сунул в руки Карен полный бокал со словами «расслабься, девочка», но Карен не сделала и глотка. Почти всю прошлую ночь она провела в больнице рядом с Энн, не ела со вчерашнего вечера и знала, что даже один глоток спиртного ударит ей в голову.

Она стояла в дверях игровой комнаты, и ей казалось, что никогда в жизни она не видела такого количества детей: груднички, ползунки, малыши, начинающие ходить, а двое уже с книгами в руках — один из них с аппетитом грыз карандаш — очаровательная маленькая девочка с косичками и два неотличимых друг от друга красивых мальчика-близнеца, играющих одинаковыми пожарными машинами.

— Карен, ты мазохистка, — шепотом упрекнула она себя, повернулась и быстро пошла по коридору к лифту. В кабине лифта она была одна, и чувство невыносимого одиночества снова овладело ею. Она думала провести Рождество с Энн и Чарли, но теперь, когда у них родилась дочка, им, конечно, было не до унылой невестки.

Карен зашла к себе в комнату, где работала вместе с другими секретаршами, и стала собирать вещи, чтобы идти домой, но, подумав, решила допечатать два письма. Они не были срочными, но зачем откладывать?

Спустя два часа Карен покончила со всей работой, оставленной на ее столе, а также с работой на столах трех других секретарш.

Потянувшись, Карен взяла два напечатанных личных письма Таггерта: одно — о земельном участке, который он собирался купить в Токио, другое — адресованное его двоюродному брату, — и направилась по коридору к кабинету босса. Постучавшись в дверь, она, как обычно, немного подождала, но потом догадалась, что была единственной живой душой на этаже, и переступила через порог приемной. Странно было видеть святилище без грозной мисс Грэшем. Словно львица, она с утра до вечера оберегала хозяина, не впуская к нему никого без предварительной проверки.

Карен не могла удержаться и тихонько обошла приемную, которая, как она слышала, была отделана в соответствии с изысканным вкусом мисс Грэшем. Комната в белых и серебристых тонах показалась Карен бездушной и холодной.

Она аккуратно положила письма на стол мисс Грэшем и уже собралась уходить, как ее взгляд остановился на двустворчатых дверях, ведущих в кабинет Таггерта. Насколько ей было известно, никто из женщин, работавших в машбюро, никогда не бывал в кабинете босса, и Карен, как и всем остальным, было любопытно заглянуть туда хотя бы одним глазком.

Карен знала, что сюда, следуя по своему маршруту, может зайти охранник, но она только что слышала, как он, гремя ключами, прошел по коридору мимо, и если уж он вдруг вернется и застанет ее здесь, она объяснит, что ей было приказано положить письма на стол мистера Таггерта.

Крадучись, словно воришка, Карен открыла дверь кабинета и заглянула внутрь.

— Есть здесь кто-нибудь? — на всякий случай спросила она, зная, что, откликнись ей кто, она бы со страху умерла на месте. Но осторожность не помешает.

Озираясь по сторонам, Карен положила письма на стол. Она вынуждена была признать, что у Таггерта хватило вкуса нанять хорошего декоратора: вокруг не было и намека на черную кожаную мебель или стулья из блестящих хромированных трубок. Вместо этого кабинет от первого до последнего предмета был словно перенесен сюда из некоего французского замка, вместе с резными панелями на стенах, старинным истертым мозаичным полом и камином, занимавшим целую стену. Обитая поблекшим от времени гобеленом мебель выглядела очень удобной и так и манила присесть на диван или кресло.

У боковой стены стоял шкаф с книгами, одна из полок которого была заставлена рамками с фотографиями, и Карен, будто магнитом, потянуло к ним. Чтобы подсчитать число детей на снимках, потребовался бы калькулятор, а в самом конце полки стояла серебряная рамка с фотографией молодого человека, демонстрировавшего нанизанную на бечевку рыбу. Это был явно Таггерт, но не из тех, кого Карен когда-нибудь видела. Она с интересом взяла в руки рамку и принялась разглядывать фотографию.

— Ну как, все осмотрели? — спросил низкий баритон, и Карен, подпрыгнув на месте, уронила рамку на каменный пол, стекло разлетелось на тысячу осколков.

— Простите, я... — заикаясь произнесла она, глядя вверх, в темные глаза Макаллистера Таггерта. — Я не знала, что здесь кто-то есть. Я заплачу за ущерб, — нервничая, сказала Карен и начала подбирать осколки.

Набрав побольше в руку, она протянула их Таггерту, но он молча, хмурясь и не двигаясь с места, смотрел на нее сверху вниз, и тогда она кучкой сложила осколки на полку рядом с фотографиями.

— Похоже, сама фотография не пострадала, — заметила она. — Это кто — один из ваших братьев? Я его никогда не видела.

Глаза Таггерта удивленно расширились, и Карен стало страшно. Они были одни на этаже, и она ничего не знала о нем, только то, что значительное число женщин отказались выйти за него замуж. Из-за чего? Из-за унизительных брачных контрактов или по какой-то другой причине? Может быть, из-за его вспыльчивого характера?

— Мне надо идти, — сказала Карен и, повернувшись, выбежала из комнаты.

Она остановилась только у лифта и торопливо нажала кнопку «вниз». Больше всего ей сейчас хотелось оказаться дома в знакомой обстановке и попытаться забыть о своем позоре. Подумать только, ее поймали как первоклашку, когда она, любопытствуя, разглядывала кабинет босса! Господи, что может быть глупее такого положения!

Лифт пришел, битком набитый весельчаками, направлявшимися тремя этажами выше, чтобы продолжить празднество, и, несмотря на громкие протесты Карен, что ей надо на первый этаж, они увезли ее с собой наверх, туда, где вечеринка была в самом разгаре.

Как только Карен вышла из лифта, она наткнулась на официанта с полным подносом шампанского, взяла два бокала и выпила их залпом один за другим. Шампанское успокоило ее расходившиеся нервы, и она почувствовала себя значительно лучше. Ее застали в кабинете начальника, куда она проникла без разрешения. Ну и что такого? С людьми происходят вещи и посерьезнее. После третьего бокала Карен окончательно уверилась, что вообще ничего не случилось.

Рядом с ней оказалась женщина с энергичным маленьким мальчиком на руках, огромной сумкой с пеленками и прогулочной детской коляской, которую она безуспешно пыталась разложить.

— Могу я вам помочь? — спросила Карен.

— Если вам не трудно, — охотно согласилась женщина, показывая ей на коляску. Но Карен вместо этого взяла у нее из рук ребенка и на миг крепко прижала к своей груди.

— Обычно он пугается незнакомых людей, но вы ему понравились, — удивилась женщина. — Не могли бы вы подержать его немного? Мне бы хотелось пойти перекусить.

— Я готова держать его всю жизнь, — прошептала Карен, тесно прижав к себе мальчика и уткнувшись носом в его пахнущие свежестью волосы.

Женщина с ужасом посмотрела на Карен, выхватила ребенка у нее из рук и поспешила дальше по коридору.

Только что Карен считала, что положение, в которое она попала в кабинете Таггерта, — это верх неловкости, но теперь поняла, что бывают ситуации и похуже.

— Что это на тебя нашло? — спросила она себя и пошла назад к лифтам. Сейчас она отправится домой и больше никогда в жизни не покажется на улице.

Как только Карен села в лифт, она вспомнила, что оставила сумку и пальто у себя в комнате на девятом этаже. Если бы не было мороза, а ключи от машины не лежали бы в сумке, она не стала бы беспокоиться, но в данных обстоятельствах ей пришлось возвращаться. Прислонившись спиной к стенке лифта, Карен констатировала, что слишком много выпила; она также безошибочно знала, что после Рождества лишится работы. Как только Таггерт сообщит своей грозной секретарше мисс Грэшем, что застал у себя в кабинете неизвестную женщину — а Карен не сомневалась, что недосягаемый и вечно занятой Макаллистер Таггерт никогда прежде не удостоил взглядом столь незначительную особу, как она, — ей тут же придется распрощаться с работой.

К стене лифта была прикреплена бронзовая дощечка с перечислением всех Таггертов, работающих в здании, и одно из имен внизу списка, а именно Макаллистера Таггерта, было заклеено полоской бумаги с надписью «Милосердный тигр». Улыбаясь, Карен вытащила из кармана ручку и, зачеркнув прежнее, написала «Мелочный торгаш». После чего под действием вина или собственной храбрости ощутила новый прилив сил. И еще она твердо решила, что не желает новой встречи с Таггертом.

Лифт остановился. Придерживая дверь, Карен выглянула в коридор и посмотрела сначала направо, потом налево, проверяя, нет ли кого на горизонте. Ни души. На цыпочках, как можно тише, она по ковру прокралась до своей комнаты, осторожно взяла со стула пальто, а из ящика стола сумку. По пути к двери она остановилась у стола мисс Джонсон, чтобы взять из ящика письма и таким образом обеспечить себя работой и не сидеть без дела на Рождество.

— Опять шарите по ящикам?

Карен застыла на месте, ухватившись за ручку ящика; ей не надо было гадать, кто стоял рядом. Это снова был Макаллистер Дж. Таггерт. Если бы Карен не выпила столько шампанского, она, наверное, свела бы разговор к вежливому обмену извинениями и любезностями, но теперь ей нечего было терять, ведь ее все равно уволят.

— Прошу прощения за то, что без спроса зашла к вам в кабинет. Я не ожидала вас там застать, думала, вы предлагаете руку и сердце очередной невесте.

С независимым видом, высоко держа голову, она направилась мимо него к дверям.

— Вы не слишком меня жалуете, верно?

Карен обернулась и посмотрела в его глаза; темные, обрамленные пушистыми ресницами, они сводили с ума всех здешних женщин. Но они не могли растопить сердце Карен, потому что она помнила другие глаза: мокрые от слез глаза его жертв.

— Это я печатала три ваших последних брачных контракта. Мне известна ваша подлинная сущность.

Он определенно смутился.

— Но я думал, мисс Грэшем...

— Не сомневайтесь, мисс Грэшем умеет беречь свой маникюр.

С этими словами Карен повернула к лифтам. Но Таггерт схватил ее за руку.

Карен вздрогнула. Что все-таки она знала об этом человеке? Ничего. И вновь они были одни на этаже. Даже если она закричит, ее никто не услышит.

Взглянув ей в лицо, Макаллистер нахмурился и выпустил ее руку.

— Уверяю вас, миссис Лоуренс, я не причиню вам никакого вреда.

— Откуда вы знаете мое имя?

Он улыбаясь смотрел на нее.

— Когда вы ушли, я навел кое-какие справки.

— Вы шпионили за мной? — ужаснулась Карен.

— Мне просто любопытно. Как-никак я застал вас у себя в кабинете.

Карен сделала шаг в сторону лифта, и он снова взял ее за руку.

— Подождите, миссис Лоуренс, я хочу предложить вам работу на рождественские праздники.

Он стоял слишком близко, глядя на нее с высоты своего роста, и Карен с ненавистью ткнула пальцем в кнопку.

— И какую же вы хотите предложить мне работу? Может, вы хотите предложить мне выйти за вас замуж?

— Вы недалеки от истины, — сказал он, оглядывая ее с головы до ног и затем повторяя осмотр в обратном направлении.

Карен снова с силой ударила по кнопке и удивилась, что от такого удара кнопка не ушла в стену.

— Я не собираюсь ухаживать за вами, миссис Лоуренс. Я предлагаю вам работу на законных основаниях. Подчеркиваю: хорошо оплачиваемую работу.

Карен нажимала на кнопку и не отрывала глаз от табло над дверью лифта. Оба лифта застряли на этаже, где происходила вечеринка.

— Я обнаружил, что вы работали два последних Рождества, когда все остальные секретарши отказались. Я также узнал, что вас прозвали Железной леди, потому что вы степлером пришили к столу галстук мужчины, который слишком низко наклонился к вам, приглашая поужинать.

Карен сильно покраснела и не смотрела на Таггерта.

— Миссис Лоуренс, — продолжал Таггерт, будто превозмогая себя, — какого бы мнения вы обо мне ни были, вы никогда не слышали, чтобы я делал неприличные предложения работающим у меня женщинам. Я предлагаю вам работу, возможно, несколько необычную, но только работу и больше ничего. Приношу извинения, если каким-то образом я создал у вас впечатление, что мне надо что-то еще.

С этими словами Таггерт направился по коридору в свой кабинет.

Один лифт, не останавливаясь на девятом, спустился прямо с двенадцатого на первый этаж. Карен невольно обернулась, чтобы посмотреть на удаляющуюся спину Макаллистера Таггерта, и вдруг представила себе свой пустой дом и маленькую елочку с жалкой горкой подарков под ней. Что бы она ни думала о Таггерте и женщинах в его жизни, здесь, на работе, он всегда был безупречен. И как ни старались некоторые местные женщины свернуть его с пути истинного, не было случая, чтобы он поддался. Два года назад, когда одна из секретарш стала утверждать, что он делал ей авансы, все так дружно потешались над ней, что через три недели она подыскала себе работу в другом месте.

Карен пустилась вслед за Таггертом и, нагнав его, со вздохом сказала:

— Хорошо, рассказывайте, что там у вас.

Через десять минут Карен уже сидела у горящего камина в прекрасном кабинете Таггерта, и пламя освещало розовым светом стол, заставленный вкусными вещами и запотевшими бутылками шампанского. Сначала Карен решила не поддаваться соблазну, но, подумав о том, как изумится Энн, услышав, что она ела омара и пила шампанское со своим начальником, потихоньку принялась за еду.

Пока Карен ела и пила, Таггерт приступил к рассказу:

— Насколько я понимаю, вы уже знаете о Лизе.

— Вы имеете в виду ту рыжеволосую женщину?

— Да... именно рыжеволосую. — Он снова наполнил шампанским ее бокал. — Через два дня, двадцать четвертого декабря, мы с Лизой приглашены к моему близкому другу на грандиозную свадьбу с участием шести сотен гостей со всех уголков мира. Мой друг живет в Виргинии.

Таггерт замолчал, глядя на Карен.

— И что же? — наконец не выдержала она. — Для чего я вам понадобилась? Чтобы напечатать брачный контракт для вашего друга?

Макаллистер намазал крекер паштетом из гусиной печенки и протянул его Карен.

— У меня больше нет невесты, — сказал он.

Карен отпила немного шампанского и взяла крекер.

— Простите мое невежество, но я не понимаю, какое я имею к этому отношение.

— Вам подойдет платье Лизы.

Может быть, потому, что от шампанского у нее снова закружилась голова, Карен не сразу ухватила идею, но когда поняла, невольно рассмеялась:

— Вы хотите, чтобы я представилась вашей невестой и была подружкой на свадьбе женщины, которую никогда не видела и которая не знает меня?

— Вы угадали.

— А теперь скажите: сколько вот таких бутылок вы уже выпили?

— Я не пьян и совершенно серьезен. Хотите послушать продолжение?

Разум шептал Карен, что ей следует немедля отправляться домой, бежать подальше от этого безумца, но что ожидало ее дома? У нее не было даже кошки, которую можно погладить.

— Не знаю, известно ли вам, но три года назад я... — Он запнулся, и Карен увидела, как дрогнули его красивые густые ресницы. — Три года назад меня буквально у алтаря бросила женщина, с которой я собирался провести всю оставшуюся жизнь.

Карен допила шампанское.

— Наверное, она обнаружила, что вы не собираетесь произносить слова «и разделю с тобой свои земные блага»?

Некоторое время Макаллистер молчал, потом улыбнулся покоряющей ослепительной улыбкой. И Карен втайне признала, что он действительно неотразим со своими темными глазами и волосами и чуть заметной ямочкой на одной щеке. Неудивительно, что женщины влюблялись в него пачками.

— Думаю, миссис Лоуренс, мы с вами отлично поладим, — наконец сказал он.

Карен мгновенно протрезвела. Если она собирается установить границы, то это надо делать сейчас и ни минутой позже.

— Нет, не думаю, потому что я не верю вашей трогательной истории о невинном мученике. Не знаю, что произошло на вашей свадьбе и что у вас было со всеми теми женщинами, которые отказались выйти за вас замуж, но, смею вас заверить, я не из тех очарованных вами секретарш, что считают вас несправедливо отвергнутым. Я думаю, вы...

Карен прикусила язык, но было поздно.

Лицо Таггерта озарила счастливая догадка.

— Вы считаете, что я справедливо отвергнутый! Или еще лучше — мелочный торгаш? Теперь-то я наконец знаю, кто у нас местный острослов.

Карен онемела от смущения. И как это он все так быстро разгадал?

Таггерт некоторое время задумчиво разглядывал ее, потом грустное выражение исчезло с его лица; теперь перед Карен был близкий друг, рассчитывающий на ее сочувствие и помощь.

— То, что произошло у нас с Элейн три года назад, — дело прошлое. Но беда в том, что жених приходится ей родственником и она обязательно приедет на свадьбу. Если я появлюсь там один, без невесты, мне будет, как бы это поделикатней выразиться, немного неловко. Существуют и другие соображения. Если уже есть семь дружек, а подружек только шесть, уверяю вас, невеста будет недовольна. Вы знаете, что женщины весьма чувствительны к таким вещам.

— Так наймите кого-нибудь. Какую-нибудь актрису.

— Я думал об этом, но кто знает, что тебе достанется? Представляете себе, если она вдруг надумает изображать на свадьбе леди Макбет! Или, хуже того, окажется близкой знакомой половины приглашенных мужчин...

— Не сомневаюсь, мистер Таггерт, — остановила его Карен, — что у вас есть заветная книжечка, полная имен женщин, готовых пойти за вами на край света и принести себя ради вас в жертву.

— В этом-то и проблема. Они все... Я хочу сказать, что они ко мне неравнодушны, и после этого... Вы понимаете...

— Понимаю. Как потом от них отвязаться? Есть один способ: вы можете предложить им руку и сердце. Похоже, это навсегда излечивает от любви к вам всех женщин без исключения.

— Вот видите? Вы для меня отличный вариант. Стоит кому-нибудь заметить, как вы на меня смотрите, и ему сразу станет ясно, что мы накануне разрыва. Когда на следующей неделе я объявлю, что мы расстаемся, уже никто не удивится.

— А что мне от этого?

— Я заплачу вам, сколько вы захотите.

— И конечно, подарите мне одно из тех колец, которые скупаете оптом?

Карен знала, что дерзит, но шампанское сделало ее смелой, к тому же она заметила, что при каждом ее выпаде в его глазах вспыхивают веселые огоньки.

— Ой, как больно вы меня ударили! Так обо мне говорят?

— Не пытайтесь меня разжалобить. Не забывайте, что это я печатала ваши брачные контракты. Я знаю, какой вы на самом деле.

— И какой же я?

— Вы не способны никому доверять и, возможно, не способны никого любить. Вас забавляет мысль о браке, но пугает необходимость делиться собой и, самое главное, своими деньгами с другим человеческим существом. Насколько я понимаю, вы вообще ни с кем ничем не делитесь.

Секунду он растерянно смотрел на нее, потом улыбнулся.

— Вы здорово определили мою сущность, и всего в нескольких словах, но каким бы жестокосердным я ни был, мне все равно было стыдно, когда Элейн бросила меня на глазах у стольких людей. Подготовка к свадьбе обошлась мне в тридцать две тысячи долларов, и эти деньги целиком пропали, и еще мне пришлось вернуть все подарки.

Ему не удалось ее смягчить.

— Так что же все-таки получу от этого я? — повторила Карен. — Я не нуждаюсь в деньгах, они у меня есть.

— Да, на вашем счету пятьдесят две тысячи долларов и тридцать восемь центов, если уж быть точным.

Карен чуть не захлебнулась шампанским.

— Откуда...

— Банк в этом здании принадлежит нашей семье, и я подумал, а не храните ли вы в нем свои деньги, и, когда вы ушли из кабинета, я сделал запрос, и вот...

— Еще один пример шпионства!

— Нет, скорее, проявление любопытства. Я просто хотел выяснить, кто вы такая. Вы находитесь у меня на службе и часто выполняете поручения весьма личного характера, поэтому я хотел узнать о вас как можно больше. Меня вообще интересует не только наружность женщины, но в первую очередь ее внутреннее содержание.

Он отпил глоток шампанского и бросил на нее покоряющий взгляд, один из тех, что темноволосые романтические герои в фильмах бросают на застенчивых провинциалок.

Но Карен не поддалась. Другие мужчины прежде уже бросали на нее точно такие же взгляды, но однажды ей встретился человек, взгляд которого был полон искренней любви, и разница между этими взглядами значила для нее больше всего на свете.

— Теперь я знаю, почему женщины говорят вам «да», — сказала Карен без малейшего волнения и с легким кивком в его сторону подняла свой бокал.

Он заметил ее холодность и ответил на нее усмешкой.

— Хорошо, миссис Лоуренс, я вижу, что не произвел на вас впечатления, тогда, может быть, поговорим о деле? Я хочу нанять вас на три дня в качестве сопровождающей. Так как все зависит от вас, вы и назначайте цену.

Карен осушила бокал. Какой по счету, неужели шестой? Она не чувствовала опьянения, а только дерзкую отвагу, разливавшуюся по жилам.

— Если я и соглашусь, то не за деньги, — объявила она.

— Вот как... Что же вы тогда хотите? Повышения по службе? Чтобы я сделал вас заведующей канцелярией? А может быть, вы хотите стать вице-президентом?

— И целый день бездельничать в роскошном кабинете с панорамными окнами? Нет уж, спасибо.

Макаллистер несколько раз быстро моргнул от неожиданности и замолчал, ожидая продолжения. Карен тоже молчала, и наконец он спросил:

— Может быть, вы хотите иметь акции нашей компании? Что вы на это скажете? — А так как Карен продолжала молчать, он в недоумении откинулся на спинку кресла. — Я догадался: вам нужно что-то, чего не купишь за деньги, верно?

— Да, — застенчиво подтвердила она.

— И вы ждете, что я назову вам эту вещь. Это счастье? Карен покачала головой.

— Любовь? Уж конечно, вам не нужна любовь такой личности, как я? — Его лицо выражало растерянность. — Боюсь, вы поставили меня в тупик.

— Мне нужен ребенок.

Пятно от шампанского расползлось по рубашке Макаллистера. Вытирая грудь салфеткой, он с интересом посмотрел на Карен.

— Дорогая миссис Лоуренс, ваша идея нравится мне куда больше, чем перспектива расстаться с деньгами.

И он сделал движение, чтобы взять ее за руку, а она в ответ схватила со стола маленький, но острый нож для рыбы.

— Не прикасайтесь ко мне.

Макаллистер занял прежнее положение и не спеша наполнил оба бокала.

— Будьте любезны, объясните мне, как я могу обеспечить вас ребенком, не прикасаясь к вам?

— Нужно в пробирку...

— Понятно, вы хотите младенца из пробирки. — Он понизил голос, и в его глазах появилось сочувствие. — А как ваши яйцеклетки?..

— Мои яйцеклетки в прекрасном состоянии, благодарю вас, — отрезала Карен. — Я не хочу помещать мои яйцеклетки в пробирку, но я хочу, чтобы вы положили туда ваши... вашу...

— Да, теперь мне все понятно, за исключением одного. — Макаллистер смотрел на нее и неторопливо пил шампанское. — Почему вы остановили свой выбор на мне? Видите ли, я вам не слишком симпатичен, и вы не очень-то одобряете мою мораль, так почему же вы избрали меня отцом своего ребенка?

— По двум причинам, — начала Карен. — Я могу обратиться в клинику и выбрать мужчину по данным в компьютерном банке. Хорошо, пусть он здоров, а вот как насчет его родственников? Что бы я ни думала о вас, я знаю, что у Таггертов хорошая здоровая семья и, судя по местной прессе, была таковой на протяжении поколений. И я знаю, как выглядите вы и ваши родственники.

— Значит, не я один занимаюсь добычей секретной информации. Ну, а вторая причина?

— Если, говоря иносказательно, вы будете отцом моего ребенка, то спустя годы вы не явитесь ко мне с требованием заплатить вам деньги.

Вторая причина была столь заумной, что Макаллистер некоторое время сидел соображая, что же она имеет в виду, а потом расхохотался громким раскатистым смехом.

— Нет, миссис Лоуренс, не говорите: мы определенно с вами поладим. — Он протянул ей правую руку. — Давайте заключим договор.

На один миг Карен задержала свою руку в его большой теплой ладони и позволила себе посмотреть ему в глаза и увидеть, как вокруг них от смеха собираются еле заметные морщинки.

Затем она резко высвободила руку.

— Когда и где мы встречаемся? — спросила Карен.

— Машина заедет за вами завтра в шесть утра. Мы летим первым рейсом в Нью-Йорк.

— Мне казалось, ваш друг живет в Виргинии, — подозрительно заметила Карен.

— Так оно и есть, но я подумал, что сначала мы заедем в Нью-Йорк и приоденем вас, — сказал Таггерт без околичностей, как если бы он был богатым всесильным рабовладельцем, а она — служанкой в лохмотьях.

Карен на секунду спряталась от него за своим бокалом с шампанским, чтобы он не заметил выражения ее лица.

— Понятно. Судя по всему, вы любите, чтобы ваши невесты были хорошо причесаны и одеты.

— Но, по-моему, это мечта всех мужчин?

— Тех мужчин, которые судят только по внешнему виду!

— Ой, вы опять делаете мне больно!

— Простите, — покраснела Карен. — Если я должна играть вашу невесту, мне лучше попридержать язык. — Она в упор посмотрела на Макаллистера. — Мне не придется изображать заботливую обожающую кошечку?

— Другие женщины, с которыми я был помолвлен, не изображали, значит, не придется и вам. Хотите еще шампанского, миссис Лоуренс?

— Нет, благодарю вас, — вставая, отказалась Карен и пошатнулась, едва удержавшись на ногах. Шампанское, огонь в камине и темноволосый красавец действовали разрушительно на защитные инстинкты женщины. — Встретимся завтра в аэропорту, но, пожалуйста, не будем заезжать в Нью-Йорк. — Когда Макаллистер хотел что-то сказать, Карен остановила его: — Положитесь на меня.

— Прекрасно, — сказал он, поднимая бокал. — До завтра.

Карен зашла к себе, взяла свои вещи и спустилась на лифте на первый этаж. А так как она чувствовала себя неспособной вести машину, то попросила охранника вызвать ей такси, чтобы доехать до небольшой торговой улицы на южной окраине Денвера.

— Бетти, это ты? — неуверенно спросила Карен женщину, запиравшую дверь косметического салона. Карен смотрела на волосы женщины и не могла решить, в какой цвет они покрашены — апельсиновый или лимонный. Во всяком случае, это был очень редкий оттенок.

— Я вас слушаю, — сказала женщина и, не узнавая, посмотрела на Карен.

— Ты не узнаешь меня, Бетти?

Мгновение Бетти растерянно смотрела на Карен и вдруг заулыбалась.

— Карен, это ты? Что это у тебя на голове? Это...

— Это волосы, — подсказала Карен.

— Может, ты и называешь это волосами, но только не я. И посмотри на свое лицо! Ты что — приняла монашество? Твое лицо так намыто, что в него можно смотреться, как в зеркало.

Карен рассмеялась. При жизни Рея посещение салона Бетти было почти единственной роскошью, которую она себе позволяла. Бетти причесывала ее, просвещала, какие сейчас в моде косметика и маникюрный лак, давала советы и множество рекомендаций во всех областях жизни. Бетти не только была талантливым парикмахером, но и психотерапевтом для своих клиенток, причем умеющим хранить тайну, как если бы она дала клятву Гиппократа. Клиентка могла доверить Бетти любой секрет с полной уверенностью, что никто ничего не узнает.

— Не могла бы ты меня постричь и сделать прическу?

— Что за вопрос, конечно. Позвони мне завтра и...

— Нет, сейчас. Я улетаю рано утром.

Но Бетти не желала слушать подобные глупости.

— Дома меня ждет голодный муж, и я провела на ногах целых девять часов. Приехала бы раньше.

— Хочешь я тебе расскажу необыкновенную историю?

— Так ли уж хороша твоя история? — выразила сомнение Бетти.

— Ты, конечно, слышала об Макаллистере Таггерте, моем красавце боссе? Так вот, у меня, наверное, будет от него ребенок, и при всем том он никогда ко мне не прикасался. И никогда не прикоснется.

Бетти сунула ключ обратно в скважину.

— Могу точно сказать, что на твою голову уйдет полночи.

— А как же твой муж?

— Ничего, обойдется консервами.

# Глава 2

Держа в руке стакан с апельсиновым соком, Карен откинулась на спинку кресла в бизнес-классе. Рядом с ней Макаллистер Таггерт уже углубился в бумаги, извлеченные из портфеля.

Когда рано утром Карен приехала в аэропорт, ее провели в салон, о существовании которого в Денверском аэропорту она и не подозревала. В салоне Карен, стараясь не привлекать к себе внимания, тихо поместилась в кресле напротив Таггерта, но он не только не поздоровался с ней, но даже не удостоил ее взглядом. По прошествии десяти минут, погруженный в свои мысли, он рассеянно взглянул на нее и снова уткнулся в бумаги. Через несколько мгновений он прекратил изучать документы, поднял голову и, как с глубоким удовлетворением отметила Карен, более внимательно посмотрел на нее; это был долгий изучающий взгляд, охвативший ее всю, от головы до кончиков туфель.

— Если я не ошибаюсь, вы Карен Лоуренс? — спросил он, вызвав у нее улыбку и тем самым подтвердив, что она не впустую провела сначала три часа у Бетти в бигуди и с грязевой маской на лице, а потом три часа дома, роясь в шкафах и примеряя все подряд.

Таггерт сказал ей, что ему придется работать по пути в Виргинию, и, когда они заняли свои места в самолете, он действительно снова занялся бумагами, но тем не менее время от времени поглядывал на Карен.

Она же сидела в кресле рядом с ним, пила апельсиновый сок и с каждой минутой все сильнее скучала.

— Могу я вам чем-нибудь помочь? — спросила Карен, кивая на документы.

В ответ он улыбнулся ей той улыбкой, какой мужчина улыбается женщине, которую считает хорошенькой, но безмозглой.

— Если бы я захватил с собой портативный компьютер, вы могли бы кое-что напечатать для меня, ну а сейчас мне нечего вам предложить, у меня нет для вас работы. Да это и не столь важно, я просматриваю документы, чтобы принять кое-какие решения.

Ясно, подумала она, дело для мужского ума.

— Какие? — все же спросила Карен, и тень неудовольствия омрачила его красивое лицо. Он явно предпочитал, чтобы его женщины побольше молчали.

— Это вопросы покупки и продажи, — коротко ответил он тоном, который пресекал дальнейшие детские вопросы.

— И что же все-таки вы собираетесь покупать или продавать? — настаивала она.

Слегка нахмуренные брови теперь недовольно сдвинулись. Странная вещь любовь, подумала Карен. Взгляни на нее Рей вот так сурово, и она бы немедленно стушевалась, но этот человек не вызывал у нее абсолютно никакого страха.

Он понял, что Карен не оставит его в покое, и раздраженно ответил:

— Я подумываю о покупке небольшой издательской фирмы.

И снова уткнулся в бумаги.

— Вот вы о чем, — сказала Карен. — Вы имеете в виду фирму «Коулмен и Браун пресс». Плохое оформление, специализируются в основном на переизданиях. Несколько хороших книг по местной истории, но такие непривлекательные обложки, что их никто не стал покупать.

Взгляд Макаллистера Таггерта ясно говорил о том, что Карен вмешивается не в свое дело.

— В случае покупки фирмы я приглашу нового главного художника, который позаботится об обложках.

— Вам это не удастся. Главный художник, вернее, художница, — любовница директора, а его вы поначалу не имеете права уволить.

— Откуда вам это известно?

— Мне было любопытно, и когда секретарша директора издательства привезла вам финансовый отчет, я пригласила ее пообедать со мной. Она рассказала мне, что у директора — он женат и имеет троих детей — уже много лет роман с главным художником. Если он ее выгонит, она разболтает все его жене, семье которой принадлежит издательство. Это весьма запутанная ситуация.

— И что же вы можете порекомендовать? — спросил Макаллистер тоном, полным сарказма.

— Купить фирму и нанять дополнительно нескольких опытных работников, затем объединить две-три небольших книги по истории в один толстый том и предложить его в качестве учебника по истории Колорадо школам штата. Издание учебников — очень денежное дело.

Макаллистер долго молча смотрел на Карен.

— И вы все это разузнали только потому, что вам было любопытно?

Карен отвернулась, чтобы посмотреть в окно. Никогда еще ей так недоставало Рея, как сейчас. Рей всегда прислушивался к ее словам, он ценил ее идеи и ее вклад в общее дело. К сожалению, по собственному опыту Карен знала, что большинство мужчин невосприимчивы к женским идеям, и Макаллистер Таггерт был одним из них.

Только когда самолет поднялся в воздух и набрал высоту, Таггерт снова заговорил с ней.

— И что еще вы изучили? — спросил он вкрадчиво. — Реактивные двигатели? Водоросли для очистки сточных вод? А может быть, дорожно-строительную технику?

Карен понимала, что он иронизирует, и все же в его словах слышалось искреннее любопытство.

— Меня интересуют не столь масштабные вещи, а что-нибудь поменьше и обязательно в Денвере.

— И что же вас интересует?

— Универмаг Лоусона, — не задумываясь, ответила она.

— Но этот универмаг — позор для Денвера, — снисходительно покачал головой Макаллистер. — У меня есть отличное предложение от Глиттера и Сасса по его переоборудованию.

— Глиттер и Сасс? Это те, которые торгуют кожаными изделиями и какими-то цепочками? — пренебрежительно спросила Карен.

— Я бы сказал: кожаными изделиями и бижутерией. — Отложив бумаги, он вопросительно посмотрел на Карен. — А что бы вы сделали с Лоусоном? — Когда она не ответила, Макаллистер высокомерно усмехнулся. — Смелее, чего трусите! Если вы решили давать мне советы, не останавливайтесь на полдороге!

— Тогда слушайте, — с вызовом сказала она. — Я бы открыла там магазин, торгующий только детскими товарами, товарами для младенцев и матерей.

Карен ожидала, что после ее слов он раздраженно отвернется от нее, но этого не случилось: он терпеливо ждал, что она скажет дальше.

— В Англии есть магазины под названием «Мать и дитя», где торгуют одеждой для беременных, прогулочными колясками, детской мебелью, пеленками и всем прочим. В Америке же за такими предметами приходится ходить по разным магазинам, а когда вы на девятом месяце, и у вас распухли ноги, и с вами еще двое капризничающих детей, то просто не под силу обойти пять магазинов, чтобы сделать все покупки. У меня нет опыта в этой области, но, мне кажется, женщины единодушно проголосуют за магазин, где можно купить все сразу в одном месте.

— А как бы вы назвали такой магазин? — спросил Макаллистер с интересом.

— Я бы назвала его «Дюймовочка». Как — подходит?

Макаллистер вытащил из портфеля лист бумаги, ручку и протянул их Карен:

— Возьмите и напишите все, что вам известно о компании «Коулмен и Браун пресс», а также ваше мнение о ней. Все-все, без купюр, даже слухи и сплетни. Мне надо знать, сумею ли я превратить эту компанию в процветающий издательский концерн.

Карен не смогла спрятать довольную улыбку. Она не сомневалась, что никогда прежде Макаллистер не спрашивал у женщины, что ему купить или продать. Его отделение компании «Монтгомери — Таггерт» было не очень большим, и очень мало женщин на руководящих должностях, но все знали, что Макаллистер Таггерт не терпит никаких возражений. Он выводил из себя подчиненных, упрямо настаивая, чтобы все делалось неукоснительно по его указаниям. Но еще больше бесило его служащих то, что за очень редкими исключениями он оказывался прав.

И вот теперь Макаллистер Таггерт интересуется ее мнением!

— Есть, сэр! — подчинилась Карен и начала писать, иногда искоса поглядывая на него и на улыбку, которая вдруг появлялась на его губах.

Если Карен и почудилось вначале, что она растопила ледяное сердце Таггерта, то она ошибалась: он больше не обращал на нее внимания. Он или сидел, засунув нос в бумаги, или звонил по телефону, или ел, держа в одной руке вилку, а в другой очередной документ. Когда они приземлились в Вашингтоне, он подал ей три стодолларовые банкноты, уточнив: «На текущие расходы», — и указал на багажную карусель. У Карен был соблазн дать носильщику одну банкноту на чай, но все же она заплатила пять долларов из своих собственных и принялась искать Таггерта. Она нашла его уже с ключами арендованной машины в руках, они быстро вышли на холодный, бодрящий воздух и сели в машину.

В уютном тепле автомобиля Карен почувствовала к Таггерту особое расположение, и ей захотелось сказать ему что-нибудь дружелюбное, даже ласковое.

— Если я буду выдавать себя за вашу невесту, мне, наверное, следует чуть побольше знать о вас?

— И что же вы хотите знать? — спросил он тоном, заставившим Карен взглянуть на него с отвращением.

— В общем, ничего. Наверное, как и всякой женщине, мне достаточно знать, что вы богаты.

Карен ожидала, что укол заставит его рассмеяться или съязвить в ответ, но он промолчал. Нахмурившись, он смотрел вперед, о чем-то думая, и не отрывал глаз от дороги. Всю остальную часть пути Карен тоже хранила молчание, решив про себя, что, если кто спросит ее, почему она выходит замуж за Макаллистера Дж. Таггерта, она ответит: «Из-за алиментов».

Сначала по скоростному шоссе они доехали до Александрии, а затем по дорогам Виргинии, через поля и леса, мимо красивых новых и старинных особняков добрались до сельской, покрытой гудроном и гравием дороги, резко свернули направо, и через несколько минут перед ними предстал сказочный дом, такой, в котором мечтают встретить Рождество все маленькие девочки на свете. Трехэтажный, с колоннами и высокими симметричными окнами по фасаду, он принадлежал другой эпохе, и казалось, что вот-вот откроются двери и на пороге появятся Джордж Вашингтон с женой Мартой.

Лужайка перед домом и парк позади, насколько Карен могла видеть, были полны людей, играющих в футбол, сидящих в садовых креслах и просто прогуливающихся по дорожкам. И всюду были дети.

Как только машина остановилась, ее мигом окружили люди, они открыли дверцы и вытащили Карен наружу, хором представляясь ей, называя свои имена все сразу. Там были Лора и Дебора, Ларри и Дейв и еще многие, многие другие.

Очень симпатичный мужчина схватил Карен в объятия и громко поцеловал в губы, так что Карен только и могла вымолвить изумленное «Ох!».

— Я Стив, — объяснил он свое поведение. — Я жених. Разве Мак ничего не говорил вам обо мне?

— Таггерт никогда со мной не разговаривает, — вырвалось у Карен, — разве только если ему что-то понадобится... Она в ужасе замолчала: люди вокруг были друзьями Таггерта, что они о ней подумают?

К великому изумлению Карен, все разразились смехом.

— Наконец-то Мак отыскал женщину, которая видит его насквозь, — закричал Стив и обнял Карен за плечи. Хорошенькая женщина обняла Карен с другой стороны, и все, смеясь, направились к дому.

Ее провели через просторные красивые комнаты с большими каминами, где весело пылал огонь, затем вверх по широкой лестнице, и, миновав два холла, они оказались перед белой дверью, которую отворил Стив.

— Мак весь в твоем распоряжении, — объявил он, втолкнул Карен в комнату и закрыл за ней дверь.

Таггерт уже находился внутри, чемоданы стояли на своем месте на скамейке, и в комнате была всего одна кровать.

— Тут какая-то ошибка, — сказала Карен.

Мак бросил взгляд на кровать.

— Я уже пытался ее исправить, но это невозможно: все спальни заняты. Заняты все кровати, диваны и раскладушки. Послушайте, если вы опасаетесь, что я нападу на вас ночью, можно попытаться найти для вас номер в гостинице.

Как всегда, его манера держаться вызвала у Карен раздражение.

— Во всяком случае, если я закричу, меня обязательно услышат, — заметила она.

Он усмехнулся и начал расстегивать рубашку.

— Репетиция свадьбы начнется через час, я хочу до этого принять душ.

Он смотрел на нее так, будто она была героиней романа времен Диккенса, которая бросится вон из комнаты при одной только мысли о раздетом мужчине.

— Пожалуйста, не напускайте много пара, а то зеркало запотеет, — только и сказала она, как будто ей было привычно делить комнату с незнакомым мужчиной.

Он хмыкнул и оставил дверь в ванную чуть приоткрытой для выхода пара.

Как только Мак скрылся в ванной, Карен облегченно вздохнула и расслабилась. Комната была чудесной, с мебелью прошлого века, обитой зеленым шелком, и того же цвета портьерами на окнах. Прислушиваясь к шуму воды в ванной, Карен радостно принялась распаковывать чемоданы. Только разложив все по местам, она заметила, что по привычке распаковала и чемодан Таггерта. Ставя в шкаф его ботинки рядом со своими, она чуть не расплакалась. Как давно это было, когда мужские ботинки стояли рядом с ее туфлями!

Она повернулась и увидела позади себя Таггерта, с мокрыми волосами и в махровом халате, наблюдающего за ней.

— Я... — замялась она, — я не собиралась распаковывать ваш чемодан, но, знаете, привычка... — С этими словами она скрылась в ванной и плотно закрыла за собой дверь.

Она постаралась пробыть там как можно дольше и, когда вышла, с удовольствием отметила, что Таггерта в комнате нет. Она быстро оделась, спустилась вниз и присоединилась к другим гостям, которые рассаживались по машинам, отправляясь в церковь на репетицию венчания.

По пути туда в душе Карен все сильнее нарастало возмущение. Если она его невеста, то почему он не проявляет к ней должного внимания? Вместо этого, как только они сюда приехали, он бросил ее одну среди незнакомых людей, а сам куда-то исчез. Чего же удивляться, что никто не хочет выходить за него замуж? Все его бывшие невесты определенно умны и дальновидны.

Репетиция шла гладко почти до самого конца, пока не пришла очередь Таггерта дойти до середины прохода, предложить там руку Карен и вместе с ней покинуть церковь. Возможно, Таггерт чего-то не понял или недослышал, но он, не дожидаясь Карен, направился к выходу. И Карен не выдержала.

— Вы знаете Таггерта, — громко заметила она, — он считает, что он один вполне может заменить двоих.

Все в церкви захохотали, и Таггерт, заметив свою оплошность, вернулся обратно, галантно поклонился и предложил Карен руку.

— Решили отомстить мне за все уик-энды, когда печатали для меня письма? — спросил он тихо, чтобы не услышали другие.

— Нет, отомстить за всех тех женщин, которым не хватило смелости поставить вас на место, — отозвалась Карен со злой улыбкой и тут же пожалела о своих словах, увидев, как изменилось его лицо.

— А ведь сейчас Рождество, — заметил он без тени упрека и отвернулся от нее.

Ужин, также входивший в программу репетиции, прошел шумно: все, перебивая друг друга, спешили рассказать, как они провели лето и где побывали. Карен, глядя в тарелку, слушала других, но не принимала участия в разговоре этих так хорошо знавших друг друга людей. Таггерт сидел на другом конце длинного стола и тоже молчал. Иногда Карен поглядывала в его сторону, и ей казалось, что и он смотрит на нее, но он так быстро отводил глаза, что у нее не было в этом полной уверенности.

— Карен, — вдруг очень громко обратилась к ней одна из женщин, и общий разговор сразу стих, — а где же кольцо, которое Таггерт подарил вам в честь помолвки?

Карен ответила сразу, не раздумывая, и так же громко:

— Таггерт уже скупил и раздарил все кольца, имевшиеся в магазине, и теперь ждет нового поступления колец с бриллиантами. Вы ведь знаете, он оптовый покупатель.

От взрыва хохота зазвенели стекла в окнах, и Мак тоже принял участие в общем смехе, а Стив, сидевший рядом с ним, дружески похлопал его по спине.

Слышались крики: «Послушай, Мак, не упусти ее!» и «Похоже, ты наконец научился разбираться в женщинах!»

Остаток ужина прошел в разговорах с участием Карен. Две женщины напротив подробно расспрашивали ее о том, чем она занимается, где выросла и задавали другие вопросы, которые принято обсуждать с новыми знакомыми. Когда Карен сказала им, что Мак ее босс, они тут же пожелали узнать, какой он начальник и как ей у него работается.

— Он высокомерный, — ответила Карен. — Как люди мы ему не нужны, разве только для того, чтобы напечатать письмо.

Все это время Таггерт молча ел, и Карен чувствовала на себе его взгляд; даже когда Стивен наклонился к нему, чтобы что-то сказать, Таггерт продолжал смотреть на нее.

Только когда они оказались наедине в «их» комнате, Карен попыталась загладить свою вину.

— Я насчет ужина... — начала она, когда он вышел из ванной и проходил мимо нее. — Возможно, мне надо было вести себя по-другому...

— Что, раскаиваетесь? — спросил он, нагнувшись к ней, так что его лицо было совсем близко.

По непонятной причине Карен вдруг пришло в голову, что у него красивый рот, но она немедленно отогнала крамольную мысль.

— Ни в коем случае.

— Вот и прекрасно. А теперь скажите мне: куда вы положили мои тренировочные штаны?

— Наверное, уже поздновато заниматься спортом? — заметила она не подумав, хотя ей не было никакого дела до того, когда и чем он занимается.

Мак с намеком улыбнулся.

— В противном случае мне придется спать голым. Так где же штаны?

— В третьем левом ящике комода, — сказала она и шмыгнула мимо него в ванную. Когда она вышла из ванной, облаченная в длинную белую ночную рубашку, какие наверняка носили первые американские пуритане, он уже был в постели и посередине кровати, разделяя ее на две половины, лежала длинная толстая подушка-валик.

— Где вы ее добыли? — спросила Карен, ложась на свободную территорию.

— Я ее похитил.

— Значит, какой-то неудачник терпит неудобства?

— Хотите, чтобы я отнес ее обратно? Тогда вы сможете спать, прижавшись ко мне, или, того лучше, мы наконец разберемся насчет той самой баночки, в которую...

— Спокойной ночи, — твердо сказала Карен и повернулась к нему спиной. Но, засыпая, она улыбалась.

## Глава 3

Карен открыла глаза и увидела чудесное зрелище: перед зеркалом в ванной брился великолепный образец мужского совершенства, обнаженный, за исключением небольшого белого махрового полотенца, прикрывавшего бедра. В те краткие мгновения между бодрствованием и сном, пока Карен еще окончательно не пробудилась, ей пригрезилось, что он подходит к ней, целует и, отбросив в сторону полотенце, ложится рядом. Она вдруг вспомнила, что это такое — держать мужчину в своих объятиях, осязать его большое тело, ощущать тепло его кожи, чувствовать его вес и...

— Хотите попробую угадать, о чем вы думаете? — спросил Мак не поворачиваясь, но глядя на ее отражение в зеркале.

Карен отвернулась, чтобы он не заметил, как она покраснела. Она скатилась с кровати, схватила халат и поспешила скрыться за дверью стенного шкафа: там она была вне поля его зрения.

— Какие у вас планы на сегодня? — спросил он, выходя из ванной все с тем же узким полотенцем на бедрах и вытирая с лица остатки мыльной пены.

Чтобы не видеть его, Карен еще шире открыла дверь шкафа и укрылась за ней. Он что — тренируется каждый день? Судя по его мускулам, он не ленится. И этот теплый медовый цвет кожи — его собственный?

— Я собираюсь за покупками, — пробормотала Карен.

— За покупками? — переспросил Таггерт и переместился к ней за дверь шкафа. — Рождественскими, конечно?

— Да, рождественскими, — подтвердила Карен, глядя на одежду на плечиках и ничего не видя перед собой. — И еще мне надо купить свадебный подарок. — Она глубоко вздохнула, пытаясь прийти в себя, повернулась и посмотрела ему прямо в глаза. Но не ниже. — Завтра Рождество, и я должна купить какие-то подарки, раз я нахожусь здесь. Вы знаете, где здесь хорошие магазины?

— Тайсонс Корнер, — не задумываясь, ответил Таггерт. — Одно из лучших мест для покупок в здешней округе. Мне тоже надо кое-что купить, так что поедем вместе.

— Нет! — вырвалось у Карен, но она тут же поправилась: — Я хочу сказать, одна я меньше отвлекаюсь. — Говоря это, она сознавала, что лжет: поход за рождественскими подарками в одиночестве оборачивался тяжелой обязанностью.

— И как вы узнаете, кому надо купить подарки? Как вы узнаете, сколько здесь детей? Вы, наверное, в первую очередь собираетесь покупать для них?

— Напишите мне список имен, и этого достаточно.

Карен было страшно провести весь день в обществе Таггерта, вот и сейчас она с трудом удерживалась, чтобы не смотреть на его мускулистую грудь.

— У меня нет карандаша, — сказал он улыбаясь. — Я храню все имена в голове.

Карен с трудом удержалась, чтобы не улыбнуться ему в ответ.

— Вы можете продиктовать их мне. К тому же вы, наверное, предпочтете остаться здесь, чтобы сыграть в футбол с другими мужчинами?

— Я толстый и не в форме, они в момент расправятся со мной.

Карен, не удержавшись, рассмеялась, потому что трудно было найти более подтянутого и спортивного человека.

Не дожидаясь ее согласия, он вытащил из шкафа махровый халат, накинул его на себя и поцеловал Карен в щеку.

— Выберите мне что-нибудь из одежды, ладно? Мне надо кое-куда позвонить. Я вернусь сюда за вами минут через тридцать.

И прежде чем Карен успела что-нибудь ответить, он уже покинул комнату. Конечно, подумала она, феминистки пришли бы в ужас от того, что она согласилась выбрать одежду для властного, высокомерного и самонадеянного мужчины, каким является Таггерт. Она все еще раздумывала над этим, но уже успела вытащить и разложить на кровати темные шерстяные брюки, итальянскую рубашку и божественный английский свитер. Осуждая себя, она покачала головой и пошла в ванную.

Час спустя, быстро позавтракав, они с Таггертом уже садились в автомобиль неподалеку от того места, где жених с другими мужчинами играли в футбол. Стив крикнул Маку, приглашая его присоединиться к ним.

— Она заставляет меня ехать с ней за покупками! — крикнул в ответ Мак.

— Слушайте его больше! — тоже крикнула Карен. — Он мне совсем не нужен, просто он побаивается, что ему здорово достанется от вас.

— Какой свадебный подарок ты хочешь, чтобы мы тебе купили? — снова во все горло закричал Мак.

— От тебя, Таггерт? — переспросил Стив. — От тебя неплохо получить спортивный автомобиль, к примеру «ламборгини», ну а от нее я согласен абсолютно на все, что она предложит.

— Очень выгодное соглашение, — поддержал Стива один из игроков, и все остальные одобрительно засмеялись.

Весьма польщенная, Карен одарила молодых игроков ослепительной улыбкой и заулыбалась еще больше, заметив недовольство Мака.

— Какие приятные люди! — похвалила она, садясь в машину.

Мак ничего не ответил. Изогнувшись, он смотрел назад, чтобы при выезде не задеть другие многочисленные машины, выстроившиеся вдоль обочины.

Наверное, оттого, что мужчины флиртовали с ней, а Мак всю дорогу угрюмо молчал, Карен была в прекрасном расположении духа, когда они прибыли в торговый центр.

— Откуда начнем? — спросила она, как только они вошли внутрь, и увидела, что Мак в ответ пожал плечами. Это ясно означало: «Тебе решать».

— Ну, слоник, тогда принимайся за дело, — пробормотала она.

— Простите, я не расслышал? — подчеркнуто вежливо переспросил Мак.

— Так я говорила мужу, когда мы отправлялись за покупками. Он наотрез отказывался выбирать подарки, но безропотно тащил свертки. Я называла его «мой слоник».

Некоторое время Мак обдумывал полученную информацию, затем торжественно поднял вверх правую руку, сжал кулак, так чтобы через свитер проступили бицепсы, и объявил:

— Клянусь унести все, что вы на меня нагрузите.

— Посмотрим, — отозвалась Карен. — Кстати, если мы вместе делаем подарки, то кто за них платит?

— Наверное, я? — спросил он с притворным вздохом, как будто всю жизнь платил за ее покупки.

— Вот и хорошо, — согласилась Карен. — Ваши деньги, мой выбор.

— Подкармливайте меня иногда земляными орешками, и все будет в порядке, — сказал он из-за ее спины.

Спустя три часа Карен изнемогала от усталости и в то же время испытывала радостное возбуждение. Она совсем забыла, что такое ходить за покупками вместе с мужчиной. Мак ни за что не хотел раздумывать над выбором, а просто говорил «Берем это» или «Какая разница?». А когда речь заходила о том, кому что подарить, то здесь его скудное воображение вообще давало сбой. Дважды Карен оставляла его ждать на скамейке в окружении пакетов, пока она покупала подарочные наборы мыла и лосьонов, корзины с экзотическими фруктами и французскими сырами. Зато она еле оторвала его от прилавка с головоломками в одном из магазинов детских игрушек, где он купил огромную трехмерную головоломку «Эмпайр-стейт-билдинг». Они посетили все девять магазинов детских игрушек, в каждом делали покупки и накупили столько, что Карен начала подозревать, что число подарков значительно превосходило количество детей.

— А кормить меня будут? — спросил Мак, когда они выходили из самого последнего магазина детских игрушек.

— А вы уверены, что действительно проголодались? В этом магазине вы с такой жадностью смотрели на один автомобильчик, что, может, вам следует вернуться обратно и купить его?

— Нет, женщина, я жажду пищи! — прорычал Мак, увлекая Карен в кафе при универмаге «Нордстром». Они сделали заказ, нашли место и сели, разложив вокруг гору свертков.

— Вы очень добрый и послушный слоник, — похвалила Мака Карен.

— Какие у вас планы насчет универмага Лоусона? — вдруг спросил Мак.

У Карен было слишком хорошее настроение, чтобы лгать.

— Я не нуждаюсь в вашем снисхождении, — сказала она. — И никто не заставляет вас выслушивать мои наивные идеи. Сегодня нам вдвоем было очень хорошо и весело, но мы оба знаем, что все это кончится, как только мы вернемся в Денвер. Вы босс, а я всего-навсего машинистка.

— Значит, всего-навсего машинистка? — повторил он, приподняв бровь, и вытащил из нагрудного кармана рубашки под свитером несколько сложенных листков факса. — Вы, ваш муж и Стенли Томпсон в течение шести лет совместно владели магазином хозяйственных товаров Томпсона. Вы с мужем заправляли всеми делами, а Стенли Томпсон был бесполезным балластом.

Карен изумленно уставилась на него.

— После вашей женитьбы Рей работал сразу в двух местах, а вы брали печатать рукописи на дом. Вы экономили на всем и купили половину пая магазина Томпсона, после чего полностью реорганизовали его. Рей разбирался в технике, а вы — во всем остальном. Вы придумывали рекламные объявления и вели бухгалтерию, именно вы определяли, сколько можно потратить на товары и на какие. Это вы придумали открыть при магазине небольшой отдел по продаже цветочных семян и садового инвентаря, это вы старались привлечь побольше женщин-покупательниц, и ваши усилия увенчались успехом. После похорон мужа вы обнаружили, что Томпсон продал вам половину пая на условии, что в случае смерти Рея он выкупает вашу половину за пятьдесят тысяч.

— Это было справедливой суммой в те времена, когда заключался договор, — с вызовом произнесла Карен, как если бы Таггерт обвинял Рея в том, что тот заключил невыгодную сделку.

— Совершенно верно, в те времена половина пая стоила всего тридцать тысяч, но к моменту смерти Рея вы с ним расширили дело, и половина пая уже стоила значительно больше пятидесяти тысяч долларов.

— Я бы могла остаться в качестве равноправного партнера, — пояснила Карен.

— Да, если бы согласились делить постель со Стенли Томпсоном.

— Ничего не скажешь, вы умеете шпионить!

— Просто мне любопытно, — ответил Мак с лукавством в глазах, и когда официантка ушла и они принялись за еду, он спросил: — Может быть, вы изложите мне ваши идеи насчет магазина товаров для матери и ребенка?

— Я не слишком над этим задумывалась, хотя у меня есть кое-какие мысли, — неуверенно сказала Карен, помешивая соломинкой чай со льдом.

В ответ Мак усмехнулся и пододвинул к ней ручку и бумажную салфетку вместо листа бумаги.

— Представьте себе, что в вашем распоряжении неограниченная сумма денег и вы владелица универмага Лоусона, как бы вы поступили?

Карен колебалась, но недолго. Честно говоря, она уже давно все продумала.

— В самом центре магазина я бы устроила детскую площадку, чтобы матери всегда могли подойти и посмотреть, как там их дети, — начала она. — Если женщина собирается пробыть в универмаге какое-то время, я бы прикрепляла к одежде каждого такого ребенка бирку, как это делают с товарами, например с одеждой, в большом магазине. Так что если ребенок покинет площадку или кто-то захочет без разрешения взять его с собой, при выходе из магазина раздастся сигнал.

Мак промолчал, но его брови удивленно поползли вверх.

— Ведь прикрепляют же специальные ярлыки на одежду, чтобы предотвратить кражу, а дети уж наверняка дороже какой-нибудь куртки или блузки. И как женщина может со спокойной душой примеривать платье, когда рядом крутится четырехлетний сорванец? А вокруг детской площадки я бы расположила разные отделы: одежда для беременных, мебель, приданое для младенцев, книги по всем вопросам воспитания и ухода за детьми. И еще я бы наняла самых опытных продавщиц. И обязательно толстых.

Мак снисходительно улыбнулся.

— Нет, вы ничего не понимаете. У моей родственницы только что родился ребенок, а пока она его ждала, то постоянно жаловалась на худосочных продавщиц, которые с жалостью смотрели на нее, когда она просила показать ей что-нибудь большого размера. Я бы наняла специалистов по белью, особенно лифчикам, поясам и грациям, и устроила бы прилавок с бесплатными брошюрами местных организаций, куда в случае необходимости могут обратиться женщины, например, организаций по борьбе с насилием против женщин. И конечно, на всякий случай мы бы поддерживали связь с акушерками. И еще...

Карен остановилась и посмотрела на Мака. Он смеялся над ней!

— Вижу, вы действительно не слишком задумывались над этим, так вы, кажется, сказали?

— Нет, все-таки чуть-чуть задумывалась, — призналась Карен.

— А где ваши финансовые расчеты? И не уверяйте меня, что вы ими не занимались! Да вы вычислили до последнего цента, во сколько обойдется открытие такого магазина.

Карен на время занялась едой, потом сказала:

— Вы угадали, я правда кое-что прикинула.

— Когда мы вернемся в Денвер, вы можете принести эти расчеты мне, и я... — Мак замолчал, так как Карен извлекла

из сумки дискету. Таггерт взял дискету и нахмурился. — И
когда же вы собирались мне ее представить?

Карен догадалась, что он имел в виду. Он решил, что
именно с этой целью она отправилась с ним в путешествие.
Соответственно она была одной из многих, кто добивался встречи
с ним или посылал ему по почте свои планы быстрого обогаще-
ния. Карен выхватила дискету у него из рук.

— Я не собиралась показывать ее ни вам, ни кому-то
другому, — сказала она сквозь зубы. — У миллионов людей есть свои мечты, и эти мечты так и остаются в тайниках
их души.

Она сердито схватила со стула рядом пальто и сумку.

— Извините меня, но, мне кажется, наш разговор был
ошибкой. Мне лучше уйти.

Мак схватил ее за руку и силой заставил сесть.

— Мне жаль, что так получилось. Я очень раскаиваюсь.

— Может быть, вы все-таки отпустите мою руку?

— Нет, потому что иначе вы убежите.

— Тогда я закричу.

— Нет, вы этого не сделаете. Вы позволили Стенли Том-
псону ограбить вас и не издали ни звука, потому что не хотели
пугать его семью. Вы, Карен, не из тех, кто поднимает крик.

Карен посмотрела на большую загорелую руку, сжимав-
шую ее запястье. Он был прав, она не из крикунов, вообще не
из тех, кто умеет за себя постоять. Ей был нужен Рей,
чтобы он все время был рядом и твердил ей, что она должна
верить в себя.

Рука Мака передвинулась, и его пальцы сплелись с ее
пальцами.

— Послушайте, Карен, я знаю, что вы обо мне думаете,
но это неправда. Вы излагали кому-нибудь еще свои идеи о
магазине?

— Нет, — очень тихо ответила она.

— Но наверное, эта идея пришла вам в голову еще до гибели Рея? Вы рассказывали ему о ней?

— Нет.

У них и без этого было достаточно забот с хозяйственным магазином. Как могла она признаться Рею, что у нее есть мечта совсем другого масштаба?

— Тогда я очень горжусь, что вы доверились мне. — И, заметив, с каким подозрением смотрит на него Карен, он пояснил: — Брачный контракт был проверкой для невесты: я хотел знать, подпишет она его или нет.

Карен по-прежнему недоверчиво смотрела на него.

— Честное слово. Если бы кто-нибудь из этих женщин подписал контракт, я бы немедленно его уничтожил, но я только и слышал: «Папочка думает, что мне лучше его не подписывать» или «Мой адвокат советует мне не подписывать». А я всего-навсего хотел увериться, что невесте нужен я, а не мои деньги.

— Согласитесь, это довольно низкая уловка.

— Но не такая низкая, как выйти за меня замуж, а через четыре года потребовать развод. А что, если бы у нас были дети?

Карен почувствовала, что вопреки ее воле ее пальцы сильнее сжали его руку.

— А как насчет Элейн?

— Элейн была другой, — сказал он и высвободил руку.

Карен уже открыла рот, чтобы задать новый вопрос, но Мак уже встал.

— Ну как — отдохнули? — спросил он, и это прозвучало как команда трогаться дальше.

Через минуту они уже двигались в потоке толпы — нагруженный пакетами Мак впереди, а за ним задумчивая Карен. Так продолжалось до тех пор, пока взгляд Карен не упал на витрину магазина, полную самых красивых детских вещей, которые она когда-либо видела. Посередине висело крестильное платье из тончайшего полотна, украшенное пеной легких кружев.

— Хотите зайти внутрь? — тихо спросил Мак над ее головой.

— Нет, зачем? — резко ответила Карен и повернулась, чтобы идти дальше, но Мак, большой сам по себе, да в придачу увешанный покупками, преградил ей дорогу и потеснил ее к входу в магазин.

— Нет, я не хочу... — слабо сопротивлялась Карен, но, очутившись внутри, умолкла. Никогда она не позволяла себе смотреть на детскую одежду как на одежду для ребенка, которого она могла бы иметь. Только для других, но не для себя.

Словно в трансе, она подошла к вешалке с рядом чудесных платьиц, но Мак, которого сердобольная продавщица освободила от покупок, уже стоял за спиной Карен.

— Не то, первый ребенок у Таггертов всегда мальчик.

— Как это «всегда»? Ничто никогда не бывает всегда. — И она сняла с вешалки белое батистовое платье с розовыми и голубыми цветами ручной вышивки.

— Нет, вот это куда лучше, — объявил Мак, показывая Карен рубашку в синюю и красную полоску. — В ней хорошо играть в футбол.

— Я не разрешу моему сыну играть в футбол, — твердо сказала Карен, вешая обратно платье и разглядывая костюмчик для мальчика, судя по всему, обязательно принца. — Футбол — слишком опасная игра.

— Но он также и мой сын, и я имею право...

Карен вдруг спохватилась, что они спорят о сыне, которого у них никогда не будет... Зачем терзать себя несбыточными мечтами, зачем страдать... Она быстро вышла из магазина и остановилась у книжной витрины «Брентано», где и догнал ее Мак.

— Вы не против, если мы на минуту присядем? — спросил он, и Карен молча кивнула в ответ. Она еще не пришла в себя от смущения, вызванного своим поведением в детском магазине.

Карен села на скамейку, Мак сложил рядом с ней свертки, а сам отправился за «рожками». Потом они некоторое время молча ели мороженое.

— Почему у вас с мужем не было детей? — спросил он наконец.

— Мы думали, у нас впереди еще масса времени, и отложили это на потом, — честно призналась Карен.

Мак опять замолчал.

— Вы очень любили мужа? — спросил он.

— Да, очень.

— Ему повезло, — сказал Мак и снова взял ее руку. — Я ему завидую.

Карен посмотрела в его глаза и впервые после смерти Рея увидела не просто человека, но мужчину. И не просто мужчину, которого заслонял образ Рея, но Макаллистера Таггерта. «Я могу полюбить снова», — подумала она и почувствовала, как лед, сковавший ее сердце, вмиг растаял.

— Карен, я... — начал Мак и придвинулся к ней так близко, будто собирался поцеловать ее прямо среди толпы, растекающейся по торговым галереям.

— Боже мой! — воскликнула Карен. — Только посмотрите, сколько уже времени. Я записалась к парикмахеру, и я опаздываю. Это здесь, только на другом уровне, поэтому я вас покидаю.

— Когда же вы успели записаться к парикмахеру? — недоверчиво спросил Мак, совсем как муж, который хочет знать о каждом шаге жены.

— Пока вы ходили по игрушечным магазинам. Мне пора идти, — сказала Карен и встала. — Встретимся здесь же через два часа, — крикнула она ему через плечо и скрылась в толпе, прежде чем он успел что-нибудь ответить.

По правде говоря, у нее был в запасе еще целый час, но она хотела купить рождественский подарок для Мака. И вообще ей хотелось бежать от него. Она не могла позволить себе влюбиться в такого человека, как Мак Таггерт. «Он не для тебя, Карен, — сказала она себе. — Такому мужчине подходит женщина, у который отец — посол в какой-нибудь заморской стране, или женщина, способная определить, на каком французском винограднике созрели ягоды, из которых сделано поданное к обеду вино. Ему нужна женщина, которая...»

«Идиотка! — обругала она себя. — Ты такая же, как все остальные, ты думаешь, что влюбилась в него. Хуже того, ты воображаешь, что он влюбился в тебя!»

Когда они встретились снова через два часа, она сумела успокоиться и вернуть себе душевное равновесие. Мак с довольным видом сидел на скамейке.

— А чем занимались вы? — подозрительно спросила его Карен.

— А я все упаковал, пометил каждый подарок именем его будущего владельца и сложил свертки в машину.

— Я потрясена, — сказала Карен, широко раскрыв глаза.

— Перестаньте надо мной издеваться и давайте поторопимся, — ответил он и взял ее под руку. — Чем это они облили вам в парикмахерской голову? Или они надели на вас деревянный парик?

— Это лак, и, по-моему, прическа получилась очень удачной.

Мак только хмыкнул в ответ, и они поспешили к машине.

Когда они возвратились, в доме царила страшная суета: гости и хозяева готовились к свадьбе, причем создавалось странное впечатление, что каждый из них потерял какой-то важный предмет своего туалета и теперь прилагает неимоверные усилия, чтобы его отыскать. Когда Мак закрыл дверь «их» комнаты, воцарилась тишина и в море шума и хаоса возник островок покоя. Выйдя из ванной, Карен увидела на кровати множество коробок и два больших мешка для одежды.

— Это все принесли, пока вы были в душе, — объяснил Мак, а когда Карен заметила, что не слышала, чтобы кто-то входил в комнату, он, в свою очередь, скрылся в ванной.

В одной коробке лежало белое шелковое белье — кружевной лифчик и трусики — и чулки с кружевными резинками наверху. Карен не помнила случая, чтобы подружкам невесты не только шили платье, но еще и прилагали к нему и нижнее белье.

— У вас нет времени разглядывать подарки, — сказал Мак, входя в комнату из ванной.

— Но...

— Быстрее одевайтесь!

Карен схватила белье, затем платье, на которое ушли ярды и ярды шифона, и недоуменно посмотрела в сторону ванной, потом опять на платье с его широкой юбкой.

— Обещаю, что не наброшусь на вас, если увижу вас в нижнем белье. Но и вы должны обещать мне то же самое, — добавил он совершенно серьезно.

Карен начала было протестовать, но потом бесшабашно улыбнулась.

— Хорошо, тогда пеняйте на себя, — сказала она и, прихватив с собой белое шелковое белье, направилась в ванную. Спустя десять минут она вышла оттуда, уже подкрашенная и в нижнем белье. Это все, что было на ней, и она знала, что выглядит потрясающе. Она не обладала пышной грудью, но, как ей не раз говорили, у нее были длинные стройные ноги танцовщицы.

— Вы, случайно, не знаете, где... — начал Мак, поворачиваясь к ней, и тут Карен испытала величайшее удовлетворение, увидев, каким взглядом он смотрит на нее.

— Чего я случайно не знаю? — невинно переспросила она.

Но Мак безмолвно застыл на месте: одна рука с расстегнутой манжетой была протянута вперед, другая неуклюже пыталась вдеть в нее запонку.

— Хотите, я вам помогу? — спросила Карен, направляясь прямо к нему, в то время как он, онемев, продолжал смотреть на нее. Очень заботливо и осторожно она застегнула сначала одну запонку, потом другую, затем, подняв голову, посмотрела ему в лицо: — Что-нибудь еще надо сделать?

Мак не ответил, и, повернувшись, Карен пошла от него, зная, что сзади выглядит так же замечательно, как и спереди. «Спасибо тебе, тренажер», — подумала она.

Но на этом месте течение ее мыслей было прервано, так как Мак схватил ее за плечо, повернул к себе, обнял и прижался губами к ее губам. Как могла она забыть, мелькнуло у нее в голове, как могла она забыть сладость поцелуя?

Поцелуй был долгим, неторопливым, и все это время его большие ладони ласкали ее тело, притягивая его все ближе к себе. Неизвестно, чем бы все кончилось, если бы не раздался громкий стук в дверь и кто-то не крикнул:

— Вы готовы? Сейчас отправляемся в церковь.

Даже после этого Карен пришлось вырываться из его объятий, что она сделала с большой неохотой. Ее сердце сильно билось, а дыхание стало прерывистым.

— Нам надо одеваться, — только и сумела выдавить она из себя, пока он продолжал молча смотреть на нее. Дрожащими руками она взяла платье и попыталась надеть его, стараясь не испортить прическу. Она не удивилась, когда Мак пришел ей на помощь, сначала расправив платье, а потом и застегнув молнию на спине. После чего вполне естественным было помочь ему надеть фрак.

Только когда они уже выходили из комнаты, Мак наконец нарушил молчание.

— Я чуть не забыл передать подарок, полагающийся вам как подружке, — сказал он и вытащил из кармана двойное жемчужное ожерелье и серьгу с длинной жемчужной подвеской.

— Какая прелесть! — сказала Карен. — Они почти как настоящие.

— Как вы это точно подметили, — похвалил Мак и выудил из кармана вторую серьгу, затем застегнул ей ожерелье, а Карен сама надела серьги.

— Как я выгляжу? — с беспокойством спросила она.

— Гарантирую, что никто и не взглянет на невесту.

Это был избитый комплимент, но Карен почувствовала себя очень красивой.

Свадебная церемония была сказочным зрелищем. Несмотря на предшествующую суматоху, все прошло гладко, как и последующий прием, где было много смеха и шампанского. Мак куда-то скрылся вместе с группой друзей, которых давно не видел, и Карен на несколько минут осталась за столом одна.

— Скажите, вы умеете танцевать?

Карен подняла голову и увидела Мака.

— Разве вы не нашли этих сведений в досье на меня? Или ваши шпионы не интересуются такими пустяками, как танцы?

Он взял ее за руку и повел в центр зала. Сказать, что они танцевали хорошо, было бы преуменьшением.

Стив с Кэтрин оказались рядом, и Стив искренне посоветовал Маку оставить себе навсегда «именно эту».

— Ты же знаешь, что все женщины убегают от меня, — ответил ему Мак.

Когда Стив с Кэтрин, кружась, удалились, Карен сделала Маку выговор:

— Почему бы вам не сказать всем правду? Ведь все напрасно винят вас в разрыве.

— Берегитесь, миссис Лоуренс, можно подумать, что я начинаю вам нравиться.

— Чепуха! Мне только нужно от вас...

— Ребенка, — закончил он за нее. — Вы хотите иметь от меня ребенка.

— Только потому, что вы...

— Что — я? Потому что я умный? Потому что я король среди мужчин?

— Вы король шиворот-навыворот. Стоит женщине поцеловать вас, и вы превращаетесь в лягушку.

— У нас с вами этого не случилось. Может, попробуем еще разок?

Он посмотрел на нее, и Карен показалось, что он готов поцеловать ее прямо здесь, посреди зала. Но он не стал целовать ее, и Карен не могла скрыть своего разочарования.

Поздно вечером они снова были одни в «их» комнате. Когда она вышла из ванной в своей целомудренной белой ночной рубашке, Мак стоял у окна и смотрел в ночь.

— Ванная свободна, — сказала она.

— Я сейчас ухожу, — сурово произнес он.

— Почему? — к своему ужасу, вдруг спросила Карен и невольно закрыла рот рукой. Ее не касались его планы. — Хорошо, — согласилась она и притворно зевнула. — Увидимся утром.

Он схватил ее за плечи.

— Карен, это не то, что вы думаете.

— Я вообще не имею права задумываться о ваших поступках. Вы свободный человек.

Мак стремительно прижал ее к себе и не выпускал все время, пока говорил.

— Я должен уйти отсюда, иначе я не оставлю вас в покое. Я знаю, что не смогу сдержаться.

Он вышел, не дав ей времени ответить.

— Пусть будет так, — обратилась Карен к закрытой двери. — И что дальше? На следующей неделе опять работа, и вы забудете о своем маленьком романе с одной из секретарш. И это к лучшему: вам не придется опасаться, что я подам на вас в суд.

Карен легла, но заснула только после того, как выместила свою злость на толстой диванной подушке, разделявшей кровать на две половины.

Она заснула так крепко, что не слышала, как Мак вернулся и лег в постель; она не почувствовала, как он осторожно поцеловал ее в лоб, прежде чем самому начать борьбу с бессонницей.

## Глава 4

Оглушительные крики разбудили Карен в рождественское утро. Уверенная, что начался пожар, она отбросила одеяло и уже хотела соскочить с кровати, но сильная рука Мака удержала ее.

— Это дети, — пробормотал он, уткнувшись носом в подушку.

Крики все нарастали, и Карен попыталась высвободиться и встать, но Мак еще крепче держал ее и даже заставил лечь. Ночью разделявшая их диванная подушка сползла к ногам, а может быть, кто-то из них намеренно ее подвинул, и теперь Карен оказалась совсем рядом с Маком.

Рука Мака подобралась сначала к подушке Карен, а потом погрузилась в ее волосы. Он по-прежнему лежал, уткнувшись в подушку, но Карен видела его блестящие темные волосы и ощущала исходившее от его тела тепло. В комнате стоял полумрак, и шум за дверью казался теперь очень далеким.

Наконец он повернулся к ней, приблизил свое лицо к ее лицу, свои губы к ее губам и шепнул:

— Это Рождество, детвора всегда устраивает шум на праздники.

— Я была единственным ребенком в семье. На Рождество мы сначала завтракали, и только потом я открывала подарки.

— Угу, — ответил Мак, целуя ее теплыми со сна губами.

С прикосновением его губ ушли куда-то одинокие годы, и опять, как прежде, рядом с ней был теплый сонный человек, который привычным жестом заключил ее в объятия. Это было вполне естественно. И потому она придвинулась к нему, вытянулась рядом, обвила его шею руками и с энтузиазмом ответила на поцелуй.

Внезапно дверь распахнулась настежь и в комнату ворвались двое ребятишек, в мгновение ока они очутились у кровати, размахивая игрушками над Маком и Карен в опасной близости от их голов. В руках у девочки была коробка с Барби, наряженной в вызывающее платье, и с приданым, которому позавидовала бы любая «ночная бабочка». У мальчика в коробке был игрушечный поезд из нескольких вагонов.

Несмотря на возникшую неразбериху, Мак продолжал целовать ее в шею как наиболее доступное место, поскольку она смотрела вверх, на детей.

Прежде чем Карен успела произнести хоть слово, в комнате появился еще один ребенок — с самолетом в руках, он стремительно подбежал к первым двум, споткнулся и налетел на них. Кукла, поезд, дети — все вместе обрушилось на кровать и на Карен и Мака. Последовал пронзительный вопль девочки, кричавшей, что ей сломали куклу, а тем временем мальчики на полу с помощью кулаков выясняли, кто первый кого толкнул. Карен встала с кровати и принялась собирать игрушки с пола и кровати.

— Осторожно, — предупредила она Мака, — у вас в ухе кукольная туфля на высоком каблуке.

— Ничего, мне не привыкать, — проворчал он, недовольный тем, что им помешали.

Карен собрала детей и игрушки и отправила их за дверь.

Когда они остались одни, Мак заложил руки за голову и стал наблюдать за Карен, которая двигалась по комнате, собирая свою одежду.

— Наши дети будут лучше воспитаны, — заметил он.

Карен никак не могла найти пояс от халата.

— Я очень надеюсь, что наши дети будут такими же счастливыми и раскованными и... — Она остановилась, покраснела, взглянула на Мака, который улыбался ей с кровати, и поспешно скрылась в ванной, чтобы там одеться.

Но Мак выскочил из постели и удержал ее, прежде чем она успела закрыть дверь.

— Куда это вы, «единственный ребенок»? Так вы пропустите самое главное!

— Я не могу идти в ночной рубашке и халате!

— Но все будут одеты именно так, — сказал он, схватив со стула свою майку и увлекая Карен за собой.

Мак оказался прав. Внизу, у елки, царил хаос, везде возвышались груды разорванной бумаги, и куда бы ни упал взгляд, повсюду были дети. Взрослые сидели на полу в окружении пакетов и коробок и обменивались подарками, стараясь не обращать внимания на крики и беготню детей.

— А, вот и наши неразлучники, — приветствовал их кто-то. — Идите сюда скорей и посмотрите, что вам принес Санта-Клаус.

— Судя по их довольному виду, Санта их уже посетил, — сказал кто-то еще, и Карен отпустила руку Мака, которую крепко сжимала.

Через минуту она уже сидела на ковре среди других гостей и вороха лент и бумаги рядом с полной подарков красной садовой тележкой, ручка которой была украшена бантом. К счастью, никто еще не открыл подарков, купленных вчера ею и Маком, и теперь она радовалась им вместе с теми, кому они предназначались. Но Карен очень удивилась, когда около нее стала расти гора пакетов, каждый с биркой с ее именем и именем дарителя, но если она благодарила такого человека, тот с изумлением смотрел на Мака.

Карен быстро разгадала хитрость Мака, который сидел рядом с ней и с простодушным видом распаковывал подарки.

— Вижу, вы были очень заняты, пока я сидела в парикмахерской, — сказала она так тихо, чтобы никто ее не услышал; было ясно, что это он купил для нее все подарки, но приложил к каждому карточки своих друзей.

Мак и не стал отпираться, а только улыбался и, прищурившись, поглядывал на нее сквозь густые черные ресницы.

— Как вы оцениваете мой вкус? — спросил он.

На полу вокруг и на коленях Карен лежали удивительно красивые и дорогие вещи, и среди них музыкальная шкатулка, кашемировый свитер, золотые серьги, три пары носков ручной вязки, серебряная рамка для фотографий.

— А что подарил вам я? Что-то не припомню! — обратился к ней Стив. Они с Кэтрин отложили на день свое свадебное путешествие, чтобы побыть с гостями.

— Сейчас посмотрим, — пообещала Карен, разглядывая бирки. — Нашла! Похоже, вы преподнесли мне бикини.

— Неужели бикини? — удивился Мак при всеобщем смехе и покраснел. — Ладно, Стив, я тебя прощаю, — улыбнулся он, но жестом собственника обнял Карен за плечи.

Кузина Стива долго внимательно наблюдала за Карен и потом сказала:

— Знаете, Карен, я была знакома со всеми невестами Мака и могу теперь признаться, что ни одна мне не нравилась, но вы мне очень симпатичны. Вы единственная из них, кто смотрит на Мака с любовью во взоре.

— Просто я забыла надеть контактные линзы, и поэтому... — начала было Карен, но смолкла, когда все зашикали на нее, и опустила глаза. Рука Мака еще сильнее сжала ее плечи.

— Так когда же свадьба? — спросил кто-то.

— Как только я сумею уговорить ее. Посмотрите, она даже не носит моего кольца.

— А может быть, твое кольцо сносилось оттого, что ты надевал его на палец стольким женщинам? — заметил Стив, и все снова засмеялись.

Как раз в этот момент в комнату вошла Рита, мать Стива.

— Перестаньте, вы смущаете Карен! Лучше идемте со мной, мне нужна помощь на кухне, — остановила она шутников.

К величайшему удивлению Карен, комната мгновенно опустела. Словно по мановению волшебной палочки в ней не осталось ни единого существа мужского пола, молодого или старого, только девушки, женщины и горы подарков и мятой упаковочной бумаги.

— Действует безотказно всякий раз, — усмехнулась мать Стива. — А теперь, дамы, мы можем посплетничать на свободе.

Со смехом женщины разошлись по комнатам, чтобы одеться и приступить к работе. В спальне Карен сложила подарки на кровать и задумалась. Не нужно обладать особой проницательностью, чтобы догадаться, что все подарки, и не только рождественские, для нее купил Мак. Она спросила у женщин, какие же подарки получили от невесты остальные подружки, и узнала, что подарки им были отправлены еще на прошлой неделе. Как, разве Карен ничего не получала?

Дальнейшие расспросы позволили выяснить, что среди подарков подружек не числились ни жемчужные ожерелья, ни серьги.

— Если вы имеете в виду жемчужное ожерелье и серьги, которые были на вас вчера вечером, — сказала одна из женщин, — и если вам их подарил Мак, то могу поспорить, что они настоящие.

— Тогда, наверное, невеста также не раздавала подружкам комплекты белого шелкового белья, — заключила Карен.

Она произнесла это вполголоса и скорее для себя, чем для других, но все услышали и смеялись до слез, до колик, а Карен оставалось только смущаться.

Теперь, одна в комнате, она смотрела на груду подарков и знала, что отдала бы их все за то, чтобы Мак был сейчас с ней рядом. Завтра они вернутся в Денвер, а послезавтра расстанутся все равно что навсегда. Она представила себе машбюро и свой стол, который находился, можно сказать, за тысячу миль от его кабинета.

Вдруг она заметила на кровати конверт, полуприкрытый брошенным шарфом, с надписью «Счастливого Рождества, Карен».

Она открыла конверт и вытащила из него короткий контракт, подписанный Маком и заверенный Стивом, быстро пробежала его и увидела, что он дает ей право открыть свое дело в помещении универмага Лоусона и что Мак обязуется вложить в него свой капитал, а она — свои опыт и умение. Карен будет полностью контролировать работу предприятия и свободна принимать любые решения по своему усмотрению, она также обязуется по прошествии двух лет выплачивать ему долг из расчета пяти процентов годовых.

— Это слишком, — сказала Карен вслух. — Мне не нужны благодеяния...

И остановилась, увидев, что в конверте есть еще и письмо. Она вытащила его и начала читать:

«Моя дорогая Карен!

Я знаю, что вашим первым желанием будет швырнуть мне этот контракт в лицо, но я прошу вас сначала хорошенько подумать. Я бизнесмен, а вы обладаете знаниями и опытом, чтобы сделать предприятие доходным. Я предлагаю вам этот контракт не потому, что вы красивы и остроумны, и не потому, что мне приятно ваше общество: меня заставили сделать это мои постоянно беременные невестки. Они пригрозили, что не пустят меня на порог моего родного дома, если я решу торговать в старом универмаге Лоусона кожаными изделиями вместо детских пеленок.

Умоляю вас, не отвергайте меня.

Ваш будущий партнер

Макаллистер Дж. Таггерт».

Карен с трудом понимала, что написано в письме, мысли путались у нее в голове, но совсем не от партнерства, предложенного ей Макаллистером Таггертом, а от его слов, что она красива, остроумна и ему приятно ее общество.

— Прекрати! — скомандовала она себе. — Он не для тебя. У него навалом женщин, а ты... ты... — Она пошла в ванную и посмотрела на себя в зеркало. — А ты полная идиотка и в придачу еще влюбилась в него. Твои отношения с ним должны быть деловыми, и не более того, — посоветовала она сама себе, открывая душ, — и все будет в порядке.

Вот только если бы она могла ограничиться одними деловыми отношениями! Карен надела джинсы, красный кашемировый свитер, подаренный ей якобы матерью Стива Ритой, и жемчужные ожерелье и серьги, которые она непрестанно трогала руками. Ей, конечно, придется возвратить их Маку: это был слишком дорогой подарок.

Карен спустилась вниз, где опять царило оживление: часть гостей, уже в обычной одежде, убирала гостиную, другие на лужайке перед домом играли в футбол, а третьи, и среди них Карен, отправились на кухню, чтобы помочь в приготовлении рождественского обеда.

В каком-то из разговоров гостей Карен услышала, что мать Стива — лучшая подруга матери Мака, а лучшие подруги поверяют друг другу все свои тайны. И так как многие гости между прочим упомянули, что сегодня приезжает Элейн, то Карен было любопытно узнать, известна ли Рите, матери Стива, подлинная причина разрыва Мака и Элейн.

Карен провела на кухне несколько часов, чистя и нарезая овощи и делая всякую другую подсобную работу, и услышала несколько удивительных историй о семье Стива и одну или две — о семье Мака. На лужайке за окном она видела, как Мак в тренировочных штанах и майке без рукавов играл в американский футбол. Всякий раз когда его постигала неудача или, наоборот, ему удавалось забить гол, он смотрел на окно и махал ей рукой. И счастливая Карен махала ему в ответ. У нее так давно не было настоящего дома, да она и прежде не знала шума и веселой суеты большой семьи, когда дети бегают по кухне, а гости предоставлены сами себе или, как сейчас, поют рождественские гимны в гостиной. Маленькая семья лишена таких радостей.

Карен чуть не подскочила на стуле, услышав за спиной голос Риты:

— Как вам у нас нравится? Вижу, вас не раздражают беспорядок, дети и домашние заботы, когда надо фаршировать индейку, чистить овощи и не забывать об уборке, и все это одновременно. Я ведь не ошиблась?

— Нет, вы совершенно правы, — подтвердила Карен.

— Мак очень хороший человек, — продолжала Рита.

Карен промолчала. Может, хороший, а может, нет, кто знает. Она точно знала только то, что Мак не принадлежит ей.

— Вы знаете правду об Элейн? — спросила Карен.

К тому времени вся работа была сделана, кухня опустела, и они с Ритой остались одни. Рита секунду смотрела на Карен, как бы прикидывая, стоит ли ей доверять.

— Меня попросили хранить этот секрет, — наконец сказала она.

Карен почувствовала прилив уверенности. Если женщина признается, что ей известен секрет, то битва уже наполовину выиграна. Оставалось только немного подтолкнуть Риту, но Карен колебалась. Она и хотела, и не хотела знать правду.

Почему Элейн покинула Мака почти у алтаря? Какую обиду нанес ей Мак?

— Мне бы очень хотелось знать, — искренне сказала Карен.

— Вы ведь по-настоящему любите Мака, верно?

— Да, — подтвердила Карен всего одним словом, она не решилась сказать больше.

— Элейн была без памяти влюблена в одного бедного художника. Она поселила его в своей квартире. Рисовал ли он что-нибудь, мы не знаем, поскольку никогда не видели его творений. Но мы все понимали, что его больше интересует не сама Элейн, а ее деньги, но любовь слепа, и Элейн не собиралась с ним расставаться. Тогда отец Элейн написал художнику письмо и предупредил, что, если они с Элейн поженятся, он изменит завещание и сократит ее долю наследства. И еще он приложил к письму чек на двадцать тысяч долларов, которые художник получит, если расстанется с Элейн. Когда Элейн в тот вечер вернулась домой, художника уже не было. Она во всем обвинила отца и сказала, что если он требует, чтобы она вышла замуж за богатого человека, то она так и сделает. Элейн начала буквально преследовать Мака, старшего из тех Таггертов, которые еще не были женаты. Элейн хороша собой, талантлива и очень самоуверенна. У Мака не было шанса устоять. Вечером накануне свадьбы неизвестно откуда явился ее бедный художник, и когда Мак заехал к Элейн на квартиру, он застал их в постели.

Рита немного подождала, чтобы Карен переварила полученные сведения.

— Мак отказался на ней жениться, но, будучи благородным человеком, представил дело так, будто это Элейн бросила его. С тех пор он смертельно боится брака. Он хочет жениться, завести свой дом и семью, но, мне кажется, нарочно выбирает женщин, которым нужны только его деньги, подвергает их испытанию с помощью нелепого брачного контракта, а когда они отказываются его подписать, то это только укрепляет его веру в меркантильность всего женского пола. Наконец-то у него заживет эта рана. Я очень рада, что он женится на той, которая его действительно любит.

Карен не поднимала глаз от стола и сельдерея, который она кончала нарезать для салата.

— Я говорю вам это потому, что Мак испытывает по отношению к Элейн некое искаженное чувство долга, так что не ждите, что он честно расскажет вам всю эту историю. А помимо них двоих, только мы с его матерью знаем правду.

— И вы рассказали мне это, потому что я люблю его?

— И еще потому, что он любит вас, — искренне призналась Рита.

— Нет, он меня не любит, — ответила откровенностью на откровенность Карен. — Мы с ним даже не помолвлены. Он нанял меня в качестве сопровождающей, чтобы... — Она остановилась, увидев улыбку на лице Риты.

— Взгляните на вещи реально, Карен. Маку не надо нанимать женщину для чего бы то ни было. Женщины совершают ради него самые немыслимые поступки, где бы он ни появлялся. Его мать жалуется, что работающие у него женщины постоянно предъявляют на него права. У него даже есть две женщины — начальницы отделов, которые дошли до такого безумия, что всякий раз, когда он дает им поручение, они считают это проявлением любви к ним. Его мать советует ему уволить дурочек, но Мак чересчур мягкосердечен, чтобы пойти на такие меры. Поэтому он платит им хорошую зарплату, но всю работу делает сам.

— А эти дамы жалуются всем и каждому, что он не желает ни с кем делиться ответственностью, — добавила Карен.

— Возможно, так оно и есть, но Мак всегда берет вину на себя, только бы не обидеть женщину. Его мать хотела открыть всем глаза на Элейн, но он запретил ей. Мак — человек иной, прошлой эпохи.

— Да, — согласилась Карен, — я тоже так считаю.

— Ну вот, легка на помине, — сказала Рита. — Подъехала машина, это наверняка Элейн. Не падайте духом, Карен! Идите туда и...

Карен посмотрела в окно. Прибытие Элейн остановило футбольную игру, так как все без исключения мужчины бросились к машине, чтобы помочь выйти элегантной, прекрасной, изысканной Элейн, сидевшей на заднем сиденье длинного черного лимузина. И возглавлял толпу мужчин Макаллистер Таггерт.

— Прошу извинить меня, но я... я... — Карен не могла придумать, что сказать в свое оправдание, и, повернувшись, выбежала из кухни, поднялась вверх по лестнице и скрылась в своей комнате.

## Глава 5

Через полчаса Карен пришла к выводу, что овладела своими эмоциями и может встретиться с Элейн без опасения, что вонзит нож в холодное сердце изменницы. К несчастью, стоило ей выйти за дверь, как она нос к носу столкнулась с Элейн, которая шла по коридору в сопровождении двух верных рыцарей — Стива и Мака.

Вблизи Элейн казалась еще красивее, чем на расстоянии. Она была высокой стройной блондинкой, надменной и знающей себе цену, и рядом с ней Карен почувствовала себя незаметной серой мышкой. Элейн полностью отвечала представлениям Карен о той женщине, какую выберет себе в жены Макаллистер Таггерт. Несомненно, ее отец был послом в какой-нибудь далекой экзотической стране, а сама она обладала дипломом в некой отвлеченной и никому не нужной области, например, такой, как китайская философия.

Стоило вам посмотреть на Элейн, и вы превращались в замарашку из хлева, в комбинезоне, с вилами в руках и с соломой, запутавшейся в волосах. Нужно ли удивляться, что Мак влюбился в нее по уши.

Элейн остановилась и бросила на Мака испепеляющий взгляд, из категории взглядов, что способны растопить ледяные торосы Антарктики, а Мак ответил ей преданным взглядом потерявшегося щенка, вновь обретшего свою хозяйку. «Он по-прежнему любит ее», — подумала Карен и, несмотря на решение сдерживаться, задохнулась от ярости.

Стив представил Карен как невесту Мака и тут же убежал с мячом в руках, оставив их втроем.

— Все еще ищешь женщину, которая бы вышла за тебя? — тихим, полным яда голосом спросила Элейн, глядя на Мака и не обращая внимания на Карен, будто ее вообще не существовало.

— А вы все еще платите мужчинам, чтобы они женились на вас, Элейн? — нанесла ответный удар Карен и с удовольствием отметила, что невозмутимое лицо Элейн вдруг исказила гримаса и она повернулась и побежала вниз по лестнице. Видно, Элейн вообразила, что ее секрет будет вечным и что она может издеваться над Маком, когда ей заблагорассудится!

Но Карен не представляла, как отреагирует на ее выпад Мак. Он же схватил ее за руку своей железной рукой и, несмотря на сопротивление, втащил ее в «их» комнату. Захлопнув дверь, он повернулся к Карен.

— Мне это не нравится, так и знайте! — объявил он, приблизив свое лицо к ее лицу. — То, что произошло у нас с Элейн, касается только нас, и никто не имеет права вмешиваться, и я не позволю вам и никому другому смеяться над ней.

Карен выпрямилась во весь свой рост и приказала себе успокоиться, иначе она упадет на кровать и расплачется. Что ей за дело, если Макаллистер Таггерт влюблен в женщину, которая делает из него всеобщее посмешище!

— Конечно, мистер Таггерт, — сказала она сухо и повернулась, чтобы уйти из комнаты.

Но Мак схватил ее, прижал к стене и начал жадно целовать. Какой-то миг Карен из гордости сопротивлялась, но очень скоро сама еще теснее прильнула к нему, запустила одну руку в его волосы, а пальцами другой впилась ему в спину.

— Я вас ненавижу, — успела объявить она, пока он целовал ее в шею, а его руки путешествовали по всему ее телу.

— Знаю. Ты так же ненавидишь меня, как я тебя.

Как это случилось, она не могла понять даже потом, но только что, одетые, они целовались у стены и вдруг, уже голые, извивались на кровати. Карен жила в воздержании больше двух лет, и ей это удавалось лишь потому, что она подавляла все плотские желания. Но злость на Мака и радость от его неожиданных ласк, это странное сочетание противоположностей, заставили ее вспыхнуть огнем и дать себе волю.

Все произошло очень быстро, но в те короткие мгновения настольная лампа успела с грохотом свалиться на пол, Карен упала с кровати, и Мак поднял ее, так что ее ноги оказались на полу, а спина на кровати.

Мак оказался достойным противником, и его страсть не уступала ее собственной; он с силой вошел в нее, но потом смягчил напор, прижавшись губами к ее губам, чтобы заглушить ее стон.

Когда Мак уже был внутри, Карен обхватила его ногами и как можно теснее прижала к себе, словно опасаясь, что он может вырваться, при этом сердце ее стучало так сильно, что почти выскакивало из груди, а дыхание было хриплым и прерывистым.

Прошло несколько минут, прежде чем она вновь обрела способность ясно мыслить, а также чувствовать смущение и стыд. Что он о ней подумает? Бедная, необразованная, непримётная секретарша, готовая на все ради своего босса.

— Пожалуйста, — попросила она, — дайте мне встать.

Мак медленно поднял голову и посмотрел на нее, а когда она отвернулась, он взял ее за подбородок и снова повернул к себе, чтобы видеть ее глаза.

— Что такое? — спросил он шутливо. — Неужели моя бесстрашная противница страдает застенчивостью?

— Я хочу встать, — повторила Карен, глядя в сторону.

Но Мак не отпустил ее, он переместился вместе с ней с края кровати на середину, накрыл ее своим большим обнаженным телом, а сверху еще и одеялом и спросил:

— А теперь скажи мне: что случилось?

Карен почувствовала, что у нее вновь начинают путаться мысли, потому что это скрытное объятие показалось ей более неприличным, чем то, что они только что совершили.

— Вы... я... — попыталась она заговорить, но связной речи не получилось.

— Мы занимались любовью, — уточнил Мак и поцеловал ее в макушку. — Похоже, я ждал этого момента целые годы.

— Вы узнали о моем существовании всего несколько дней назад.

— Верно, но эти дни для меня равнялись годам.

Она попыталась оттолкнуть его, но он крепко держал ее в объятиях.

— Я не отпущу тебя, пока ты не скажешь мне, что случилось.

— И вы еще спрашиваете, что случилось? — произнесла она с чувством, отталкивая его. — Я одна из ваших секретарш, я никто, вы мой босс, и вы... вы...

— Что я?

— А то, что вы влюблены в Элейн! — вырвалось у нее. Ей больше нечего было терять, и так все уже было потеряно.

К ее величайшему возмущению, Мак еще теснее прижался к ней и при этом тихо посмеивался.

— Ой! Это зачем? — воскликнул он, когда Карен изо всех сил ущипнула его.

На этот раз ей почти удалось вырваться, но он сумел поймать ее в самый последний момент.

— Я не одна из ваших послушных куколок, и мне не нужны ваши деньги, так и запомните, — вскипела Карен. — Мне ничего не нужно от вас лично, мне ничего не нужно от вас на работе. Ничего. Я даже не хочу вас видеть... — в этом месте ее монолог был прерван поцелуем, — еще раз... — докончила она.

— С удовольствием, — откликнулся Мак, делая вид, что не понимает.

Но когда его рука легла ей на грудь и Карен вновь почувствовала желание, а также ощутила, что это желание испытывает и он, она решительно высвободилась из его объятий. Она не стала вскакивать с кровати, а посмотрела ему в глаза и твердо сказала «нет».

— Хорошо, — согласился он, убирая руки с ее тела. — А теперь скажи мне, что тебя беспокоит. Только, пожалуйста, никуда не уходи. Ладно?

Карен отодвинулась подальше, чтобы не касаться его, и закрылась одеялом.

— Я ничего не планировала. Я просто хотела... — Она осеклась и взглянула на Мака. По ее расчетам, именно сегодня был самый подходящий день для зачатия и, возможно, после того, что они сделали, она уже беременна.

Словно читая ее мысли, он взял ее руку и поцеловал, сначала ладонь, потом с внешней стороны. Но когда он начал целовать кончики пальцев, она отняла руку.

— Но я не люблю Элейн, — сказал Мак и снова обнял ее.

— Я видела, как вы на нее смотрели, и к тому же вы ее защищали!

— Каких бы бед я ни пожелал Элейн, ничто не может быть хуже того, что уже с ней случилось. Мужчина женился на ней из-за денег. Я хорошо представляю себе ее чувства, и мне ее очень жаль. Но это только жалость и больше ничего.

Если ей легче оттого, что она делает мне язвительные замечания, пусть продолжает. Самое главное, что я на ней не женился. — Голос Мака стал совсем тихим. — И не она мать моих детей.

— И много их у вас? — спросила Карен с напускным равнодушием. Больше всего она хотела казаться спокойной и безразличной. Ведь в наш век любовные интрижки — самое обычное дело. Только редкие несовременные особы верят, что если люди спят вместе, то они обязаны пожениться.

— Возможно, мы с тобой сотворили сегодня моего первого ребенка, — сказал он и вновь удержал ее около себя.

— Перестаньте шутить, — строго сказала Карен. — Я хотела, чтобы вы были донором, а не...

— А не любовником? Прошу тебя, Карен, выслушай меня! Не думай, что сегодня я проявил беспечность. Никогда прежде я не ложился в постель с женщиной, не запасшись презервативом. Я люблю тебя, Карен. И если ты согласна, я постараюсь быть тебе хорошим мужем.

— Мне и всем остальным женщинам, — вырвалось у нее, прежде чем она успела подумать, и она увидела боль в его глазах.

Мак отвернулся и начал подниматься с постели.

— Прости меня, — сказала она и обняла его сзади, потому что он уже сидел на краю кровати. — Пожалуйста, я нечаянно. Тебе не надо на мне жениться, тебе даже не надо делать мне предложение. Я знаю, что ты благородный человек, что в тебе много рыцарства и...

Повернувшись, он улыбнулся ей.

— Ты серьезно так обо мне думаешь? Ты считаешь, что я прошу выйти за меня замуж каждую женщину, с которой сплю?

Ответа не требовалось, стоило только взглянуть на ее лицо, на котором был написан ответ.

— Любимая, — сказал Мак и, подавив улыбку, пригладил ее растрепанные волосы, — не знаю, почему ты записала меня в святые, но ты ошибаешься. Твое первое мнение было самым правильным из тех, которые когда-либо высказывала обо мне женщина. Ты хочешь знать правду?

Карен кивнула, ее глаза были полны любопытства. Тогда Мак снова улегся и заставил Карен лечь рядом с собой так, чтобы ее голова покоилась у него на плече.

— Я никогда не был влюблен в Элейн. По крайней мере по-настоящему. Теперь я это понимаю, но тогда мне льстило, что она позволяет мне ухаживать за ней.

— Разве это не она бегала за тобой? — спросила Карен и чуть не откусила себе язык за то, что показала свою осведомленность.

Но Мак только улыбнулся.

— Ты должна знать, что я знаком с Элейн с детства и что за ней ухаживала вся наша молодежь. Но она была недосягаемой. Она была прелестной девушкой и к четырнадцати годам уже оформилась как женщина. Мы, молодые люди, занимались тем, что держали пари, кому из нас удастся пригласить Элейн на свидание, но такого счастливчика среди нас не оказалось. Она не ходила на школьные балы, а просиживала за учебниками. Мне кажется, в школе не было ни одного парня, которого бы она не отвергла.

— Ты хотел получить то, что было недоступно? — насмешливо спросила Карен.

— Конечно. В жизни только так и бывает.

Карен была слишком заинтересована рассказом, чтобы обратить внимание на суть его философии.

— Так или иначе, ты все-таки ее заполучил.

— В какой-то мере да. Четыре года назад она явилась ко мне в контору с просьбой помочь ей советом в покупке акций. И я...

— Ты клюнул и предложил ей выйти за тебя замуж, чтобы показать остальным, что ты ее добился.

— Можно сказать и так.

— Значит, в какой-то степени художник тебя спас? — расхохоталась Карен.

Мак немного подумал, прежде чем ответить.

— Мне интересно, как ты сумела вытянуть из матери эту информацию. Или кому она ее доверила и кто потом сообщил ее тебе.

Карен только сдержанно кашлянула в ответ.

— Ну а все остальные женщины, которым ты тоже предлагал руку и сердце?

— Удивительно, но после случая с Элейн все женщины почему-то решили, что я жажду вступить в брак. Возможно, они считали, будто я хочу доказать Элейн, что стоит мне только пожелать, и я найду себе другую невесту.

— Поэтому они сами начали вешаться тебе на шею. И ты, конечно, даже не слышал о брачных контрактах и обручальных кольцах!

Мак не принял вызов.

— Еще две недели назад я бы сказал тебе, что был влюблен в Элейн и что, может быть, по-настоящему любил каждую красивую девушку, с которой был помолвлен. Но теперь я знаю, что не любил ни одну из них, потому что, когда я с тобой, Карен, мне не надо притворяться. Для тебя я просто мужчина, а не один из богачей Таггертов, с помощью которого можно пробраться в высшее общество. Во мне ты видишь только меня и никого другого.

Он поцеловал ее в щеку.

— Знаю, что все это очень неожиданно и что тебе надо подумать. И еще я хочу за тобой поухаживать, как и подобает жениху, но сразу предупреждаю, что делаю это с одной целью: я хочу на тебе жениться.

Карен едва удержалась, чтобы не броситься ему на шею с криком «Да, да, я согласна!». Но вместо этого задумалась, как бы решая, стоит ли принимать его предложение.

— Под ухаживанием ты подразумеваешь ужин при свечах и букеты роз? — спросила она.

— А как насчет поездки в Париж, путешествия по Нилу и катания на лыжах в Скалистых горах?

— Посмотрим, — ответила она.

— А что ты скажешь, если я куплю тебе еще два здания в городах по твоему выбору, чтобы ты могла устроить там свои магазины, оборудованные компьютерной системой учета?

— Господи! — Она не могла поверить своим ушам. — Ты имеешь в виду автоматизированный учет?

— Дорогая Карен, если ты выйдешь за меня замуж, я дам тебе свой личный код к моей собственной бухгалтерской системе, и ты сможешь шпионить за мной, сколько душе угодно.

— А ты действительно умеешь ухаживать за девушкой!

— Угу, — подтвердил Мак и положил свою ногу на ее бедро. — А тебе известно, что близнецы — частый случай в нашей семье?

— Я видела тому немало примеров.

Он уже целовал ее шею, а его рука тем временем исчезла под одеялом.

— Не знаю, известно ли тебе, но, чтобы сотворить близнецов, надо заниматься любовью дважды в один день.

— Неужели? А я-то думала, это связано с делением яйцеклетки.

— Ты ошибаешься, при чем тут какие-то клетки? Чем больше любви, тем больше детей.

Карен повернулась к нему всем телом и обняла за шею.

— Может, сделаем ставку сразу на пятерых? — предложила она.

— Я так и знал, что не напрасно в тебя влюбился, — объявил Мак, с готовностью давая себя обнять.

## Эпилог

— Карен! — позвал женский голос за ее спиной, и Карен обернулась так быстро, что уронила покупки. Людская толпа окружала их в торговом центре, и Карен не сразу узнала Риту, мать Стива, с которой познакомилась в тот памятный уик-энд.

К растерянности обеих, Карен внезапно расплакалась, и тогда Рита, обняв Карен за плечи, отвела ее к скамейке возле тихо журчащего фонтана, подала ей бумажную салфетку и терпеливо подождала, пока она успокоится.

— Простите, но я не знаю, что со мной происходит, у меня глаза постоянно на мокром месте. Но я очень рада видеть вас. Как все, как Стив?

— Прекрасно. Все здоровы. А когда вам рожать?

Карен вновь потребовалось несколько минут, чтобы справиться со слезами.

— Это так заметно? — наконец спросила она.

— Только женщине, у которой много детей. А теперь расскажите мне, что с вами. Вы не ладите с Маком? Он ведь женится на вас, не так ли?

Карен высморкалась.

— Да, у нас свадьба через два месяца. Будет не много гостей, все свои, кстати, вы в списке приглашенных. — Карен посмотрела на скомканную мокрую бумажную салфетку в руке. — У нас все в порядке. Все хорошо, только вот...

— Не тяните, вы ведь знаете, что на меня можно положиться.

— Я не уверена, что Мак хочет жениться на мне, — сразу перешла к делу Карен. — Я его заманила... Я соблазнила его... Мне так хотелось иметь ребенка, и он...

Она замолчала, увидев, что Рита смеется.

— Простите, — холодно сказала Карен и начала подниматься со скамьи. — Я не собиралась веселить вас своими проблемами.

Рита схватила Карен за руку и заставила снова сесть.

— Не сердитесь, я не собиралась над вами смеяться, только я никогда прежде не видела, чтобы мужчина так упорно преследовал женщину, как вас преследовал Мак. С чего вы взяли, что он не хочет на вас жениться?

— Рита, вы не имеете никакого представления о том, что вы говорите. Если бы вы действительно знали историю наших отношений, вы бы поняли, что это скорее деловое соглашение, а не брак по любви. Это я все придумала и...

— Простите, Карен, но это вы не знаете, о чем говорите. Известно ли вам, что на свадьбе Стива должно было быть всего шесть, а не семь подружек? Мак в панике позвонил Стиву и признался, что встретил любовь своей жизни и что ему нужен предлог, чтобы провести с ней уик-энд. Седьмая подружка была его идеей. Мак заплатил втридорога, чтобы для вас сшили платье вашего размера, и еще ему пришлось потратиться на смокинг для знакомого, который согласился быть седьмым дружкой.

Карен уставилась на Риту:

— Любовь его жизни? Но уже при первой нашей встрече он сообщил мне, что ищет кого-то, кому бы подошло седьмое платье.

— У Стива с Кэтрин множество друзей, им не нужна была одна из девушек Мака. Тем более что возлюбленные Мака менялись с ужасающей быстротой.

— Но я чего-то не понимаю, — потрясла головой Карен. — Не думаю, чтобы Мак видел меня когда-нибудь до рождественской вечеринки. Для чего ему надо было выдумывать эту историю? Почему? Я не понимаю.

— У семьи Таггертов есть своя пословица: «Женитесь на той, которая умеет различать близнецов».

Лицо Карен по-прежнему выражало недоумение.

— Вы помните, Карен, в кабинете Мака есть снимок мужчины с нанизанной на бечевку рыбой?

Некоторое время Карен безуспешно рылась в памяти, пока не вспомнила тот вечер, когда она обследовала кабинет Мака и уронила там рамку с фотографией, разбив стекло.

— Да, я помню. Это ведь один из его братьев? Я еще сказала Маку, что никогда прежде не видела этого мужчину.

— Это была фотография брата-близнеца Мака, их с Маком не различить.

— Как это не различить! Да они совсем не похожи! — возмутилась Карен. — Он... — Она умолкла, собирая разбегающиеся мысли. — Значит, Мак выдумал историю с недостающей подружкой?

— Всю — от начала до конца. Он предложил оплатить все свадебные расходы, если Стив сделает так, чтобы вы участвовали в церемонии. И еще он разрешил Стиву полгода бесплатно пользоваться своим любимым быстроходным катером, только бы он поместил вас с ним в одну комнату. Те серьги, что Мак подарил вам, — это семейная реликвия Таггертов, которую дарят только законным женам. Подчеркиваю: не возлюбленным, а женам. И еще мне известно, что в тот уик-энд он дважды звонил домой и подробно рассказывал, какая вы умница и красавица и что он делает все возможное и невозможное, чтобы завоевать вашу любовь.

Рита дружески сжала руку Карен.

— Вы, наверное, заметили, каким неразговорчивым был Мак в вашем обществе. Мы подшучивали над ним, что он боится открыть рот, чтобы не сказать что-нибудь невпопад. Он признался Стиву, что раньше старался вас не замечать, потому что на работе ему сказали, что вы пускаетесь наутек от всякого мужчины, который проявит к вам интерес.

— Он рассказал своим невесткам о магазине, который я собираюсь открыть, — добавила Карен полным нежности голосом.

. — Дорогая Карен, он только о вас и говорил.

— Но я думала, он предложил мне выйти за него замуж, потому что... — Карен смолкла и умоляюще посмотрела на Риту. — Потому что я попросила у него...

— Я никогда не встречала мужчину, который бы так безумно влюбился в женщину с первой встречи. Он рассказывал, как вы взяли в руки рамку с фотографией у него в кабинете, как он только раз посмотрел вам в глаза — и другие женщины перестали для него существовать.

— Почему же он ничего не сказал мне? — удивилась Карен.

— Мак не сказал вам, что он вас любит? — ужаснулась Рита.

— Нет, он говорит все время, но я...

Карен поднялась со скамейки. Разве могла она признаться, что не верила Маку, не могла заставить себя поверить, чтобы такой человек, как Макаллистер Таггерт, мог...

— Мне пора идти, — поспешно сказала Карен. — Мне надо... Боже мой, Рита, как мне вас благодарить! — И когда Рита тоже встала, Карен изо всех сил обняла ее. — Вы сделали меня самой счастливой женщиной на свете. Я сейчас пойду и скажу Маку, что...

Карен остановилась, соображая, что она ему скажет.

— Чего же вы ждете? Торопитесь! — засмеялась Рита.

Но ее слова повисли в воздухе, потому что Карен уже исчезла.

# Андреа Кейн
## Рождественский подарок

# Andrea Kane
# YULETIDE TREASURE

Моему величайшему сокровищу: моей семье, которая каждый день, бесчисленное количество раз учит меня тому, что такое любовь.

# Глава 1

Дорсетшир, Англия
Октябрь 1860 года

Она вернулась.

Громкий стук в дверь, а затем быстрый топот удаляющихся шагов не могли означать ничего другого.

Яростно выругавшись, Эрик Бромлей, седьмой граф Фаррингтон, вскочил, вышел из гостиной и в раздражении пересек холл широкими шагами.

Ему незачем было гадать, кто к нему приехал. У него не было никаких сомнений в том, кто это. Гости исключались. Никто не смел приехать с визитом в поместье Фаррингтон с тех пор, как пять лет назад он закрыл двери своего дома для всего остального мира.

Кроме тех, кто приезжал, чтобы доставить во всех отношениях нежелательную посылку.

Эрик пинком ноги отбросил с дороги стул, не замечая, как разлетелся «шератон» с решетчатой спинкой, ударившись о стену. Глаза его горели яростью, когда он навалился на входную дверь, — грозный воин, решивший встретиться лицом к лицу с непримиримым врагом.

Широко распахнув дверь, он прикрылся рукой от тучи пыли, поднятой быстро удаляющейся каретой — второй за этот месяц и двадцать второй за четыре года.

Пыль улеглась, и Эрик машинально опустил горящий взор. Он встретился взглядом с озорницей трех с половиной футов росту, которая стояла на крыльце и смотрела на него бесстыжими сапфировыми глазами без малейшего намека на смущение или стыд.

— Здравствуй, дядя. Мы с Пушком, — она крепче прижала к себе несколько потрепанного мохнатого игрушечного котенка, — вернулись. Миссис Лоули велела передать тебе, что меня уже нельзя перевоспитать, ибо я... я, — она сморщила носик, — закос-тенела в грехе.

С этими словами она ногой отодвинула в сторону свою дорожную сумку, сбросила капор и пальто и швырнула их на пол. Через секунду девочка пулей промчалась мимо Эрика.

— Закоснела, — проворчал Эрик, укоризненно глядя на разбросанную одежду. — Закоснела в грехе. Черт знает что.

И сразу же вслед за его проклятием дом содрогнулся от удара.

Эрик резко повернулся и бросился на этот звук. Он вбежал в зеленую гостиную, где его племянница стояла возле погасшего камина, а у ее ног лежали осколки античной вазы.

— Пушок хотел посидеть на этом столике. — Она показала на опустевшую поверхность. — Там стояла твоя ваза. Поэтому я ее убрала. Пушок не хочет ни с кем сидеть рядом.

— Ноэль. — Опущенные руки Эрика сжались в кулаки. — Что ты натворила у Лоули? Почему они привезли тебя назад?

В ответ девочка равнодушно пожала плечами.

— Их собака пыталась укусить Пушка. Поэтому я ее укусила.

— Ты укусила их...

— Всего лишь за хвост. Кроме того, она толстая и безобразная. И ее хвост тоже.

— Лоули — последняя приличная семья, больше в приходе никого не осталось, — взревел Эрик, игнорируя ноющую боль под ложечкой при взгляде на поднятое к нему личико Ноэль — точную копию лица ее матери. — Что, черт возьми, мне теперь с тобой делать?

— Не произноси слова «черт», а то он и вправду тебя заберет.

На виске у Эрика забилась жилка.

— Если, конечно, ты сам не черт, как говорит миссис Лоули. Она говорит, что ты сам Дьявол. Это правда?

Внутри у Эрика что-то оборвалось. Он внезапно пересмотрел клятву никогда не появляться на людях, которую дал в тот день, когда заточил себя в Фаррингтоне.

— Подойди сюда, Ноэль, — приказал он.

— Зачем? — В ее проницательном взгляде не было страха, только любопытство.

— Потому что я тебе приказываю. Прихвати пальто.

Явно заинтригованная, она подняла брови.

— Мы не можем никуда поехать. Ты никогда не уезжаешь из Фаррингтона.

— Сегодня уеду. Вместе с тобой. Мы едем в деревню. Пора раз и навсегда решить, где тебе жить. Иди за мной. — Он зашагал к двери и остановился на пороге. — Советую тебе слушаться меня. Если мне придется повторять свои слова, то я стану далеко не таким любезным, как сейчас.

Ноэль скрестила руки на груди.

— Даже если ты меня выпорешь, я никуда не поеду без Пушка.

— Прекрасно, — прогремел Эрик. — Забирай свою облезлую игрушку. Я сейчас выведу фаэтон.

На секунду Ноэль вздернула подбородок, и Эрик подумал, что она хочет бросить ему вызов. Затем на ее глаза опустилась завеса ресниц, девочка пожала плечами, подобрала игрушечного кота и молча пошла следом за Эриком в холл.

Он боролся с яростью, поднимавшейся в нем темной, душной волной.

Эти мучения должны кончиться. И даже если эта поездка снова заставит разгореться адский огонь, он положит им конец.

## Глава 2

— Вы понимаете, о чем просите?

Руперт Каррен стиснул край деревянной скамьи, на которой сидел, и поднял глаза к куполу церкви — то ли для того, чтобы призвать Бога на помощь, то ли чтобы предостеречь его, Эрик не понял.

— Полагаю, что выразился достаточно ясно, викарий, — ответил Эрик. — Вам нечего рыдать и взывать к милосердию какого-то якобы Высшего Существа. Я пришел не для того, чтобы убить вас или ваших прихожан. Как я уже объяснил, я ищу подходящую гувернантку для моей племянницы, за эту услугу подходящая кандидатка будет щедро вознаграждена. Более того, чтобы выразить свою признательность, я пожертвую вашей церкви пять тысяч фунтов, в которых она явно нуждается. — Тут Эрик бросил быстрый взгляд на облезлые церковные стены.

— Вероятно, некоторых людей и можно купить, милорд. — Каррен встал, его морщинистое лицо выражало негодование. — Но не меня. Материальные блага ничего не значат, если за них нужно принести в жертву жизнь молодой женщины.

Одна черная бровь взлетела вверх.

— Принести в жертву жизнь? А кто, как вы опасаетесь, на нее покушается — Ноэль или я?

— Подобный вопрос не заслуживает ответа.

— Тем не менее я бы хотел его услышать. Поскольку я оборвал все связи с окружающим миром, мне любопытно знать, у кого репутация хуже — у меня или у моей племянницы?

— Ваша племянница — ребенок, милорд, — с отвращением ответил викарий. — Я убежден, что если бы она четыре года воспитывалась с должной любовью и под должным руководством, то стала бы веселой, хорошо приспособленной к жизни девочкой и весь этот разговор был бы излишним.

— В самом деле? Тогда скажите мне вот что, викарий: если Ноэль, чтобы быть счастливой, только и нуждается что в должном руководстве, почему каждая из добродетельных семей вашего прихода возвращала ее обратно в течение... дайте подумать... — Эрик задумчиво постучал друг о друга кончиками пальцев сведенных ладоней, — самое большее шести месяцев. Это когда она жила у Виллетов. Уверен, если рай действительно существует, эти добрые души обеспечили себе там почетное место. С другой стороны, были еще Филды, которые вытерпели Ноэль всего каких-то полтора дня, пока она не подожгла их кухню — вместе с кухаркой. В общем, по моим прикидкам, средний срок пребывания племянницы в одном доме равен трем месяцам.

— У ребенка бывают свои причины вести себя подобно Ноэль, — спокойно ответил Каррен. — Но такой человек, как вы, не узнает об этих причинах и не поймет их. Поэтому я даже пытаться не стану ничего вам объяснять.

— Прекрасно. Тогда если не репутация Ноэль наполняет ужасом сердца ваших прихожан и мешает вам выполнить мою просьбу, то, полагаю, дело во мне.

Несколько секунд викарий молча смотрел в алтарь. Затем ответил:

— Вы не покидали своего поместья пять лет, лорд Фаррингтон. А до этого... Ну, мне нет необходимости рассказывать вам, насколько шокированы были прихожане смертью Лизы и той ролью, которую вы сыграли в трагедии, приведшей к ее безвременной кончине. Большинство ваших бывших слуг до сих пор бледнеют, вспоминая о тех последних неделях. Это была ужасная трагедия, равной которой не знал наш маленький, тихий приход. Если говорить без обиняков, вся деревня в ужасе от вас. Ни один человек, как бы он ни нуждался, не согласится доверить вам свою дочь.

Лицо Эрика окаменело при упоминании имени сестры.

— Я с вами не согласен, викарий. Если сумма будет достаточно большой, люди согласятся на что угодно. Даже на переговоры с самим дьяволом.

Каррен покачал головой:

— Вы ошибаетесь, милорд. Тем не менее существует и еще одно, не менее важное препятствие, которое нам еще предстоит обсудить. Фаррингтон опустел, в нем не живет никто, кроме, разумеется, вас — и теперь Ноэль. Вы уволили всех слуг сразу после смерти Лизы и, полагаю, так никого и не наняли?

— Правильно. И не собираюсь менять положение дел.

— Вам решать. Однако, вероятно, вы хотите, чтобы гувернантка Ноэль жила в Фаррингтоне?

— Обычно гувернантки живут в домах своих воспитанниц.

— Действительно, это так. Но это необычная ситуация. Вы не женаты и предлагаете респектабельной женщине жить в доме, где нет никого, кроме вас и четырехлетнего ребенка. Даже если бы ваше прошлое было незапятнанным, а репутация безупречной, ни одна приличная молодая женщина не приняла бы ваше предложение.

Эрик мрачно насупился.

— Об этом я не подумал. А наверное, следовало. — Эрик быстро перебрал варианты. — Прекрасно. Я сделаю поправку к своему предложению. — В его глазах вспыхнула решимость, решимость прозвучала и в голосе. — Я увеличу свое пожертвование церкви с пяти тысяч фунтов до десяти, и вместо гувернантки вы подыщете мне жену.

— Жену? — Каррен резко поднял голову и запустил обе руки в свои седые волосы. — Прямо вот так?

— Прямо вот так. — Эрик встал. — Уверен, вам известно, что я очень состоятельный человек. За последние пять лет я не только вернул свое состояние, я его удвоил. В качестве жены эта женщина получит доступ ко всем моим деньгам. Ей не придется ограничивать себя в расходах или отчитываться передо мной в своих тратах. Она сможет выписывать себе все, что пожелает: драгоценности, одежду — целый чертов гардероб, если захочет, — и любые другие дурацкие штучки, которые требуются женщинам. Мне абсолютно наплевать, что она будет покупать, что делать, кстати сказать. При условии, что она будет это делать в пределах моего поместья и исключительно в тот очень короткий период времени, когда Ноэль спит. Само собой разумеется, ее поведение должно быть безупречным, так как она будет единственным примером для Ноэль и ее единственной собеседницей. Любая кандидатка должна осознать, что Ноэль будет поручена исключительно ее заботам. Она должна будет не только надзирать за ней, но и — говоря совершенно откровенно — держать ее от меня как можно дальше. И еще одно. Удостоверьтесь, что женщина, которую вы выберете, обладает спокойным характером. Не будет никаких экскурсий в Лондон, никаких балов и званых вечеров, никаких пикников на природе. Короче, я не собираюсь выезжать из Фаррингтона, и она, будучи моей женой, тоже.

— Иными словами, она станет вашей пленницей.

Глаза Эрика вспыхнули.

— Нет, викарий, она не станет моей пленницей. Она станет воспитательницей Ноэль. И эта обязанность будет занимать все ее время, хотите верьте, хотите нет.

— А как насчет семейных уз молодой леди?

— Их придется порвать. Никому не разрешено появляться в Фаррингтоне.

— А почему она не может навещать их? Вместе с Ноэль, разумеется. Вы, несомненно, согласитесь, что для ребенка полезно время от времени менять обстановку.

— Нет! — Эрик стукнул кулаком по скамье с такой силой, что дерево задрожало от удара. — Я не хочу никаких связей с внешним миром, какими бы косвенными они ни были. Фаррингтон — и все его обитатели — останутся там, где они есть. А для перемены обстановки в распоряжении Ноэль будут сотни акров для разрушения. Этого должно хватить даже ей.

Проведя рукой по волосам, Эрик постарался успокоиться.

— А теперь, при этих не подлежащих обсуждению условиях, кого вы мне порекомендуете?

Каррен ошеломленно заморгал.

— Не могу же я тотчас назвать вам имя — если вообще смогу. Вам придется дать мне немного времени.

— А в течение этого времени вы доверите Ноэль такому закоренелому грешнику, как я? — спросил Эрик ледяным, насмешливым тоном. — Потому что, откровенно говоря, я сам себе не доверяю.

Викарий открыл было рот для ответа, но тут вопль, вовсе не подобающий воспитанной леди, разорвал церковную тишину.

— Черт ее дери. — Эрик резко повернул голову.

— Лорд Фаррингтон! — воскликнул викарий в праведном негодовании. — Нужно ли мне напоминать вам, что вы находитесь в доме Господнем?

— А снаружи этого дома находится демон, грозящий разрушить его священные стены. — Эрик уже направился к двери. — Я приказал этой разбойнице оставаться на лужайке и развлекаться в одиночестве, пока я разговариваю с вами. За это время она, несомненно, уничтожила ваш сад и все живые создания в нем.

— Ей едва исполнилось четыре года. — Каррен с трудом заставил двигаться свое старое тело и пошел на негнущихся ногах следом за Эриком. — Ее не следует оставлять без присмотра.

— Выполните мою просьбу, и за ней будет присмотр.

Он протянул руку к двери, и в ту же секунду раздался полный ужаса вопль, за которым последовали крики «Эй!» и приближающийся топот копыт.

Эрик вихрем вылетел из церкви и успел увидеть скорчившуюся на дороге, парализованную страхом Ноэль, а также несущуюся, виляющую из стороны в сторону карету, кучер которой отчаянно пытался объехать девочку.

— Господи. — Эрик в два больших прыжка слетел со ступенек церкви, ясно сознавая, что вовремя ему не поспеть.

Неожиданно с противоположной стороны дороги метнулось яркое пятно, кто-то выхватил Ноэль из-под колес кареты и откатился в сторону. Кони взвились на дыбы — раз, другой, — протестующе вскидывая головы.

Карета остановилась.

Воцарилась тишина, прерываемая лишь всхрапыванием испуганных лошадей и тяжелым, неровным дыханием Эрика, пытающегося подавить дикую вспышку чувств, лишивших его способности двигаться.

Где-то за спиной он смутно различал шаги викария и услышал, как тот пробормотал:

— Слава Богу!

Не замечая их присутствия, побледневшая Ноэль подняла голову и уставилась на молодую женщину, которая прижимала ее к своей груди, женщину, только что спасшую ей жизнь.

С воплем ярости она вдруг начала вырываться, колотя по плечам свою спасительницу.

— Отпусти меня! Там Пушок! Мне надо его найти!

Женщина невозмутимо парировала ее удары.

— Прекрати, — тихо скомандовала она, поймав маленькие дрожащие кулачки Ноэль. — Ты не сможешь спасти Пушка — так ты сказала? — если тебя расплющит колесо кареты.

Она сжала руки Ноэль нежным жестом, противоречащим суровости ее тона, затем подняла голову и спокойно посмотрела на потного кучера кареты, который выглядел так, словно встретил привидение.

— Все в порядке, — успокоила она его. — Ребенок не пострадал. Но я бы попросила вас еще минутку не трогаться с места. Это возможно?

Кучер молча кивнул.

— Спасибо. — Женщина поднялась, все еще прижимая к себе Ноэль, и отряхнула дорожную пыль с простого розовато-лилового платья. — А теперь, — обратилась она к девочке, — ты должна мне сказать, что за зверь этот Пушок. Тогда мы его найдем.

— Он кот. — Глаза Ноэль вызывающе блеснули, а подбородок упрямо выпятился, когда она уточнила свое заявление: — Игрушечный кот.

— Отлично. Теперь я знаю, кого искать. — Не обращая внимания на изумленное лицо девочки, женщина спокойно переместила Ноэль под мышку, подошла к карете, присела и заглянула под нее. — Твой Пушок коричневый?

— Да. — Ноэль вытянула шею. — Ты его нашла? Он там?

— Действительно, там. Целый и невредимый. Очень везучий кот. — Спасительница Ноэль повернула лицо к барахтающемуся в ее руках комочку. — Предлагаю тебе сделку. Если пообещаешь вернуться на лужайку, где ты раньше играла, я спасу твоего Пушка. Но если ты отважишься снова выйти на дорогу, прежде чем я к тебе подойду, то я не отвечаю за судьбу Пушка. Договорились?

Ноэль уставилась на нее, словно на сумасшедшую.

— Ты слышала, что я сказала? Пушок не настоящий кот.

— Я слышала. Повторяю, договорились?

Пораженная девочка медленно наклонила голову:

— Да.

— Хорошо. — Женщина поставила Ноэль на землю и мягко подтолкнула вперед. — Беги.

Ноэль бегом бросилась на лужайку.

Ее спасительница одобрительно улыбнулась. Затем, заправив за уши непокорные каштановые локоны, она без церемоний опустилась на колени. С расчетливой осторожностью поползла вдоль кареты, держась на безопасном расстоянии от колес на тот случай, если бы лошади вдруг дернулись. Потом остановилась и пошарила под каретой.

Несколько секунд спустя на свет был извлечен Пушок, крепко зажатый в ее руке.

— Победа, — крикнула она улыбаясь. Но улыбка исчезла, когда Ноэль бросилась вперед. — Стоп. — Женщина подняла ладонь, останавливая девочку. — Мы договорились, что ты остаешься на лужайке. Еще один шаг, и Пушок вернется на опасное место под колесами кареты.

Ноэль резко остановилась.

Ослепительная улыбка вернулась на лицо женщины.

— Прекрасно. Уважаю тех, кто держит слово. — Она оглянулась на кучера: — Благодарю вас, сэр. Вы можете ехать дальше.

Одуревший кучер вытирал лоб грязным носовым платком.

— Спасибо, — хрипло прокаркал он.

— Вам спасибо, сэр. — Она помахала рукой и направилась к Ноэль.

Грохот отъезжающей кареты вывел Эрика из паралича.

В нем вспыхнула ярость, необъятная, как штормовая волна. Он бросился к обочине дороги, где в тот момент спасительница Ноэль передавала Пушка в руки девочки.

— Вот, возьми, — весело произнесла она. — Пушок пережил опасное приключение и ничуть не стал хуже.

Ноэль схватила свою любимую игрушку, но ее широко распахнутые глаза все еще смотрели с недоверием.

— Меня зовут Бриджит, — представилась женщина, погладив Пушка по облезлой голове. — А тебя?

Последовала секунда молчания. Потом ответ:

— Ноэль.

— Ну, Ноэль, поскольку ты явно очень быстро бегаешь, то без труда убежала бы от кареты. Но вот насчет Пушка я совсем не уверена. Надеюсь, ради него в следующий раз ты будешь осторожнее.

— Наверное. — Ноэль подняла взгляд и увидела надвигающегося на нее дядю. — Мне собираются устроить догоняй.

Бриджит подавила улыбку.

— Кто собирается... — И осеклась, увидев нависшего над ними Эрика.

— Ноэль, я приказал тебе оставаться во дворе церкви, — прогремел он. — Какого черта ты делала посреди улицы?

Поджав губы, Ноэль серьезно посмотрела на Эрика.

— Это уже второй раз за одно утро, — объявила она. — Думаю, тебе лучше больше не произносить слово «черт», дядя. Даже у Господа терпение небезгранично.

У спасительницы Ноэль вырвался сдавленный звук — безуспешная попытка подавить смех.

— Вы находите безрассудство и нахальство смешными, девушка? — прорычал Эрик, обрушив на Бриджит всю силу своей ярости.

К его изумлению, она вздернула подбородок и смело встретила его свирепый взгляд.

— Безрассудство — нет, лорд Фаррингтон. И нахальство тоже — по крайней мере его злобную разновидность. Однако в данном случае я должна признать, что замечание Ноэль — хотя и высказанное так непосредственно — вполне заслуживает улыбки.

Удивление вытеснило гнев, и Эрик нахмурился.

— Вы знаете, кто я такой?

— Знаю.

— Откуда?

— У меня прекрасная память, милорд. И пять лет не такой уж долгий срок. Хотя ваша внешность несколько изменилась, — она указала на его небритое лицо и неухоженные волосы, — в целом вы вполне узнаваемы.

— Я вас не помню.

Она чуть-чуть улыбнулась.

— Да, полагаю, что не помните.

Он задумчиво всмотрелся в нее.

— Поскольку вы знаете, кто я такой, то, думаю, вам также известно о моем покрытом мраком прошлом и моем абсолютном — и постоянном — затворничестве.

— Да, мне известна ваша репутация.

— И все же вы меня не боитесь?

— Нет, милорд, не боюсь.

— Почему?

В ее глазах вспыхнули веселые искорки, и они засияли золотисто-янтарным светом.

— Возможно, по глупости. Но понимаете, я провела последние полтора года, обучая детей — целых два десятка, если быть точной, — в возрасте от четырех до четырнадцати лет. В результате я, кажется, приобрела иммунитет и к шоку, и к страху. Даже имея дело с таким печально известным человеком, как вы.

— Бриджит! — Тревожный голос викария прервал их разговор, старик наконец-то добрался до обочины дороги. — С тобой все в порядке? — Он взял ее руки в свои ладони и сжал их.

— Со мной все в порядке, дедушка, — мягко заверила она его. — Измазалась в пыли и растрепалась, но в порядке. — Она потерла испачканную щеку. — Мы все в порядке — Ноэль, Пушок и я.

Дедушка? Эрик прищурился, вглядываясь в ее лицо, и обрывки воспоминаний наконец-то начали всплывать в его памяти.

Крохотная девчушка с темными пушистыми волосами, хвостиком бегающая за викарием на всех церковных мероприятиях. Угловатая девочка в платье с чужого плеча, раздающая монетки и конфеты приходским ребятишкам, выходящим из церкви после рождественского богослужения. Застенчивая девушка-подросток, смущенно улыбающаяся ему, когда он шел по улице, и глядящая на Лизу так, словно она ангел небесный.

Внучка викария.

Сколько же ей было лет, когда он видел ее в последний раз? Самое большее двенадцать или тринадцать.

Прошло пять лет, и угловатой девочки, и застенчивого подростка больше не существует. Конечно, эта решительная молодая женщина, сейчас стоящая перед ним в испачканном пылью платье, имела отдаленное сходство с тем ребенком, которым когда-то была. Стройная и невысокая, макушка ее каштановой головки едва доходила ему до груди. Черты лица остались такими же нежными: тонкая линия подбородка, точеный нос, высокие, красиво очерченные скулы. Ее манера одеваться — результат финансовых трудностей, как он подозревал, — также не изменилась: платье было таким же простым и поношенным, как и тогда.

И все же — испытующий взгляд Эрика продолжал опускаться вниз, — несмотря на измятое, выгоревшее платье, он не мог оторвать глаз от женственных изгибов юного тела, изгибов, не существовавших пять лет назад и делавших совершенно неправдоподобным то озорное поведение, свидетелем которого он только что стал.

Это бесстрашное существо вовсе не походило на девочку из его смутных воспоминаний.

— Милорд?

Вздрогнув, Эрик осознал, что она обращается к нему, быстро поднял глаза и заметил на ее лице выражение неуверенности.

— Что?

Я просто заметила, что вы кажетесь несколько взволнованным; это можно понять, учитывая ту опасность, которой только что подвергалась Ноэль. Могу я вам предложить что-нибудь? Чашку чая?

Внезапное решение настигло его, словно выстрел.

— Да, вы можете мне кое-что предложить, — заявил он. — Но не чай. — Он взял девушку за локоть и подтолкнул в сторону церкви, не обращая внимания на ее сопротивление, поглощенный важностью своей задачи. — Мисс Каррен, не так ли? Я не вижу у вас на пальце обручального кольца.

Она озадаченно бросила взгляд на его пальцы, вцепившиеся в ее руку мертвой хваткой.

Эрик тут же отпустил ее.

— Я не собираюсь причинять вам вред, — заверил он, в его голосе сквозил сарказм. — Собственно, мои намерения честны, что для меня нехарактерно. Ну, так вы мисс Каррен или нет?

— Да, милорд, — подтвердила она, озадаченно сдвинув брови.

— Отлично. Вы не замужем. Далее, вы помолвлены? Связаны с каким-нибудь поклонником? Дали слово?..

— Лорд Фаррингтон, это заходит слишком далеко, — вмешался викарий. — Я сэкономлю вам время и силы. Ответ — нет.

Эрик приподнял бровь:

— Нет? Вы хотите сказать, что ваша внучка еще не сговорена?

— Нет. Я хочу сказать, что она не станет вашей женой.

Бриджит ахнула:

— Женой? Могу я узнать, о чем вы оба говорите?

— Конечно, можете. — Эрик властным жестом остановил возражения викария. — Довольно. Ваша внучка — взрослая женщина. Позвольте ей говорить за себя. — С этими словами он снова повернулся к Бриджит: — Мисс Каррен, буду откровенен. Я только что сделал вашему дедушке деловое предложение, которое обогатит и церковь, и весь приход и которое он не хочет принять.

— Какое же это предложение, милорд?

— Я предложил ему десять тысяч фунтов с тем, чтобы он нашел подходящую гувернантку для моей племянницы Ноэль. Далее, поскольку выбранная кандидатка должна будет поселиться в Фаррингтоне, где никто, кроме Ноэль и меня, не живет, я согласен, чтобы соблюсти приличия, сделать соответствующую молодую женщину своей женой. Она станет графиней Фаррингтон, получит поместье, титул — хоть и потускневший — и средства, которые ей даже и не снились.

В обмен на это она должна будет взвалить на свои плечи трудную и неблагодарную задачу воспитания Ноэль, которая, как вы только что сами убедились, представляет собой неуправляемого демона. Поскольку сплетни распространяются быстро, то уверен, вам известно, что Ноэль брали во все респектабельные семейства прихода и довольно быстро выпроваживали. На сегодня запас респектабельных семейств исчерпан. Поэтому у меня появилась необходимость немедленно найти решение этой проблемы. Откровенно говоря, я никогда не видел, чтобы кто-нибудь справился с Ноэль так хорошо, как это сделали вы. Вы упомянули о своем опыте общения с детьми. Поскольку вы внучка викария, то я уверен, что ваши моральные качества безупречны. Сопоставив все эти факторы, я готов предложить вам то положение, о котором только что рассказывал. Вас это интересует?

С каждым его словом глаза Бриджит становились все больше.

— Вы готовы дать приходу десять тысяч фунтов и взять жену, которую не знаете и не желаете иметь, только для того, чтобы обеспечить воспитание Ноэль?

— Вот именно.

— Почему бы вам самому ее не воспитывать?

Эрик сжал челюсти.

— Это уж мое дело, мисс Каррен, а не ваше.

— Тогда как насчет вашей собственной жизни? Что, если в последующие годы вы встретите кого-нибудь и полюбите по-настоящему? Вы никогда уже не сможете дать ей свое имя, отданное вами гувернантке.

Эрик разразился сардоническим смехом.

— На этот счет вам нечего беспокоиться. За исключением сегодняшнего дня я намерен никогда не покидать Фаррингтон и не возвращаться в общество. Следовательно, у меня не будет возможности встретить эту предполагаемую похитительницу моего сердца. Могу я узнать ваш ответ?

Бриджит побледнела.

— Мой ответ — сейчас?

— Конечно, сейчас. Не вижу необходимости тянуть или размышлять над отдаленными последствиями. — Внезапно пришедшая ему в голову мысль заставила его помрачнеть. — Вы ведь не питаете романтических иллюзий насчет брака по любви, а? Поэтому вы задали этот нелепый вопрос о моей встрече с возможной невестой?

Ресницы Бриджит опустились.

— Я не питаю подобных иллюзий, милорд. По правде сказать, я вообще не предполагала выходить замуж.

— Почему это?

Ресницы поднялись, но открывшийся взгляд ничего не выражал.

— Повторю ваше выражение, милорд: это мое дело, а не ваше.

Он испытал секундную вспышку восхищения ее вызывающим ответом.

— Как хотите. Очень хорошо, в таком случае оставим ваши причины и перейдем к решению. Просто ответьте — да или нет.

— Лорд Фаррингтон, мы обсуждаем женитьбу, а не деловое предприятие.

Эрик пожал плечами.

— В данном случае это одно и то же. Я сделал вам предложение, определил условия, сопровождающие его. Если нас обоих это устраивает, то мы придем к окончательному соглашению.

— Вот так просто?

— Вот так просто. — Эрик не обратил внимания на ее недоверчивое изумление. — После чего у нас не будет никакой необходимости общаться друг с другом. Вы будете заниматься Ноэль и следить, чтобы она не попадалась мне на глаза. Я продолжу свою жизнь в уединении. В результате, мисс Каррен, у вас не будет повода опасаться за свою собственную.

Странный огонек промелькнул в глазах Бриджит.

— Вы твердо намерены и дальше придерживаться этой иллюзии? — тихо спросила она.

Эрик застыл.

— Что это должно означать, черт подери?

— Три раза, — пропела Ноэль. — Теперь ты сказал это плохое слово три раза.

Эрик оторвал изумленный взгляд от Бриджит и неуверенно посмотрел на племянницу.

— Ноэль, — перехватила инициативу Бриджит, присев на корточки перед девочкой и поразив Эрика еще больше — на этот раз своим прямым и эффективным способом укрощать язвительный язычок Ноэль. — Твой дядя — взрослый человек, а взрослым дети не отдают распоряжений и не делают замечаний.

— Почему? Он сказал плохое ругательство.

— Я с тобой согласна. Тем не менее то правило, о котором я тебе только что сказала, соблюдают, даже если взрослый оказывается не прав. Я знаю, это кажется несправедливым, но не меняет того, что правило — это правило, и его надо соблюдать.

Надувшись, Ноэль топнула ножкой.

— Ты сердишься. Я тебя не виню. Я тоже сержусь, когда мне приходится следовать правилам, с которыми я не согласна.

Эти слова заставили Ноэль поднять голову.

— Каким правилам тебе приходится следовать? Ты же взрослая. Ты можешь делать все, что захочешь.

— О, если бы только это было правдой! — Бриджит вздохнула, качая головой. — Но это не так. Позволь сказать тебе кое-что. Взрослые не только соблюдают правила, точно так же как и дети, но часто нашим правилам подчиняться гораздо труднее, а если не подчинимся, последствия бывают куда хуже.

В девочке вспыхнул интерес.

— Правда?

— Правда. Например, если твой дядя будет продолжать произносить ругательства, то ни ты, ни я не сможем ничего сделать, чтобы его остановить. Но я знаю кое-кого, кто может. — Бриджит торжественно подняла глаза к небу, затем в упор взглянула на Эрика. — И если бы я была на месте лорда Фаррингтона, то придержала бы язык. В конце концов, никогда не знаешь, в какой момент Он наблюдает за тобой... и слушает.

Ноэль казалась очень довольной подобной перспективой.

— Бриджит, — вмешался викарий, — прежде чем ты будешь иметь глупость всерьез задуматься над предложением лорда Фаррингтона, тебе следует узнать об одной детали, о которой он еще не упомянул. Той молодой женщине, на которой он женится, будет запрещено покидать его поместье вместе с Ноэль или без нее. Она станет настоящей пленницей в доме, который является не домом, а мавзолеем. Я лучше, чем кто-либо, понимаю твое нежное сердце и твое намерение пожертвовать собой. Но я также понимаю, что это нежное сердце задохнется в такой бесплодной жизни. Поэтому я продолжаю отвечать «нет».

— Я выслушал ваш ответ и ваши сантименты уже несколько раз, викарий, — с ледяным презрением вмешался Эрик. — Но поскольку я не вам предлагаю выйти за меня замуж, то хотел бы услышать ответ вашей внучки. Мисс Каррен? — Он выжидающе смотрел на Бриджит, которая все еще сидела на корточках перед Ноэль, и ждал.

Бриджит посмотрела ему в глаза, перевела взгляд на своего дедушку и, наконец, на Ноэль, которая внезапно нагнула голову и что-то зашептала на ухо Пушку.

Последнее, очевидно, подтолкнуло Бриджит к окончательному решению.

Она встала.

— Я принимаю ваше предложение, лорд Фаррингтон. — Произнося эти слова, она сжала предплечье деда, то ли для того, чтобы его подбодрить, то ли для того, чтобы заставить его молчать. — С некоторыми оговорками.

Осторожность приглушила вспышку облегчения.

— Назовите их.

— Я с удовольствием возьму на себя заботу о Ноэль и выполню свою часть соглашения. Я даже подчинюсь вашему совсем не привлекательному требованию после свадьбы постоянно находиться в Фаррингтоне. Однако я отказываюсь разрывать отношения с моим дедушкой.

Эрик стиснул челюсти.

— А я отказываюсь позволять кому-либо нарушать мое уединение. И также отказываюсь позволять вам с Ноэль таскаться в деревню, чтобы на вас глазели и выспрашивали о варваре, у которого вы живете.

Еще одна искра промелькнула в этих золотистых глазах, а за ней последовала — кто бы мог подумать! — озорная улыбка.

— А визиты посыльных не включены в ваше определение нарушения уединения?

— Простите?

— Посыльные. Они же будут толпами стекаться в Фаррингтон. Иначе как я получу все те дорогостоящие покупки, которые положены графине?

Пораженный этой явной насмешкой, Эрик нервно закашлялся.

— Я вас понимаю. — Последовала пауза. — Ладно, мисс Каррен, — уступил он, хмурясь и отыскивая выход, с которым мог бы примириться. — Ваш дедушка может вас навещать — раз в месяц и в одиночестве. Далее, так как никому не позволено входить в мой мавзолей, — он бросил презрительный взгляд в сторону викария, — ваши встречи будут проходить не в самом доме, а на территории поместья. Если, конечно, вы не предпочтете стать на одну доску с посыльными. В этом случае я согласен, чтобы вы встречались у черного хода в дом.

Ее губы снова изогнулись в улыбке.

— Вполне справедливо.

— И еще, я надеюсь, что во время этих визитов вы не станете пренебрегать своими обязанностями по отношению к Ноэль. Она должна находиться в вашем обществе и в поле вашего зрения постоянно. — Его рот скривился в насмешливой улыбке. — Рассматривайте это следующим образом: вы будете заботиться о благополучии Ноэль, пока викарий убеждается в вашем благополучии.

Улыбка Бриджит погасла.

— Даю вам слово, что никогда не стану пренебрегать своими обязанностями в отношении Ноэль. Этого достаточно?

— Вполне.

— Благодарю, — торжественно ответила она. — И далее. Прежде чем мы обвенчаемся и уедем в Фаррингтон, мне необходимо провести несколько часов в деревне, как для того, чтобы зайти в дома своих учеников, которые заслуживают, чтобы я объяснила им мой внезапный отъезд, так и для того, чтобы поговорить с одной моей подругой, которая сейчас преподает на дому, но будет рада взять на себя мою работу в школе. Откровенно говоря, она единственная, кому я могу доверить своих подопечных.

— Вы так их любите?

— Да.

— Очень хорошо. Считайте, что выполнение двух ваших условий гарантировано.

Бриджит сжала складки своего платья и еще выше вздернула подбородок, чем насторожила Эрика, заподозрившего подвох в ее следующем условии.

— Вы сказали, что я могу свободно тратить ваши деньги по своему усмотрению. Откровенно говоря, я ни в чем не нуждаюсь. Но приход нуждается, и с течением времени все больше, так что даже ваших десяти тысяч фунтов будет недостаточно. Поэтому я хотела бы получить ваше слово, обеспечивающее мне возможность помогать церкви, детям, деревне, финансировать любые расходы, какие прихожане сочтут необходимыми, и не только сейчас, но и во все последующие годы.

— Только слово? — деревянным голосом спросил Эрик.

— Да. Так же, как я дала вам свое слово.

— Что заставляет вас считать, будто моему слову можно верить?

— Инстинкт.

Последовала секундная пауза.

— Значит, даю слово. Вы можете помогать приходу любыми способами и в любое время по вашему выбору. Ваши следующие условия?

— Всего два. Первое: я хочу, чтобы будущее моего дедушки было обеспечено, его место в церкви оставлено за ним до конца его дней. Это приемлемо?

Эрик кивнул:

— Да.

— И последнее: я хочу, чтобы Ноэль благословила наши планы.

— Больше ничего?

— Больше ничего. — Бриджит посмотрела вниз, заправляя прядку темных волос за ухо девочки. — Ноэль?

— Что? — пробормотала Ноэль в ухо Пушку.

— Как ты относишься к тому, чтобы я поехала жить к вам с дядей?

Девочка пожала плечами.

— Я могла бы помогать тебе оберегать Пушка от неприятностей.

Ноэль подняла лицо, оценивающе глядя на Бриджит проницательными сапфировыми глазами.

— Наверное.

— Значит, ты не возражаешь?

— Наверное.

— Отлично. — Эрик откашлялся. — Означает ли это, что ваше решение окончательное?

— Да.

— Хорошо.

Он направился к церкви, обгоняя Бриджит и растерянного викария.

— Буду ждать вашего возвращения. После чего ваш дедушка сможет произвести обряд венчания. — Он помолчал, не оборачиваясь к ней. — Мисс Каррен?

— Да?

— Спасибо за то, что спасли Ноэль.

## Глава 3

— Нет. Даже речи быть не может. Ты не сделаешь этого ужасного шага, руководствуясь каким-то ложным чувством долга передо мной и своими учениками. Ты никому не поможешь, связав себя с таким зверем с черной душой, как Фаррингтон.

Викарий стоял, дрожащей рукой опираясь на комод Бриджит, и смотрел, как она укладывает свой скудный гардероб в открытую дорожную сумку, стоящую перед ней на кровати.

Услышав в его голосе страдание, Бриджит бросила свое занятие и подошла к нему.

— Дедушка. — Она приложила ладонь к его щеке. — Граф вовсе не зверь с черной душой. Мы оба это понимаем. Если не головой, то вот этим. — Она указала на свое сердце. — И не только долг толкает меня принять это решение. Я действительно хочу выйти замуж за лорда Фаррингтона.

— Почему? Из-за твоих детских романтических увлечений? Бриджит, ведь не может быть, чтобы ты все еще цеплялась за них?

— Почему бы и нет? — Она наклонила голову, испытующе вглядываясь в лицо деда. — Разве ты не помнишь, каким он был до того, как... до того...

— Да, до того, — мрачно ответил викарий. — Да, конечно, я помню. Но это было много лет назад. Затем были трагическая смерть Лизы и добровольное затворничество графа — события, гораздо более разрушительные, чем время. Лорд Фаррингтон не тот человек, который пробуждал твои девичьи грезы.

— Я это понимаю. Тем больше причин для моего решения.

Бриджит остановила запротестовавшего было дедушку, мягко покачав головой, спрашивая себя, как заставить его понять, если он не знает самого главного. Но ведь она никогда с ним об этом и не говорила, так как некоторые воспоминания обсуждать было бы слишком болезненно даже с любимым дедушкой, который ее вырастил.

— Дедушка, прихожане со всей округи идут к тебе за советом, чтобы облегчить свое бремя, просто поделившись им с тобой. Почему? Потому что ты умен и сердце твое полно сострадания. Пожалуйста, дедушка, поделись своим даром и со мной.

Викарий вздохнул.

— Я попытаюсь, дитя мое. Это не так-то просто, когда любишь кого-то так, как я люблю тебя.

— Я знаю. И испытываю то же чувство к тебе. И к нашей церкви. Только одна эта любовь могла бы заставить меня принять предложение графа. Но я бы солгала, если бы заявила, что это единственная причина моего поступка. — Она подняла глаза к потолку, словно советуясь с небесами, затем опустила взгляд и встретилась глазами с викарием. — Я понимаю твою тревогу и люблю тебя за это. Но граф страдает. И Ноэль тоже. Я им нужна. Мой долг, нет, — мягко поправилась она, — моя привилегия — помочь им исцелиться. — Серьезно и почтительно Бриджит сжала руки деда. — Сколько раз мы рассуждали о причинах моего беспокойства! Как часто мы удивлялись, почему у меня так пусто в душе, словно я не нахожу своего места в жизни, упускаю какую-то неизвестную цель, которая придала бы смысл моему существованию!

На лице викария промелькнуло выражение страдания.

— Я думал, ты заполнила эту пустоту преподаванием.

— Отчасти, возможно. Но полностью? Никогда. Не то чтобы мне не нравится обучать детей, — поспешила прибавить она. — Очень нравится. И я им была нужна. Но Нора не хуже меня подготовлена для этой работы. В те два раза, когда она приходила в школу, дети толпились вокруг нее, как любопытные щенята. Она прекрасная учительница, и заботливая. Мои ученики будут процветать под ее руководством. Тогда как Ноэль... — Голос Бриджит дрогнул, эмоции захлестнули ее, словно большая, неукротимая волна. — Ты всегда говорил, что, когда в жизни человека наступает самое мрачное время, именно тогда ему просияет луч Божьей помощи. Возможно, сейчас как раз такое время и для графа, и для Ноэль. Возможно, Господь дает мне эту возможность — вернуть в их жизнь радость, помочь им стать семьей. И может быть, всего лишь может быть, открыть сердце лорда Фаррингтона для любви.

Он так нужен Ноэль. Мы с тобой оба понимаем, что за ее дерзким поведением скрывается всего лишь заброшенный ребенок.

— Это правда. Но способен ли граф дать ей то, в чем она нуждается? Может ли такое холодное сердце научиться любить?

— Сердце лорда Фаррингтона нужно разбудить, а не научить. Подумай, дедушка. Вспомни то, что сам мне рассказывал, — как граф занимался воспитанием Лизы?

Глядя в сторону, викарий мысленно перенесся почти на два десятилетия назад.

— С тех пор прошла целая жизнь, — пробормотал он, — но я помню. Лиза была совсем малышкой, а граф только что сам вышел из детского возраста, когда их родители погибли в море. Лорд Фаррингтон отказался отдать Лизу в те бесчисленные семейства, которые предлагали взять ее на воспитание. С помощью слуг он окружил ее заботой, дал образование...

— И любовь, — закончила Бриджит. — Даже я это помню — не с самого начала, разумеется, так как Лиза всего на два года старше меня, но с того времени, когда ей уже было лет шесть или семь. Они с лордом Фаррингтоном посещали церковь каждую неделю, приезжали перед самым началом службы. О, с каким нетерпением я ждала появления их кареты! Я смотрела, как они выходят, — прекрасная принцесса и ее опекун, прямо со страниц волшебной сказки. Лорд Фаррингтон и сам был похож на принца: заботливый, преданный и такой красивый, что трудно было не смотреть на него. Его улыбка — я помню ее очень хорошо. Она начиналась в его глазах, потом спускалась к губам. Она была такой ослепительной, что могла растопить зимний снег. — Воспоминания зажгли свет в глазах Бриджит. — Каждый год, когда ты служил рождественскую службу, он незаметно совал подарок в карман пальто Лизы. И только когда они покидали церковь, она его находила. Тогда она взвизгивала и целовала его, а он смеялся таким чудесным раскатистым смехом... — Голос Бриджит дрогнул.

Викарий приподнял ее лицо за подбородок, чтобы заглянуть в глаза.

— Твое увлечение графом началось раньше, чем я думал.

— Наверное. Но увлечение или нет, то, о чем я говорила, было фактами, а не чувствами. Лорд Фаррингтон был примерным братом. Он боготворил Лизу. Такого человека не надо заново учить любви.

— Бриджит, — тихо произнес викарий, — все это потом изменилось. Граф стал другим, потеряв состояние: злобным, нетерпимым. Его преображение было ужасным. И я говорю не только о физическом преображении, хотя и его одного достаточно, чтобы напугать человека. Но его неухоженные волосы и небритое лицо меркнут перед черной пустотой в его глазах и душе. О скольких его выходках мы слышали? Он погрузил свой дом во тьму, наполнил его молчанием, не говоря уж об ужасных приступах ярости. Неудивительно, что меньше чем через два месяца Лиза сбежала.

— Если Лиза так боялась брата, почему она вернулась? — спросила Бриджит.

— Она осталась одна, беременная. Ей больше некуда было идти. Поэтому она искала убежища в Фаррингтоне, где и родила Ноэль на Рождество. И опять-таки, по словам слуг, следующие недели были мучительными. Мучительными и полными насилия.

— Лиза умерла за границей, дедушка, не в Фаррингтоне.

— Да, знаю. Но что заставило ее снова бежать? А если это и правда был страх? Если у графа действительно такой тяжелый нрав, как об этом рассказывали слуги? Что, если этот нрав и был причиной побега Лизы и в конечном итоге причиной ее гибели?

— Я в это не верю. Лорд Фаррингтон никогда бы не обидел Лизу. Разве ты только что не видел, какая боль отразилась на его лице, когда он смотрел на Ноэль? Не чувство вины, дедушка, а страдание, такое сильное, что ему невыносимо находиться с ней рядом. Почему? Потому что она — копия своей матери. Он так никогда и не смог примириться с потерей Лизы.

— Даже если это и так, то теперь страдает Ноэль.

— Согласна. Ноэль видит только, что дядя ее отталкивает, и не видит за этим его боли. Она слишком мала, чтобы понять. Но я-то понимаю. И хочу помочь. Пожалуйста, дедушка, позволь мне это сделать! В глубине души я чувствую, что поступаю правильно. И в то же время я добуду для прихода средства, которые позволят ему выжить. Не только сейчас, но и в будущем.

Викарий откинул волосы со лба Бриджит.

— Дитя мое, даже если я отброшу сомнения по поводу лорда Фаррингтона, мне все же не по себе. Ты не представляешь себе, что значит быть женой. Я никогда не готовил тебя...

— Я знаю, что с этим связано, — мягко перебила Бриджит. — Однако, вероятнее всего, твоя тревога беспочвенна. Лорд Фаррингтон не дал нам никакого повода считать, что ему нужна не только гувернантка: он готов дать ей свое имя, а не делить с ней ложе.

— И все же ты — красивая молодая женщина, а граф — мужчина. — Каррен нахмурился. — Мне следовало предвидеть этот день и лучше подготовиться к нему. Но годы промчались так быстро, а я и не заметил. Только что ты была застенчивой маленькой девочкой. И вот ты уже взрослая, восемнадцатилетняя женщина и готова начать собственную жизнь. — Он изумленно покачал головой. — Неужели я не замечал никаких признаков? Были ли джентльмены, проявлявшие к тебе интерес?

— Нет, — с вызовом ответила Бриджит. — По крайней мере ни одного, который заинтересовал бы меня.

— Из-за лорда Фаррингтона?

Ее взгляд был абсолютно откровенным.

— Да.

Викарий умолк, удивляясь, почему всей Его предполагаемой мудрости недостаточно, чтобы одарить его прозрением, необходимым именно сейчас. Разрываясь между рассудком и любовью, он страстно желал услышать голос свыше, умолял Его дать ему совет.

В конце концов, викарий не был уверен, чему он скорее готов подчиниться — боле Божьей или умоляющему выражению лица Бриджит.

— Ладно, девочка, — смягчился он. — Я обвенчаю тебя с лордом Фаррингтоном. Только молю Бога, чтобы это был правильный поступок — для тебя и для Ноэль.

— Он правильный. — Бриджит крепко обняла его. — Спасибо, дедушка. Мне надо поторопиться и закончить сборы. Осталось навестить всего троих учеников. Потом я буду готова.

— Буду ждать тебя в церкви. — На его лице появилась тень улыбки. — Это в том случае, если церковь еще не рухнула. Граф и Ноэль пробыли там несколько часов. Возможно, к этому времени все сооружение уже лежит в руинах.

Бриджит улыбнулась.

— Тогда мы отстроим ее заново.

— Здания гораздо легче построить заново, чем жизнь.

— Это правда. Но и результат не приносит такого глубокого удовлетворения. — Бриджит нежно поцеловала деда в щеку. — Не тревожься, — шепнула она. — Я еду в Фаррингтон не одна. Я беру с собой твои самые драгоценные дары: любовь, решимость и глубокую веру. Вооруженная всем этим, как я могу потерпеть неудачу?

## Глава 4

Через два часа уверенность Бриджит подверглась первому испытанию.

Над ней нависло реальное доказательство трудности ее задачи: Фаррингтон-Мэйнор.

Сбросив пальто, она внимательным взглядом окинула свой новый дом. Холл у входной двери был пуст, лишен какой-либо обстановки, если не считать перевернутого стула, лежащего на деревянном полу, и маленькой дорожной сумки Ноэль, как догадалась Бриджит. Освещение минимальное, высокие потолки, голые стены.

Наполнить эти стены предстояло ей.

Она глубоко вздохнула, чтобы собраться с силами, и напомнила себе, что нет невыполнимых задач. Фаррингтон пуст, но не холоден. Его сердце спит, его душа погружена во тьму.

Но как его разбудить?

— Вы с Ноэль можете делать что пожелаете, — объявил Эрик, швыряя свое пальто в ближайший гардероб. — Как видите, дом довольно просторный. Службы вокруг него расположены на большой территории. Я провожу большую часть времени в своих комнатах. Следовательно, не стоит беспокоиться, что наши пути пересекутся. — Он наклонился, подхватил за ручку единственную сумку Бриджит. — Отнесу ее в вашу комнату. — С этими словами он направился к лестнице.

— Подождите.

Спина Эрика напряглась, и он повернулся лицом к новобрачной.

— В чем дело?

— Прежде чем вы уйдете, я хочу задать несколько вопросов, на которые вам придется ответить. Во-первых, где находится моя комната? И, кстати, комната Ноэль. Не говоря уж о кухне и классной комнате. — Произнося эти слова, Бриджит положила руку на плечо Ноэль, чтобы сдержать ее, догадываясь о нетерпении девочки и сочувствуя ей. В конце концов, она долгие часы провела взаперти: ждала в церкви вместе с Эриком, потом стояла рядом, пока они обменивались клятвами, и, наконец, сидела в карете по дороге домой. В результате она сейчас была похожа на сжатую пружину, готовую лопнуть.

И если это случится... ну, Бриджит не испытывала желания видеть реакцию Эрика.

— Я не отниму у вас много времени, милорд, — продолжала Бриджит. — Но как вы сами только что сказали, дом огромен. Поэтому если вы не можете снабдить меня картой, то мне потребуются некоторые разъяснения.

Эрик посмотрел ей прямо в глаза, выражение его взгляда разгадать было невозможно. В конце концов он кивнул:

— Прекрасно. — Он вернулся обратно. — Идите за мной.

— Мы с Пушком не будем жить в той розовой комнате, — заявила Ноэль, когда они проходили площадку второго этажа. — Она уродливая, и Пушок терпеть ее не может. И зеленая комната ему тоже не очень-то нравится. В ней полно глупых статуй, которые ничего не делают. Только бьются.

Бриджит заметила, как напряглись узловатые жилы на шее Эрика, — единственное указание на то, что он слышал нахальные рассуждения Ноэль. Сама она вынуждена была прикусить губу, чтобы удержаться от смеха.

Они пошли по кажущемуся бесконечным коридору.

— Моя любимая комната — голубая, — продолжала Ноэль. — В ней большое окно и длинные шторы. Когда мне скучно, я с их помощью спускаюсь из окна вниз.

— Ты уничтожила эти шторы во время своего последнего пребывания здесь, — ледяным тоном ответил Эрик. — Ты порезала их на кусочки, чтобы сшить зимнее пальто для этой потертой штуки. — Он мотнул головой в сторону Пушка, не останавливаясь и не замедляя шага.

— Пушок не «эта штука», а «он».

— Все равно, штор больше нет. Попроси свою воспитательницу заказать новые. — Он резко остановился и объявил: — Голубая комната. — Распахнул дверь и поставил в комнату сумку Ноэль.

Бриджит заглянула внутрь.

— Очень красиво, — пробормотала она с улыбкой, бросая оценивающий взгляд на кровать под пологом и широкие, хоть и вызывающе голые без штор, окна. — Очень хорошо, если это будет комната Ноэль. — Бриджит обернулась и задумчиво посмотрела на противоположную сторону коридора. — Я займу комнату прямо напротив этой. — Она стремительно подошла к ней и взялась за ручку двери.

— Нет!

Окрик Эрика прозвучал как выстрел. Бриджит испуганно попятилась, широко раскрыв глаза и вопросительно глядя на него.

— В эту комнату нельзя заходить, — прогремел он, наступая на нее. — Никогда. Она заперта. И таковой останется. Это ясно?

Бриджит молча кивнула.

— Если вы хотите быть рядом с Ноэль, занимайте комнату рядом. — Эрик схватил Бриджит за локоть и повел к следующей комнате. — Уверен, эта комната вам понравится. Если же нет, можете выбирать из десятка других. Одна из них вас, несомненно, устроит.

Переведя дыхание, Бриджит спросила:

— А какие комнаты ваши?

Эрик поднял брови, удивление явно вытеснило гнев.

— Здесь их нет. Я живу в другом крыле. А что?

— Я хочу знать точно, куда нам с Ноэль запрещено ходить. Таким образом мы сможем предотвратить неприятные вспышки дурного характера, подобные той, которую вы нам только что продемонстрировали.

Какая-то искра — неужели восхищения? — вспыхнула в черных глазах Эрика.

— Полагаю, это разумно. Мои комнаты находятся в дальнем конце этого коридора, в восточном крыле. Что касается ограничений, то, кроме той спальни, к которой вы только что подходили, и, разумеется, моей, вы можете заходить в любую комнату по своему выбору. — Он откашлялся. — Считайте этот дом своим.

— Благодарю вас, — серьезно ответила Бриджит, вглядываясь в жесткие черты его лица. — Теперь, если вы покажете мне, где находится кухня, я больше не стану вас беспокоить. Мы с Ноэль и Пушком разместимся и начнем знакомиться. Вероятно, осмотрим хозяйство. Если, конечно, Ноэль не разобьет эту красивую лампу на ночном столике — ту, которую она опрокинула набок и через которую прыгает Пушок. В этом случае мы проведем остаток дня за уборкой осколков стекла. Правильно, Ноэль?

Ноэль подпрыгнула, пораженная тем, что Бриджит знает о ее занятии.

— Откуда ты знаешь, что мы с Пушком делаем? — спросила она, глядя на профиль Бриджит. — Ты же смотришь на моего дядю.

— Я умная. — Бриджит усмехнулась, поворачиваясь к ней лицом. — И ты тоже. Поэтому, я уверена, ты согласишься, что жаль будет потратить остаток этого чудесного осеннего дня на собирание осколков той самой лампы, при свете которой я собиралась почитать тебе перед сном сказку. Признаю, что выходки Пушка забавны. Но стоят ли они того, чтобы принести им в жертву прогулку на свежем воздухе и вдобавок час захватывающего чтения? Выбор за тобой, маленькая буря. И разумеется, за Пушком.

Глаза Ноэль стали круглыми, как блюдца.

— Ты не собираешься меня наказывать?

— За что? Ты ничего не сделала — пока. — Бриджит подмигнула ей с заговорщицким видом.

Ноэль медленно поставила лампу на место.

— Пушок любит прыгать, — сообщила она Бриджит, накручивая локон на палец. — Но кучи листьев нравятся ему больше, чем лампы.

— Это я могу понять. Бегать по лесу гораздо интереснее и безопаснее, чем прыгать по маленькой тумбочке. — Улыбка Бриджит согрела Ноэль своим теплом. — Если ты позволишь мне еще минуту поговорить с твоим дядей, я обещаю помочь тебе собрать самую большую кучу листьев, которую тебе доводилось видеть, такую, которая даже Пушка удивит. Тебе это подходит?

Последовал решительный кивок.

— Отлично. И еще, Ноэль, — прибавила Бриджит с нескрываемым удовольствием. — Я горжусь тобой. Ты приняла взрослое и ответственное решение. Пушку повезло, что ты за ним присматриваешь. — И с этими словами она снова повернулась к Эрику, едва не расхохотавшись при виде его ошеломленного лица: — Так где кухня, милорд?

— Гм-м-м? Ах, кухня. — Он запустил пальцы в свои густые волосы. — Она прямо над кладовой, это внизу под лестницей справа. Продукты доставляют раз в месяц, так же как уголь, дрова и все другие необходимые мне припасы. Полагаю, вы умеете готовить?

— Конечно.

— Прекрасно. Потому что мои потребности очень скромны, и я сам о себе забочусь. Однако я хорошо плачу поставщикам. Поэтому заказывайте любые продукты, которые нужны вам и Ноэль. Они непременно вам их доставят.

— Превосходно. — Глаза Бриджит вспыхнули. — Теперь вы можете нас покинуть, милорд.

Губы Эрика почти незаметно дрогнули.

— Уверен, что могу.

Озадаченно взглянув на Бриджит, а затем на Ноэль, он резко повернулся и отправился по коридору в восточное крыло.

— Ты ему нравишься, — пропела Ноэль.

— Что ты сказала?

— Дяде. Ты ему нравишься.

Бриджит скрестила руки на груди.

— В самом деле? Откуда тебе это известно?

Девочка равнодушно пожала плечами.

— Он на тебя так смотрит. И хотя он на тебя разозлился, все равно чуть не улыбнулся после того, как устроил тебе догоняй.

— Вот как. Понятно.

— Он тебе тоже нравится. Правда?

Бриджит с сожалением посмотрела в удаляющуюся спину Эрика.

— Да, Ноэль, нравится. Очень.

— Как это получается, что ты не врешь?

— Что? — Бриджит снова переключила внимание на свою любознательную маленькую подопечную.

— Взрослые всегда врут.

— Не все взрослые. И уж конечно, не всегда.

— Ты другая, — возразила Ноэль. — Ты не врешь. Ты не разговариваешь со мной так, будто я слишком глупая, чтобы понять. Ты обращаешь внимание на Пушка. И ты даже не ненавидишь меня.

— Ненавидеть тебя? — Бриджит испытала ощущение, как если бы в ее сердце воткнули нож. — А за что тебя ненавидеть? Ты умная, сообразительная и храбрая.

Ноэль еще раз пожала плечами.

— Папа меня ненавидел. Я слышала, как миссис Лоули говорила, что он даже не хотел со мной познакомиться. Конечно, миссис Лоули тоже меня ненавидела, как и остальные семейства, которые отвозили меня обратно в Фаррингтон. А дядя? Он меня больше всех ненавидит. Никогда не держит меня тут больше одного дня. А потом находит еще одну семью, с которой я буду жить. Только они меня всегда возвращают обратно, и все начинается сначала. — Ноэль уставилась на носки своих туфель. — Мама меня не ненавидела. Я видела ее фотографию и поняла это. Но она умерла. Наверное, поэтому я закос-тенела в грехе. — Ресницы Ноэль поднялись, и она вопросительно склонила набок головку. — А что такое «закостенела в грехе»?

Бриджит не была уверена, что сможет ответить.

— Кто тебе сказал, что ты закоснела в грехе?

— Миссис Лоули. Что это значит?

— Это значит, что миссис Лоули очень плохо разбирается в людях, — еле выговорила Бриджит, пытаясь справиться с собой.

— А она тоже закос-тенела?

— Надеюсь, это не так. Но в данный момент я в этом не уверена.

— А вот ее пес наверняка. Он пытался укусить Пушка. — Ноэль задумалась. — Что бы ни означало «закос-тенеть в грехе», наверное, это очень плохо. Грех — это плохо, правда, только если ты это делаешь, а если только говоришь, то это не в счет.

Бриджит разразилась спасительным смехом, благодаря Бога за преждевременную искушенность Ноэль. Иначе она могла бы ворваться в дом к миссис Лоули и дать пощечину этой пустоголовой женщине — ей и всем остальным представителям якобы прекрасных и порядочных семейств, в руки которых отдавали Ноэль за эти последние четыре года.

Правда заключалась в том, что эту поразительную девочку передавали друг другу, словно мешок пшеницы, обеспечивая ей только пищу, одежду и крышу над головой.

Жалкая замена надежности, одобрению и любви.

Внезапно Бриджит поняла, что ей надо делать.

— Все это к тебе не имеет никакого отношения. — Она схватила Ноэль за руку и повела обратно в голубую комнату. — Давай выберем для тебя подходящий комбинезон, ладно? — Присев на корточки, Бриджит открыла дорожную сумку, оценивая скудный гардероб Ноэль.

Мысли ее были далеки от проблем с одеждой.

— Знаешь, Ноэль, твой дядя вовсе тебя не ненавидит, — небрежно заметила она. — На самом деле, мне кажется, он любит тебя, сам того не подозревая. Даже больше, чем ему хочется.

Последние слова заинтересовали Ноэль, и она плюхнулась на коврик рядом с Бриджит.

— Что ты хочешь сказать? Дядя не любит меня. Он никого не любит.

— Ты ошибаешься. И не только в отношении себя. Твой дядя любил кого-то еще. И очень сильно.

— Кого?

— Твою маму.

— Мою маму? — Глаза Ноэль превратились в огромные сияющие сапфиры. — Правда?

— Правда. — Бриджит выпрямила спину, перестав притворяться, что сортирует одежду. — Ты права, твоя мама очень красивая. Была. И ты выглядишь точно так же, как она.

— Миссис Уиллет мне тоже так говорила. Уиллеты держали меня у себя дольше всех. Миссис Уиллет даже немножко любила меня. Она говорила, что я очень умная. Но мистер Уиллет не любит умных девочек. Он хотел мальчика. Они часто кричали друг на друга, особенно когда думали, что я сплю. И миссис Уиллет плакала. В конце концов они отвезли меня обратно в Фаррингтон. В тот день, в карете, она сказала мне, что я очень похожа на маму. Я подумала, она просто хочет сказать мне приятное, чтобы я не стала сердиться, что она меня возвращает.

— Нет, — решительно возразила Бриджит. — Она говорила правду. У тебя глаза Лизы, точно такие же, ее изящный нос и подбородок. Даже твои волосы такого же цвета — черные как ночь.

— Ты ее знала?

— Да, знала, — осторожно ответила Бриджит. — Собственно, твоего дядю я тоже знала. Он меня не помнит, потому что я была очень маленькая. Но я его помню. И особенно хорошо помню, как он любил твою маму. — До сих пор все было правдой. Бриджит взяла руки Ноэль в свои. — Дорогая, тебе будет трудно это понять. Видит Бог, ты мудрее многих взрослых, но все же тебе еще только четыре года.

— Три года и десять месяцев. Мне будет четыре только на Рождество.

Губы Бриджит изогнулись в улыбке.

— Принимаю поправку. Почти четыре. Во всяком случае, я попытаюсь объяснить. Твой дядя был старшим братом твоей мамы. Он заботился о ней всю ее жизнь. Когда она умерла, он почувствовал, что часть его самого умерла вместе с ней. Не снаружи, а внутри. Ты можешь это понять?

Ноэль кивнула.

— Я так же себя чувствовала, когда миссис Лоули отняла у меня Пушка. Она сказала, что мне больше нельзя с ним спать, потому что он слишком грязный, и нельзя с ним играть, потому что я уже большая. В ту ночь я долго плакала, и у меня очень болел живот. Поэтому, когда все уснули, я пробралась вниз, достала Пушка из мусора и принесла его обратно. — Она поджала губки. — Только дядя не мог этого сделать — не мог принести обратно маму. Наверное, у него до сих пор болит живот.

— Вот именно. — Слезы жгли глаза Бриджит, блестели на ресницах. — Думаю, у него все еще болит живот, Ноэль. И все, что напоминает ему о ней, делает эту боль еще сильнее.

Последовал еще один глубокомысленный кивок.

— В тот вечер когда миссис Лоули отняла у меня Пушка, одна из служанок услышала, как я плакала. Она принесла мне другую игрушку. Я не захотела ее, потому что она напоминала мне, как сильно я скучаю по Пушку. Наверное, дядя тоже так чувствует, когда смотрит на меня?

— Да, наверное, это так. Но только в твоем случае новая игрушка была тебе чужой. А в случае лорда Фаррингтона

ты — частица Лизы, чудесное наследство, которое она оставила после себя. Поэтому ему больно, может быть, даже не-
стерпимо больно. Но эта боль вырастает из любви, не из
ненависти. Он любит тебя, Ноэль, он просто не знает, как
принять эту любовь, не впустив ту боль, которая всегда сопро-
вождает ее. Нам предстоит ему помочь. И мы добьемся успеха. Я это знаю.

Ноэль внимательно вгляделась в Бриджит умными, проницательными глазами. Потом внезапно опустила взгляд и начала теребить ошейник Пушка.

— А после этого ты уедешь?

Бриджит ждала этого вопроса. При данных обстоятельствах он был вполне закономерен.

Таким же был и ответ.

— Нет, дорогая, не уеду. Ни после этого. Никогда. Я
вышла замуж за твоего дядю, и теперь Фаррингтон — мой
дом. Я буду жить здесь вместе с тобой и Пушком.

На лице Ноэль отразилось облегчение.

— Это хорошо. — Между ее бровей появилась крохотная
морщинка. — А как же твои мама и папа, разве они не будут
скучать по тебе?

— Они могут видеть меня в Фаррингтоне так же, как и
везде, — мягко ответила Бриджит. — Они на небесах, как и
твоя мама.

Ноэль подняла голову.

— О! А я думала, что викарий — твой папа.

— Почти, и все же нет. Собственно, он папа моего папы —
мой дедушка. Он вырастил меня так же, как твой дядя вырастил твою маму.

— А ты помнишь своих родителей?

— Только отца, и очень смутно. Мама умерла, когда я
родилась.

— Так же, как и моя!

В эту секунду Бриджит даже возненавидела Лизу за то, что та покинула такое драгоценное чудо — чудо, которого она не заслуживала.

— Да, Ноэль, почти так же. Потом мой отец погиб, когда опрокинулась карета, мне тогда было два года. Дедушка был для меня и мамой, и папой. Он прекрасный человек. Господь благословил меня таким дедушкой.

— Я слышала, как дядя говорил, что викарий может навещать тебя в Фаррингтоне.

— Это правда. Когда он приедет, держу пари, что вы с Пушком полюбите его так же, как и я. — Бриджит встала, вынув из сумки простое свободное платье. — Кстати о Пушке, разве мы не обещали дать ему возможность поразмяться? Давай-ка переоденем тебя, чтобы мы могли обследовать лес. Найдем с тобой отличное местечко, где можно нагрести огромную кучу листьев. Тогда Пушок сможет попрыгать через нее от души.

Взрывы смеха донеслись до комнат Эрика, нарушив темноту и уединение, которые он оберегал долгие годы.

Бриджит Каррен.

Черт бы побрал эту простодушную девчонку, вторгшуюся в его жизнь. Ей полагалось надзирать за Ноэль, а не проникать в убежище, которое принадлежало только ему одному.

И над чем это они так смеются?

Помимо его воли ноги сами понесли Эрика к окну, он отодвинул тяжелую штору и осторожно выглянул. Со своего наблюдательного пункта он мог видеть весь участок леса вокруг восточного крыла дома.

Долго искать ему не пришлось.

Там, внизу, его племянница и его жена прыгали с нижней ветки ближайшего дуба в огромную кучу листьев внизу, по очереди взбирались на ветку и скатывались вниз; их платья и волосы были усеяны приставшими к ним листьями.

Его жена.

Эрик выпустил из рук штору, словно обжегшись.

Что с ним произошло, черт возьми? Почему он так реагирует на Бриджит Каррен, глядя, как она прыгает, словно ребенок?

Дьявольски красивый ребенок. Живая и энергичная, резвится с малышкой — точной копией Лизы.

И пробуждает поток воспоминаний, давно уже похороненных. Воспоминаний и чувств.

В нем все напряглось.

Он ожидал, что прошлое не оставит его в покое — по крайней мере до тех пор, пока Ноэль вертится под ногами. Поэтому и женился на Бриджит, чтобы избавить себя от немыслимой задачи вырастить дочь Лизы. Бриджит была идеальной кандидаткой на эту роль — не связанная обещанием, неиспорченная, не обремененная пустыми надеждами и ложными амбициями. И плюс к тому он никогда прежде не видел, чтобы кто-нибудь так относился к Ноэль, даже представить себе такого не мог.

Чего он не предвидел, так это тех чувств, которые она в нем пробуждала, — не только сожаление о прошлом, но и о том, что могло быть и будущее.

Она стала лучом радости в вечном аду.

И она была его женой.

Только по названию, напомнил он себе, хмуря брови. Допустить нечто большее было бы безумием. Она не была одной из его хорошо оплачиваемых куртизанок, которых он время от времени вызывал к себе. Она была невинным созданием, защищенным своим неведением, и ничего не знала о том, как отделить физическое влечение от душевной привязанности. Лечь с ней в постель было бы жестокостью.

Но, Господи, как она прекрасна! Красива, полна безудержного веселья и раскованности, да еще и с чувствительной душой.

Будет ли она столь же раскованной в его объятиях?

С глухим проклятием Эрик стукнул кулаком по стене, задавив эту соблазнительную мысль в зародыше. Заставить ее исполнять супружеские обязанности — значит создать новые осложнения, подвергнуть угрозе не только ее духовное здоровье, но и его собственное. Он получил то, чего добивался: воспитательницу для Ноэль и покой для себя. Все, что сверх того, неприемлемо.

Эрик отошел от окна, отделив свой ум и сердце от непрекращающихся взрывов смеха.

Однако ночью они продолжали звучать в его душе.


# Глава 5


— У нас впереди два больших праздника, — сообщила Бриджит Ноэль, становясь на колени у ванны.

— Какие праздники? — Ноэль сосредоточенно морщила носик, наблюдая, как Бриджит вынимает Пушка после первого купания в ванной. Схватив игрушку, она выжала из нее воду, а потом стала яростно вытирать досуха. — Пушок прекрасно выглядит, — заявила она, поднимая его повыше, чтобы полюбоваться. — Теперь даже миссис Лоули не назвала бы его грязным.

Бриджит еще не пришла в себя после вопроса Ноэль.

— Ты сказала: «Какие праздники»? — переспросила Бриджит. — Ну, твой день рождения и Рождество. Или ты забыла, что до декабря остался всего один месяц?

Движения Ноэль стали медленнее.

— Ноябрь начался всего неделю назад.

— Да, но рождественский пост начинается в конце месяца — это меньше чем через три недели. А потом каких-то три недели — и наступит Рождество и твой четвертый день рождения. Нам надо долго готовиться. Печь пироги, выбирать подарки, планировать прием гостей...

— Пушок не любит гостей, — перебила Ноэль, снова завязывая ленточку на шее у кота. — Он любит проводить праздники один вместе со мной. Дядя не разрешит гостям приехать в Фаррингтон. Он ни с кем не встречается — ты же знаешь.

— Очень хорошо знаю. — Бриджит вздохнула, чувствуя себя совершенно обескураженной отсутствием сдвигов в своих отношениях с Эриком.

За две недели, прошедшие после ее приезда в Фаррингтон, он не сделал ни одной попытки с ней увидеться и, что еще хуже, увидеть Ноэль. Фактически они видели его только три раза, каждый раз случайно, и каждый раз он исчезал, как только замечал их присутствие. Никогда он не заходил в их крыло. Даже для того, чтобы узнать, в чем дело, когда выходки Ноэль завершались сокрушительным грохотом, от которого и мертвый бы проснулся: один раз это была восточная ваза, которую она использовала как крокетный молоток, второй раз — стайка фарфоровых птичек, которых она сбросила с лестничной площадки второго этажа, чтобы доказать, что они умеют летать. Еще полдюжины подобных «несчастных случаев» сопровождало ее постепенное, но неуклонное превращение из ходячего кошмара в нормальную веселую маленькую девочку, которой больше не надо было уничтожать все вокруг себя, чтобы добиться так необходимого ей внимания. Это внимание, естественное выражение любви Бриджит, теперь щедро изливалось на нее, компенсируя выговоры многочисленных приемных родителей Ноэль.

Насколько легче проходило бы превращение Ноэль, если бы ее непреклонный дядя пустил девочку в свое сердце.

Но с помощью или без помощи Эрика Бриджит была полна решимости дать своей драгоценной воспитаннице все радости детства, которых она заслуживала, — и Рождество, и дни рождения.

С мыслью об этом Бриджит снова обратилась к Ноэль:

— Даже если твой дядя будет придерживаться своих правил и не нарушит затворничества, это не помешает нам отпраздновать день твоего рождения в собственной тесной компании. Мы возьмем чай и пирог на улицу — даже если будет идти снег — и потом устроим интересное кукольное представление. Погоди, вот увидишь, какой дедушка превосходный кукольник...

Глаза Ноэль широко раскрылись, и она в панике прижала к груди Пушка.

— Пушка нельзя сделать куклой для кукольного театра. Никто не может брать его в руки, только я.

— Конечно, нет. Пушок будет гостем. Какой торт он любит?

Молчание.

Бриджит вдруг все поняла, и это понимание словно окатило ее холодным душем.

— Ноэль, ты никогда не праздновала свой день рождения?

Ноэль зарылась лицом в мех Пушка.

Бриджит боролась с растущим в ней отчаянием.

— Ноэль, — она погладила блестящую черную головку девочки, — как ты провела прошлое Рождество? И где?

Та пожала плечами.

— В первое Рождество я родилась, — пробормотала она. — Поэтому думаю, что провела его в Фаррингтоне. Следующего Рождества я не помню — наверное, была в чьем-нибудь доме. Когда мне было два года, я жила у Реглингтонов. Они отослали меня в детскую без ужина, потому что я разбила несколько подарков, когда играла в гостиной. Когда мне было три года, я жила в доме Бэллизонов. Я оборвала иголки с их елки и провела остаток дня в кладовке. Ты обещаешь, что викарий не отберет у меня Пушка?

— Обещаю, дорогая. Никто не отберет у тебя Пушка. — У Бриджит в горле застрял комок. Наслушавшись за две недели подобных рассказов, она считала, что ее уже ничто не может повергнуть в шок. Оказалось, может.

Подняв голову Ноэль за подбородок влажным указательным пальцем, Бриджит попыталась получить подтверждение своим подозрениям.

— Ты никогда не наряжала елку? Не пекла сладкие пирожки? Не посылала никому поздравительных открыток? Не ходила петь рождественские гимны? — И, видя, что Ноэль отрицательно качает головой, она вздохнула. — А как насчет дня рождения? Не может быть, чтобы те семьи, в которых ты жила, совершенно его игнорировали.

— Они не знали, что это мой день рождения. Единственный человек, который знает, — мой дядя. Это он мне сказал, что я родилась на Рождество. Конечно, меня же зовут Ноэль, поэтому я вроде как догадалась. И хорошо сделала, потому что он на самом деле не хотел мне говорить. Я просто приставала к нему, пока он не ответил. Но он никогда никому об этом не рассказывал. А что до празднования, так дядя никогда ничего не празднует, особенно день, когда я родилась, о чем он старается забыть.

Это явилось последней каплей. Последняя струна лопнула в сердце Бриджит.

— Ноэль, вам с Пушком пора отдохнуть. — Бросив полотенце, она повела девочку из ванны в голубую спальню и задернула новые шторы. — Мы бегали и играли с самого конца утренних занятий. Вам с Пушком будет полезно немного поспать — особенно Пушку, который, наверное, устал после такого испытания, как первое в его жизни купание.

Ноэль устроилась под одеялом, и ее огромные глаза уставились на Бриджит.

— Ты собираешься пойти к дяде, правда?

Неужели она всерьез надеялась обмануть свою проница-
тельную воспитанницу?

— Да, Ноэль. Пора нам с ним поговорить.

— Ты здесь уже три недели и обходилась без разговоров
с ним. Мы и видели-то его всего три раза. Но он видел нас
гораздо чаще.

Бриджит сдвинула брови.

— Что ты имеешь в виду?

— Точно, точно. Мы его видели только три раза, —
терпеливо повторила Ноэль. — Один раз, когда вошли через
черный ход после того, как забрали привезенные продукты, и
еще два раза на кухне, когда готовили обед. Помнишь — он
исчез, как только нас увидел. — Она прижала Пушка к щеке. —
Ты была права, знаешь ли. Пушок выглядит намного лучше
теперь, когда он чистый. И он вовсе не так сопротивлялся
купанию, как я поначалу думала.

— Рада это слышать. — Бриджит присела на край кровати. — Я знаю, что мы видели твоего дядю всего три раза. Но
я хотела спросить, почему ты говоришь, что он нас видел гораздо чаще, чем мы его?

— Потому что это правда. Он следит на нами из окна
каждый раз, когда мы играем в лесу.

Бриджит застыла.

— Ты уверена?

— Конечно, уверена. Я его всегда замечаю. Он смотрит
на нас не очень долго. А потом уходит.

— А он?.. — Бриджит лихорадочно соображала. Значит,
Эрик вовсе не так равнодушен к своей племяннице, как бы ему
хотелось. Она ему небезразлична, хочет он того или нет. —
Ноэль, спасибо тебе. Ты только что дала мне необходимое
оружие.

— Оружие? — Девочка озадаченно нахмурилась. — Это
чтобы убивать людей?

— Иногда, — ответила Бриджит. — А иногда — чтобы спасать. — Она нагнулась, накрыла девочку одеялом до подбородка и нежно поцеловала в лоб. — А теперь спи. Вместе с Пушком.

Ноэль кивнула и закрыла глаза.

— Желаю удачи с дядей, — шепнула она. — И не применяй слишком много оружия, если он устроит тебе догоняй. Ты ему ужасно нравишься, правда.

Пять минут спустя Бриджит вынуждена была не согласиться с мнением Ноэль.

— Я вас предупреждал, что в мои комнаты нельзя входить ни в коем случае, — рявкнул Эрик, свирепо глядя на Бриджит, стоящую у порога.

— Я и не входила. Я постучала. Мне надо было с вами увидеться. А место, где мы будем разговаривать, можете выбрать сами.

Его глаза вспыхнули, как блестящие осколки обсидиана.

— Видеть меня и говорить со мной не входит в условия нашего договора.

— Тем не менее я собираюсь это сделать. — Бриджит в упор смотрела на него, нисколько не пугаясь его гнева. Более того, она видела не только холодное выражение его лица и запущенную внешность, не только его ожесточение. Человек, который был наваждением ее девичьих снов, все еще существовал, спрятанный глубоко внутри этого мрачного, язвительного незнакомца. — Вам не удастся меня запугать, милорд, — сообщила она ему. — Я и раньше вас не боялась, а теперь слишком огорчена, чтобы испугаться. Поэтому вам лучше меня впустить. Мне нужно сказать вам нечто важное, и я не собираюсь уходить, пока не выскажусь.

Эрик, несколько ошарашенный, медленно открыл дверь.

— Только говорите коротко.

Бриджит вошла, слишком взволнованная, чтобы ощутить неловкость оттого, что впервые находится в спальне Эрика, и резко обернулась к нему:

— Речь пойдет о Ноэль.

— В таком случае это меня не касается. До свидания.

— Оставьте это абсурдное лицемерие, лорд Фаррингтон. Не имеет смысла. Никого из нас оно не обманет.

— О чем это вы болтаете, черт побери?

— О вас. Об этой притворной ненависти, которую вы питаете к Ноэль. И об этом абсурдном мифе, на котором вы настаиваете, разыгрывая из себя жестокого тирана. — Она остановилась, чтобы перевести дыхание. — Вы обманщик, милорд. Обманщик и глупец. И то и другое вы сделали из себя сами. Тем не менее, если вы предпочитаете удалиться от жизни, это ваше дело, пока оно наносит вред только вам одному. Однако в данном случае оно наносит еще больший вред Ноэль. Поэтому я перестала ждать, пока вы сами опомнитесь, и решила вмешаться.

Казалось, Эрик разрывается между изумлением и желанием взорваться от негодования.

— Вы сошли с ума? — прогремел он, хлопнув дверью так сильно, что задрожали стены. — Неужели две недели, проведенные в обществе моей племянницы, лишили вас рассудка?

— Совсем наоборот, милорд. Две недели в обществе вашей племянницы поведали мне больше, чем я могла рассчитывать. Она умный, чувствительный ребенок — но вы, конечно, этого знать не можете. — Произнеся про себя короткую молитву, Бриджит продолжила наступление: — Собственно, вы ее совсем не знаете.

— И не собираюсь знать, вы, дерзкая...

— Я спрашивала Ноэль, как она хочет отпраздновать свой день рождения, — прервала его Бриджит. — По-видимому, она его вообще никогда не праздновала.

Раздался сардонический смех.

— Это меня не удивляет. За то недолгое время, которое она провела, занимаясь разрушением каждого из домов, где жила, ничего нельзя было успеть отпраздновать.

— И чья же в том вина?

Он стиснул челюсти так крепко, что Бриджит испугалась, как бы они не сломались.

— Я бы посоветовал вам придержать язычок, мисс Каррен.

— При всем моем уважении к вам, милорд, меня ни капельки не интересуют ваши советы. Меня интересует Ноэль, ее благополучие. Ей необходима нормальная жизнь: не только занятия и дисциплина, а семья, прогулки в парке, игры с другими детьми. Как вы думаете, почему она так привязана к Пушку? Вам когда-нибудь приходило в голову, что он — то единственное, что постоянно в ее жизни? Девочку швыряли из дома в дом, словно что-то ненужное, с самого рождения. Теперь она стала настоящей узницей Фаррингтона. Все, что ей нужно, — это настоящий дом, друзья, смех... — Бриджит помедлила. — Любовь.

— Вы все сказали? — резко спросил Эрик.

Бриджит недоверчиво покачала головой.

— Вы не собираетесь уступать ни дюйма, не так ли? Желаете позволить вашему страданию погубить жизнь этой маленькой девочки.

Казалось, в Эрике что-то сломалось.

— Так отпразднуйте ее день рождения, будь он проклят! — взревел он, пересек комнату и схватил с совершенно пустого письменного стола наполовину полный бокал с бренди. — Пригласите викария. Испеките пирог. Прыгайте в листья с рассвета до темноты, мне все равно. А теперь убирайтесь.

— А Рождество?

Он со стуком поставил бокал на стол.

— Не будет.

— Не будет? Чего не будет? Церкви? Елки? Подарков? Не...

— Не будет Рождества. — Он обернулся к ней. — И это не подлежит обсуждению. Для меня Рождества не существует. Оно перестало существовать пять лет назад.

— Я понимаю вашу боль, милорд. Но Ноэль еще ребенок. Наверное...

— Нет! — взревел Эрик и швырнул бокал в стену.

Бриджит подпрыгнула, она была совершенно не готова к столь бурному проявлению ярости. Невольно сделав шаг назад, она смотрела, как каскад хрустальных осколков сверкающим дождем падает на восточный ковер.

Одновременно она вдруг увидела окружающую обстановку. Ее встревоженный взгляд обежал потухшие лампы, темную мебель, плотно задернутые шторы. «Дедушка был прав, — оцепенело подумала она. — Это мавзолей. Если бы не стопка книг на ночном столике и не смятая постель, можно было бы подумать, что здесь совсем никто не живет».

— Вы испугались, мисс Каррен? — прервал молчание Эрик угрожающим тоном. — Или просто рассматриваете мое жилище? Потому что именно сейчас я бы на вашем месте очень испугался.

Прозвучавший в его словах вызов дошел до нее, и Бриджит снова посмотрела ему в глаза, не с тревогой, но со смущением. «Он меня дразнит, — поняла она. — И хочет, чтобы я испугалась и ушла. Изо всех сил пытается себя защитить».

Все ее девичьи мечты устремились к действительности, смешавшись с состраданием и интуицией, подаренными зрелостью.

— Нет, милорд, я не испугалась, — возразила Бриджит, решительно сжав зубы. — И я не мисс Каррен, во всяком случае, уже не мисс.

Эрик прищурился.

— Да, вы не мисс, это так. — Он двинулся к ней с решительным видом. — Вы графиня Фаррингтон. — Он возвышался над ней, и вид у него был довольно угрожающий. — Моя жена.

— Да.

— Всего лишь номинально, — напомнил Эрик. — Во всяком случае, пока.

В глубине души понимая, что сейчас решится ее будущее — и будущее Эрика, — Бриджит пошла навстречу своей судьбе.

— Это был ваш выбор, милорд. Не мой.

По его лицу прошла судорога боли.

— Будьте вы прокляты, — пробормотал он сквозь стиснутые зубы. — И будь я сам проклят за то, что хочу вас.

С этими словами он резко протянул руки и рывком прижал Бриджит к груди, к своему твердому и мускулистому телу. Потом грубо, за подбородок поднял ее лицо навстречу своему опускающемуся рту и впился в ее губы поцелуем, прежде чем она успела не то что возразить, но даже вздохнуть.

Физические ощущения, соединившись с потрясением чувств, придавили Бриджит, накрыли ее огромной, всепоглощающей волной. Она со всхлипом приняла — нет, приветствовала — нападение Эрика; в ее затуманенном мозгу промелькнула мысль о том, сколько ночей ей это снилось, и в то же время она понимала, что никакие фантазии никогда и близко не подходили к этой невероятной реальности. Рот Эрика скользил по ее губам, требовательный, обжигающий, безрассудный, но он в тот момент больше напоминал защищающегося, чем агрессора.

Бриджит прижалась к нему, ей хотелось как-то утихомирить охватившую ее бурю чувств. Пальцы ее разжались, скользнули вверх по его сорочке и остановились напротив сердца.

— Эрик, — шепнула она, и слово это бальзамом пролилось на его запекшийся как в лихорадке рот. — О Эрик!

Крупная дрожь сотрясла его тело, жесткая хватка ослабла. Кулаки разжались, и ладони заскользили вверх и вниз по ее спине, лаская, а не причиняя боль. Он еще теснее прижал ее к себе, а его поцелуй стал нежнее, губы обнимали ее губы, без слов требуя ответа.

Бриджит поняла его просьбу.

С естественным, невинным пылом она подчинилась, дрожа от предвкушения, когда его язык скользнул внутрь и встретился с ее языком.

И тут она погибла.

Рот Эрика завладел ее ртом с неутолимой жаждой. Утонув в ощущениях, Бриджит поднялась на цыпочки, чтобы ему было удобнее, еще крепче прижавшись к его могучему телу.

Из груди Эрика вырвался тихий стон, и он откликнулся на ее зов, завладевая ею так, как Бриджит не могла вообразить даже в самых смелых своих мечтах. Его руки спустились вниз, обхватили ее ягодицы, он приподнял ее, оторвав от пола, жадно прижимая к себе все ее мягкое, податливое тело.

Наслаждение — головокружительное, лишающее сил — обдавало Бриджит потоками жара. Если бы Эрик не поддерживал ее, она бы рухнула, ноги ее подгибались от слабости и не повиновались ей. Словно читая ее мысли, Эрик подхватил ее на руки и, крепко прижав к себе, понес к кровати. Через секунду она ощутила холодок, приятно остудивший ее лихорадочно горящую кожу, когда он опустил ее на простыни.

— Бриджит.

Впервые он произнес ее имя, и сердце ее запело от радости.

— Что? — Ее ресницы затрепетали и приподнялись.

— Ты уверена?

Уверена? Она всегда была уверена.

— Да. Я уверена.

Тяжело и хрипло дыша, он склонился над ней, опираясь на руки.

— Ты понимаешь, что должно произойти?

Нет, человек с холодным сердцем не может быть таким нежным.

— Да, понимаю.

Он глотнул, жилы на его шее напряглись.

— Если хочешь передумать, сделай это сейчас. Потому что, когда я окажусь в этой постели, отступать уже будет поздно.

Она протянула к нему руку и погладила колючую щеку.

— Я не хочу передумывать. Люби меня.

Завораживающие глаза прищурились.

— Любить? Это не имеет ничего общего с любовью, — предостерег ее Эрик и глубоко втянул в себя воздух, явно пытаясь вернуть безнадежно ускользающее самообладание.

Потом резко тряхнул головой и капитулировал.

— Я поступаю с тобой как последний негодяй. — Он нежно пропустил сквозь пальцы ее волосы. — Ты прекрасная, романтичная, невинная девушка, которая верит, будто то, что мы собираемся сейчас сделать, порождено каким-то волшебным чувством. Но это не так, Бриджит. Все дело в физическом влечении. Я хочу тебя. Так хочу, что схожу с ума. Я хотел тебя с того самого мгновения, как увидел там, у церкви. Мое тело вопит от желания войти в тебя, излить свою вечно сдерживаемую страсть в твое лоно. Но это похоть, моя сентиментальная жена, а не любовь. Поэтому повторяю: если хочешь уйти, сделай это сейчас. Потому что ничто не изменится даже после того, как мы сожжем друг друга дотла в этой постели. Ни наша жизнь, ни разделяющие нас преграды. Ничто.

По жилам Бриджит бежал жидкий огонь.

— Сожжем друг друга дотла? Именно это мы сделаем?

— Да, и еще больше.

— Покажи мне. — Руки Бриджит обвили шею Эрика, ее пальцы запутались в длинных волосах у него на затылке. — Больше мне ничего не нужно.

— Потом тебе может захотеться большего.

— Если такое произойдет, то это будет мое бремя. Так же, как сейчас решение. — Она смотрела на него снизу вверх и видела того чудесного человека, которого Эрик считал умершим, исчезнувшим навсегда. — Я твоя жена. Едва ли тебя можно обвинить в том, что ты меня погубил. Более того, поскольку я отвергаю супружескую неверность, но не хочу прожить жизнь, так и не познав страсти, ты единственный, кто может мне ее дать. Пожалуйста, Эрик, я знаю, что делаю.

— Знаешь ли? — спросил он, опускаясь на нее всей своей тяжестью. — Потому что я — не знаю. Да поможет мне Бог.

Он приник к ней жадным поцелуем, а его руки на ощупь расстегивали ее платье, стаскивали его с ее тела. Неловкими пальцами она расстегнула его сорочку и развела в стороны полы, чтобы провести пальцами по теплой, покрытой жесткими волосками груди.

С приглушенным проклятием Эрик оттолкнул прочь ее руки, швырнул сорочку на пол и несколькими резкими, яростными движениями сорвал с нее нижнее белье. Он оторвался от нее только для того, чтобы сбросить с себя остаток одежды, пожирая ее глазами так, что Бриджит почувствовала себя такой красивой, какой он ее видел.

Эрик опустился на нее сверху, и все его тело содрогнулось от первого соприкосновения их обнаженной плоти, а его рот заглушил ее стон.

В голове у Бриджит не осталось ни одной четкой мысли, настолько сильными были ощущения, сотрясающие ее тело. Она цеплялась за его руки, отчаянно стараясь доставить ему удовольствие и не зная — как.

Эрик поднял голову и посмотрел на нее сверху.

— Научи меня, — попросила Бриджит, но это было скорее требование, чем просьба.

Резкие морщинки вокруг его глаз разгладились, странный огонек мелькнул в их чернильной глубине.

— Ты не нуждаешься в обучении. Я уже и так погиб.

— Но...

— Тихо. — Он легонько поцеловал ее в уголки губ, пробормотав: — Позволь мне. — Его ладони обхватили снизу шелковистую тяжесть ее грудей, и он почувствовал ее непритворную дрожь. — По крайней мере это я могу тебе дать. Позволь мне, Бриджит. Я хочу видеть, как эти твои невероятные золотистые глаза затуманит чудо открытия. — Его губы нашли бьющуюся жилку на ее шее. — Хочу почувствовать, как ты дрожишь от наслаждения, о котором никогда и не подозревала. Бриджит, позволь мне.

Она попыталась ответить, но в этот момент его пальцы нашли ее соски и стали дразнить их легкими, как перышко, поглаживаниями до тех пор, пока Бриджит не лишилась способности говорить, думать и даже дышать. Не сознавая ничего вокруг, кроме этого ощущения, она откинулась на постель и закрыла глаза, без слов давая Эрику то разрешение, о котором он просил.

Он почувствовал, что она сдается, и стал действовать.

Он наклонил голову, и его рот сменил пальцы, а Бриджит с трудом сдерживала крик, когда он обвел языком ее сосок, охватывая ставший чувствительным бугорок и ритмично прижимая его губами.

— Эрик... — Это было единственное слово, которое она смогла произнести, и оно вырвалось у нее как сдавленное рыдание.

Он не ответил. Не ответил словами. Вместо них он перешел ко второй груди, одарив ее той же лаской, что и первую. Его руки двинулись ниже, скользя по изгибам талии и бедер, ощущая нежность ее кожи. Его колени толчком раздвинули ее ноги и устроились между ними, чтобы получить доступ к тому, к чему он стремился.

Когда он прикоснулся кончиками пальцев к внутренней поверхности ее бедер, в Бриджит вспыхнуло желание. Не обращая внимания на едва слышный внутренний голос, называющий ее распутницей, она раздвинула ноги пошире, всхлипывая по мере того, как кончики его пальцев эротическими кругами поднимались все выше и выше по ее трепещущим ногам.

— Открой глаза, Бриджит.

Повинуясь его приказу, она подняла дрожащие веки и открыла для себя нечто еще более поразительное, чем восторг от его прикосновений.

На него это подействовало так же сильно, как и на нее.

Влажные пряди волос прилипли к его лбу, блестящему от пота, лицо было напряженным от желания. Но самым поразительным был огонь, пылающий в глазах, огонь, порожденный вовсе не гневом.

— Я хочу смотреть на тебя, — невнятно пробормотал он. — С этого момента и дальше я хочу видеть всю красоту твоей страсти, как она будет нарастать. — Его пальцы еще на миллиметр приблизились к тому месту, где все ее существо желало его ощутить. — Покажи мне, Бриджит.

Протянув руки, она сжала его запястья и потянула их выше, широко раскрытыми глазами глядя прямо в его глаза.

Этого было достаточно.

Его пальцы открыли ее, нашли ее, и из глубины его горла вырвался хриплый звук, пока он изучал бархатистые складки.

— Совершенство, — с трудом произнес Эрик, дыхание из его груди вырывалось быстрыми, частыми толчками.

Бриджит вскрикнула, изгибаясь под его рукой, наслаждение растекалось от самой ее сердцевины. Эрик пристально наблюдал за ней из-под опущенных век и усилил ласки, каким-то образом точно зная, где прикоснуться, как усилить ее экстаз. Утопая в ощущениях, Бриджит металась по подушке, уверенная, что умирает, но это ее совершенно не волновало. Она была уже так близко к вратам рая, как только можно было к ним подойти.

Пока он не остановился.

— Эрик? — Ее затуманенный взор замер на его лице, она хотела знать причину.

Хотела его.

— Я хочу быть внутри тебя, когда это произойдет, — прохрипел он, опускаясь на нее сверху, пока жесткий стержень не замер у того места, где только что были его пальцы. — Господи, я даже не уверен, смогу ли дождаться. — Он содрогнулся, его бедра двигались помимо его воли. — Бриджит, мне сейчас придется сделать тебе больно.

— Мне все равно. — Ее руки обхватили его влажную спину, притянули его к себе, требование ее неискушенного тела оказалось сильнее страха и рассудка.

Странное выражение промелькнуло на его лице, затем исчезло, побежденное физическим влечением.

Эрик вошел в нее медленно — так медленно, как только могли позволить их напряженные тела, — останавливаясь через каждые несколько секунд, чтобы дать ей время приспособиться к его проникновению. Достигнув девственной плевы, он остановился и таким глубоким взором посмотрел в ее глаза, что Бриджит спросила себя, какое обладание является более абсолютным.

— Клянусь, ты не пожалеешь, — прошептал он. Приподняв ее бедра, он проник в нее одним мощным толчком.

У Бриджит перехватило дыхание, боль была незваным пришельцем. Твердо решив не разрушать чуда их соединения, она подавила крик, прикусив губу так, что слезы навернулись на глаза.

— Не надо. — Эрик замер и провел косточками пальцев по ее щеке. — Не надо от меня прятаться. Только не сейчас. — Он накрыл ее рот своим. — Ах, Бриджит, мне жаль, — выдохнул он в ее губы. — Так чертовски, чертовски жаль.

Раскаяние в его голосе причинило ей еще большую боль.

— Не надо сожалеть, — яростно прошептала она, придавая своим словам такой же широкий смысл, как и он. — Это так прекрасно. Как ты можешь сожалеть?

И с этими словами она инстинктивно подняла бедра навстречу его бедрам и была потрясена новым приливом желания, от которого захватывало дух.

Отодвинувшись, она затуманенным взором посмотрела в глаза Эрика и повторила движение, обнаружив, что боль утихла и сменилась страстным стремлением к завершению. Трение было невыносимым, трижды усиленное ощущением мощного стержня, пульсирующего внутри нее, растягивающего ее изнутри до предела.

Она хрипло всхлипнула — и терпение Эрика лопнуло.

— Да, — простонал он, прижимаясь своим лбом к ее лбу. — Еще раз — когда скажу. — Он медленно вышел, потом остановился. — Сейчас. — И толкнул вниз, охватив руками ее бедра, а она выгнулась дугой ему навстречу.

На этот раз у нее вырвалось громкое рыдание, а Эрик издал дикий вопль.

— Еще, — скомандовал он. — И еще, и еще, и...
Его голос прервался, все ограничения рухнули. Схватившись руками за изголовье, он снова и снова погружался в Бриджит, и она отвечала ему столь же яростными движениями. Пружины кровати стонали при каждом мощном толчке, но этот звук заглушался их прерывистыми криками и тяжелым дыханием.

Что-то должно было произойти. Бриджит это чувствовала. Словно она взбиралась по великолепной радуге и теперь замерла, чуть-чуть не дойдя до ее вершины.

— Эрик... — Она простонала его имя, молча умоляя его увести ее туда, куда она так отчаянно желала попасть.

И он повел ее.

Сжав ее ягодицы, он приподнял их, глубоко вошел в самую ее сердцевину, прижался к той самой влажной, пульсирующей плоти, которая так желала его.

Бриджит взорвалась миллионами осколков, взрыв следовал за взрывом, сминая ее, накатываясь горячими волнами спазмов. Словно издалека, она услышала стон Эрика, почувствовала, как он сильнее сжал ее, стараясь продлить ее удовольствие.

Но больше не оставалось сил сдерживаться.

Резким толчком вперед он отдался завершению, выкрикивая имя Бриджит в такт пульсирующим волнам своего освобождения.

«Боже, пожалуйста, — молилась Бриджит в то короткое завершающее мгновение, когда Эрик воистину принадлежал ей. — Пусть продлится это чудо. Пожалуйста».

В тот момент ее молитва не была единственной в стенах Фаррингтона.

Лежа в постели, Ноэль укладывала Пушка на подушку рядом с собой.

— Она все еще в его комнате, ты знаешь, — серьезно сообщила она игрушке. — И дядя не сердится, иначе мы бы услышали его крики даже здесь, внизу. Нам надо помолиться, Пушок. — Девочка крепко зажмурилась, ладошкой закрыла Пушку пуговичные глаза. — Боже, я знаю, что совершаю много плохих поступков, — начала она. — Но я обещаю исправиться. Я буду слушаться и не буду ничего ломать, и никогда больше мне не потребуется устраивать догоняй. Только, пожалуйста, — губы ее задрожали, и две слезинки покатились по щекам, — пожалуйста, не отнимай у меня Бриджит.

## Глава 6

— Ноэль, не так близко к пруду, — велела Бриджит, одновременно протягивая руку за очередным побегом остролиста.

— Но Пушок хочет научиться плавать на лодке. — Растянувшись на животе, Ноэль подползла чуточку ближе к воде, усадив Пушка верхом на кусок плавающего дерева, который намеревалась превратить в лодку для своей игрушки. — И ему хочется научиться сейчас, до того как станет слишком холодно и вода замерзнет.

— Какой он у тебя отчаянный. — Оставив свое занятие, Бриджит подошла к Ноэль, сурово хмуря брови. — Но скажи, а Пушок умеет плавать? И что еще важнее, ты сама умеешь?

Ноэль задумалась.

— Нет. Мы не умеем.

— Вот как? Ну, вы попали в хорошую компанию — я тоже не умею. И поскольку я подозреваю, что глубина пруда гораздо больше, чем твой рост или мой и уж наверняка Пушка, я бы предпочла не искушать судьбу. Договорились?

— Договорились. — Ноэль с сожалением встала, вытирая ладони о накидку и таким образом перенося грязь с первых на последнюю. — А что ты делаешь?

— Собираю остролист.

— Зачем? Ты же сказала, что дядя не разрешает нам праздновать Рождество.

— Не разрешает. — Бриджит усмехнулась. — Но я надеюсь, что он передумает. — Она прищурилась, разглядывая свою быстро растущую коллекцию, и представила себе гостиную Фаррингтона, наполненную духом Рождества: стены, украшенные венками из омелы и остролиста, камин, пробудившийся ото сна, в котором ярко горит огонь, груду подарков на полу. А в центре всего — она, Эрик и Ноэль, стоящие возле пышного вечнозеленого дерева, символа этого времени года.

При этой мысли ее взгляд переместился на роскошную елку, которую она выбрала для этой важной роли, — идеального воплощения ее фантазии.

— Бриджит? — Голос Ноэль прервал ее сон наяву. — Я уже больше трех недель не видела дядю, только у окна его комнаты, — с того дня как ты с ним разговаривала. А ты?

Фантазия разбилась, наткнувшись на горькую реальность.

— Нет, милая. — Бриджит покачала головой. — Не видела. Очевидно, твоему дяде надо еще побыть одному.

— Еще? Он и так всегда один. Он не выходил даже тогда, когда тебя приезжал навестить твой дедушка. Хотя я уверена, он знал, что викарий был здесь, — я видела, как он наблюдал за подъехавшей каретой.

Бриджит слегка улыбнулась.

— Ноэль, ты проводишь слишком много времени, наблюдая за окном дяди.

— Я провожу много времени только потому, что он слишком долго там стоит. Если бы его там не было, то было бы все равно, как часто я туда смотрю, потому что он не видел бы этого. — И, приведя этот довод, Ноэль поджала губы. — Почему ты больше не ходишь к нему в гости?

Бриджит вздохнула.

— Мы с тобой это уже обсуждали. Я вообще не ходила к нему в гости, даже в тот единственный раз, когда зашла в его комнату. Я всего лишь ходила спросить, можем ли мы отпраздновать твой день рождения, и он позволил.

— Я не слышала, чтобы он кричал. И Пушок тоже.

— Это потому, что он не кричал. Я объяснила ситуацию, и он дал свое согласие.

— А тогда, если вы не ругались и ты ходила не в гости, почему ты так долго там пробыла?

Бриджит обдало жаром, когда она подумала об ответе на этот вопрос.

Те мгновения в объятиях Эрика были самым неожиданным и восхитительным из чудес — мучительным наслаждением и столь же мучительным страданием. О, он ее предупредил, был честен с самого начала. Не только объяснил, почему хочет лечь с ней в постель, но и предупредил о последствиях, о том, как это на ней скажется. Он оказался прав. Они оделись и расстались, как чужие, и она осталась эмоционально уязвленной, ограбленной, она страстно желала того, что Эрик был не способен — и не желал — ей дать.

Но он ошибся в том, что эта боль заставит ее пожалеть о случившемся. Этого не произошло. Несмотря на страдания, Бриджит ни за что на свете не отказалась бы от тех мгновений. Теперь она стала женой Эрика, и даже если он решит разорвать их брак, все равно они связаны чудесными и неразрывными узами, и это воспоминание она будет лелеять в душе до конца своих дней.

Одиноких дней, если Эрик настоит на своем.

— Бриджит? — Ноэль дергала ее за юбку. — Ты что, не можешь вспомнить, о чем вы с дядей разговаривали?

Щеки Бриджит вспыхнули еще ярче.

— Мы не слишком много обсудили, Ноэль. Только празднование твоего дня рождения, на что он согласился, и празднование Рождества — на это он не дал согласия.

— Почему ты считаешь, что можешь заставить его передумать насчет Рождества?

— Потому что я дура, — ответила Бриджит, с грустью глядя на пышную зелень в своих руках.

— Вовсе нет! — Ноэль мгновенно и яростно бросилась на ее защиту. — Ты просто оп-ты... миска, — прибавила она. — Оп-ты-мис-ка. Всегда забываю окончание, потому что не могу понять, при чем тут «миска».

Бриджит усмехнулась:

— Я тебя понимаю. Да, я оптимистка. Только играю я с огнем. Твой дядя наверняка взбеленится, когда узнает о моих планах.

— Ты ведь не боишься дядю, Бриджит?

— Нет, Ноэль, не боюсь.

— А чего ты боишься?

— Гм-м? — Бриджит не ожидала такого поворота беседы.

— Должна же ты чего-то бояться. Вот мы с Пушком боимся, что под кроватью прячутся громадные чудовища. Мы каждый вечер туда заглядываем, чтобы убедиться, что опасности нет. А чего боишься ты?

— Высоты, — призналась Бриджит.

— Высоты? — Ноэль от изумления широко раскрыла глаза. — Ты имеешь в виду высокие места?

— Угу.

— Ну и ну. — В голосе девочки слышалось недоверие. — Разве ты не лазила по деревьям, когда была маленькой?

— Только на невысокие деревья. — Бриджит погладила Ноэль по испачканной щечке. — Пошли. Помоги мне сорвать еще несколько побегов остролиста. К сожалению, он весь растет на этом месте — слишком близко от комнат твоего дяди, чтобы я могла быть спокойной. Давай покончим с этим и уйдем, пока он нас не заметил. — Она снова вернулась к прежнему занятию.

Бросив взгляд в сторону дома, Ноэль чуть было не сообщила Бриджит, что уже слишком поздно, что, судя по отодвинутому краешку занавески, дядя их уже разоблачил, но тут ее осенила блестящая идея.

— Только на невысокие... — повторила она, покусывая губку. — А насколько невысокие?

— Что? — Бриджит уже тянулась к следующей ветке.

— Ты сказала, что лазила только на невысокие деревья. Насколько невысокие?

— На совсем невысокие.

Ноэль зарылась лицом в мех Пушка.

— Теперь дело за нами, — шепнула она.

С этими словами она потихоньку стала отходить в сторонку, пока не оказалась у дуба с толстой корой, возвышавшегося над прудом. Запрокинув голову, она смерила расстояние, а затем изо всех сил подбросила Пушка вверх.

Игрушка застряла на самой нижней ветке.

С быстротой молнии Ноэль взобралась на дерево, схватила Пушка и — просто для надежности — вскарабкалась еще на несколько веток вверх. Потом сосчитала до десяти и позвала:

— Бриджит!

Бриджит резко обернулась, ее взгляд заметался из стороны в сторону.

— Ноэль, где ты?

— Наверху.

Бриджит запрокинула голову вверх, на звук голоса, и увидела свою подопечную.

— Что ты там делаешь?

— Пушок застрял. Я залезла наверх, чтобы его достать.

— Ну, теперь можешь спуститься обратно.

— Не могу. Я... У меня платье зацепилось за ветку, и я не могу его отцепить.

— Ноэль...

— Я знаю, ты боишься, — перебила Ноэль успокаивающим тоном. — Поэтому почему бы тебе не позвать дядю? — Она услужливо показала рукой на дом. — Просто брось камешек в окно. Он услышит. Возможно, он и так стоит у окна.

Бриджит открыла рот от изумления.

— Ну, маленький чертенок! Ты все это нарочно придумала.

Девочка улыбнулась.

— Позови дядю, Бриджит. Он тебе поможет.

— И не собираюсь. Сию же минуту слезай.

— Нет. — Ноэль затрясла головой и поползла по ветке, нависающей над водой. — Эта ветка дальше очень тонкая, — объявила она. — Лучше тебе не рисковать. Лучше приведи сюда дядю, чтобы он...

Голос Ноэль оборвался и перешел в сдавленный вопль, когда с громким треском ветка обломилась и девочка рухнула прямо на середину пруда.

— Бриджит! — с непритворным ужасом взвизгнула Ноэль, колотя по воде руками. Ее темная головка исчезла под водой.

— О Боже!

Бриджит сбросила туфли, отшвырнула прочь остролист, стремглав бросилась вперед и с плеском вбежала в пруд, не задумываясь о своих дальнейших действиях.

Она добралась до Ноэль, когда та снова вынырнула на поверхность и била по воде руками и ногами, стараясь спастись. Бриджит лихорадочно попыталась ее схватить, но каждый раз Ноэль от нее ускользала.

Бриджит охватила паника. Отказавшись от всяких попыток удержаться на ногах, она рванулась к девочке и схватила ее за талию, но от этого движения их обеих отбросило к середине холодного как лед пруда.

Ледяная вода ударила Бриджит в лицо, обожгла глаза. Она старалась удержать равновесие, но дергающиеся руки и ноги Ноэль и собственная многослойная одежда, промокшая насквозь, мешали ей. Она вслепую сражалась за их жизни, слабея с каждой минутой упорной борьбы. Наконец, собрав остатки сил, она подняла Ноэль вверх, моля Бога, чтобы ей удалось вытолкнуть ребенка на поверхность и дать ей вздохнуть. Ее собственные легкие разрывались без воздуха, в помутившейся голове стучал молот, она путалась ногами в платье и накидке, отчаянно пытаясь нащупать илистое дно.

Внезапно кто-то выхватил Ноэль из ее рук. А еще через секунду сильная рука подхватила ее под колени, подняв вверх и вытащив из воды.

Воздух, каким бы морозным он ни был, показался величайшим даром, и Бриджит сделала один большой глоток, потом другой — и зашлась в приступе хриплого кашля.

— Медленно, — приказал Эрик. — Дыши медленно. Не пытайся говорить.

— Но... Ноэль... — прохрипела Бриджит.

— Я же сказал тебе: не разговаривай. — Он опустил ее на берег, рядом кашляла и корчилась Ноэль. — Она в порядке. И ты тоже. Она глупая и безрассудная, но она в полном порядке.

С этими словами Эрик повернулся и пошел обратно в воду. Он вернулся как раз в тот момент, когда Ноэль выдавила, задыхаясь:

— Пушок!

Бриджит приподнялась на руках как раз вовремя, чтобы увидеть, как Эрик бросил племяннице намокшую игрушку.

— Вот. Он в лучшем состоянии, чем ты.

Уставившись на дядю глазами, большими, как блюдца, Ноэль схватила Пушка и зашлась в приступе кашля.

Опустившись на колени, Эрик нагнул Ноэль вперед, растирая ей спину и выдавливая воду из груди.

— Не пугайся. Ты проглотила почти половину этого пруда. Теперь ты возвращаешь воду на место.

Обхватив плечи руками, чтобы унять дрожь, Бриджит спрашивала себя, неужели она уже умерла и оказалась в раю. Эрик не только спас им жизнь и вытащил Пушка, он заботливо ухаживал за Ноэль, стараясь восстановить нормальное дыхание, и — о чудо из чудес! — поддразнивал ее.

Если это рай, решила Бриджит, то в нем просто чудесно, именно так, как всегда описывал его дедушка.

Вслед за этой мыслью ее одолел новый приступ удушья.

Эрик резко повернул голову.

— С тобой все в порядке? — спросил он и нахмурился, видя, что кашель Бриджит сменился неудержимой дрожью.

Она молча кивнула.

— Черт побери, Бриджит. — Эрик отпустил Ноэль, стянул с себя насквозь промокшее пальто и завернул в него жену. Его глаза сверкали, выдавая силу его чувств.

Ноэль тут же расплакалась.

— Не надо ругать Бриджит. Она не виновата, это я виновата.

— Мне очень хорошо известно, кто виноват. — Эрик подхватил на руки сначала Ноэль, потом Бриджит. — Надо отнести вас обеих в дом, пока вы не замерзли насмерть. — Взгляд его темных глаз остановился на лице жены, потом опустился на траву за ее спиной. — Поскольку за один раз я могу унести только двоих сорвиголов и одного грязного кота, то, боюсь, остролисту придется подождать.

И с этими словами он зашагал к дому.

С довольной улыбкой Бриджит смотрела через плечо Эрика на быстро удаляющиеся ветки остролиста, пока они не скрылись из виду.

Чудеса, думала она, возможно, даруют нам небеса.

Но случаются они здесь, на земле.

— Ноэль, выпей всю эту чашку теплого молока и забирайся в постель.

Прислонясь к стене в спальне Ноэль, Бриджит массировала виски, в которых пульсировала боль.

Ноэль обеспокоенно взглянула на нее:

— У тебя очень красные щеки, Бриджит. Думаю, ты гораздо сильнее больна, чем я.

— Со мной все будет в порядке, — заверила ее Бриджит. — Как только уложу тебя, тоже лягу. К утру я приду в себя.

Ноэль с сомнением повиновалась, проглотила молоко, потом забралась в постель, положив рядом Пушка.

— Дядя был героем, правда, Бриджит?

Она слегка улыбнулась.

— Да, милая, героем. — С огромным усилием Бриджит заставила себя выпрямиться и пересекла комнату, чтобы поцеловать Ноэль на ночь. — Меня бросает в дрожь от мысли, что могло произойти, если бы лорд Фаррингтон не выбрал как раз эту минуту, чтобы выглянуть в окно.

— Он не выбирал именно эту минуту, чтобы выглянуть в окно, — возразила Ноэль как ни в чем не бывало. — Он наблюдал за нами почти целый час. Поэтому я и взобралась на дерево — я рассчитывала на его помощь. Но ты об этом уже догадалась. — Она пожевала губку. — А вот дальше все произошло неожиданно для меня. Я не собиралась падать в пруд. Это было очень страшно. Должно быть, дядя бежал очень быстро, если за такое короткое время добрался из своей комнаты до двери, а потом через двор до пруда.

— Мне оно не показалось коротким, — ответила Бриджит, чувствуя, как качается комната. — Мне оно показалось вечностью.

— Он даже не устроил мне догоняй за то, что я сделала. И тебе тоже — за то, что ты собирала остролист. — Ноэль задумчиво сморщила носик. — А где сейчас дядя?

— Не знаю, Ноэль. Вернулся к себе, полагаю. Хотя, если бы он появился здесь, я бы не стала сообщать ему о том, что ты запланировала его героический поступок. Не думаю, чтобы ему это понравилось.

— Да. Ему это не понравилось, — подтвердил низкий голос. — Поэтому будь уверена, Ноэль, тебя ждет основательный нагоняй за твои проделки — но завтра.

Бриджит, не веря своим глазам, уставилась на дверь, словно ища подтверждения невероятному событию.

Остановившись у самого порога, Эрик разглядывал племянницу с выражением, которое затуманенный лихорадкой мозг Бриджит мог назвать только нежным.

— А на сегодня все разговоры прекращаются, — скомандовал он. — Ложись спать.

— Но, дядя, Бриджит больна, — запротестовала Ноэль. Внимание Эрика переключилось на Бриджит, которая продолжала смотреть на него широко раскрытыми глазами, словно пыталась осознать реальность его присутствия.

— Племянница права. Ты действительно больна, — заявил он.

— Наверное. — Она прикрыла глаза. — Не только больна, но и в бреду. Могу поклясться, что ты стоишь в комнате Ноэль.

Эрик не улыбнулся.

— У тебя жар. Подозреваю, что сильный. Тебе надо лечь в постель.

— Очевидно, так и есть. — Бриджит повернулась и, слегка пошатываясь, направилась к своей комнате. — Очень хорошо. Уже иду, милорд. Уверена, что к рассвету я проснусь и пойму, что все это было сном опти-миски...

Приступ головокружения настиг ее, и пол рванулся ей навстречу.

## Глава 7

— Не надо. — Бриджит замотала головой, отмахиваясь от холодного компресса, который упорно прижимался к ее лицу.

— Лежи спокойно и перестань сопротивляться мне, черт побери. — Твердая рука схватила ее за подбородок, и эта ужасная мокрая салфетка возобновила движение по ее лицу.

— Слишком холодная, — пробормотала она.

— Знаю, что холодная. — Его пальцы ослабили хватку. — Но ты вся горишь. Это единственный способ сбить тебе температуру.

С огромным усилием Бриджит чуть приоткрыла глаза.

— Эрик?

— Гм-м? — Он приложил салфетку к ее затылку.

— Я в постели?

— Да.

— У себя в комнате?

— Конечно.

— И ты за мной ухаживаешь?

— Я единственный, кроме тебя, взрослый человек в Фаррингтоне.

Ее глаза снова закрылись.

— Я и правда в раю. Как чудесно! Наконец-то я могу наслаждаться своей мечтой. Я ждала этого целую вечность.

— Перестань, — резко приказал он. — Ты не в раю. Ты в Фаррингтоне. И ты не умрешь.

Страстность его тона почти ускользнула от погруженной в полубредовое состояние Бриджит. Она повернула голову и прижалась губами к его руке.

— Знаешь, как долго я тебя люблю? — прошептала она. — Целую вечность. Можешь догадаться, сколько ночей я представляла себе, как ты приходишь ко мне? — Последовал едва слышный вздох. — Десятки. Сотни. Но фантазия никогда еще не была такой реальной. Никогда до. И даже после. Ни один сон не мог воссоздать те ощущения, которые я открыла для себя в твоих объятиях. — Смутный туман окутывал ее сознание. — Ты помнишь тот день, Эрик? Тот день, когда мы были вместе? Я помню. Каждую поразительную подробность. Ничто... никогда... мне... не было... так... чудесно.

Снова погружаясь в лихорадочный сон, Бриджит не увидела страдальческого выражения на лице мужа, когда он погладил ее горячую как огонь щеку.

— Да, Бриджит, — ответил он хриплым, дрожащим голосом. — Я помню. И ты права, никогда еще мне не было так чудесно.

Он замолчал, глядя, как поднимается и опускается во сне ее грудь, не в силах прогнать разрывающие душу чувства, которые пробудили в нем ее признания, чувства, на которые он давно считал себя неспособным.

Поднявшись, Эрик бесцельно зашагал по комнате, глядя в лицо непостижимой истине.

Он мог запереться от всех, закрыть двери для мира на долгое время. Но не сумел закрыть свое сердце от этого самоотверженного прекрасного ангела, своей жены.

Бриджит.

Уже больше месяца он избегает ее, думает о ней, желает ее. С самого начала эта борьба была изнурительной. С того дня как он лег с ней в постель, она стала безнадежной.

Какая насмешка! Он беспокоился о Бриджит, о том, что именно ей не удастся справиться с последствиями их поступка. И что же? Она приняла его условия, стала жить так же, как до того незабываемого дня, когда оказалась в его объятиях. Тогда как он сам каждую минуту, каждую бессонную ночь тосковал по ней. И не только в постели. Он тосковал по ее смеху, думал о ее мужестве, о том, как яростно она бросалась на защиту Ноэль.

Ноэль.

Впервые Эрик обнаружил, что способен думать о племяннице без боли, отделить ее от обстоятельств, сопутствовавших ее рождению. Это само по себе уже было чудом.

И чудесным было преображение Ноэль.

Не веря собственным глазам, он наблюдал, как Бриджит превращает Ноэль из неуправляемого, бунтующего ребенка в жизнерадостную, любящую девочку, устраивает ей дом, дает надежду на будущее.

И заменяет мать.

Тихо выругавшись, Эрик отвернулся, стиснув зубы при воспоминаниях, пробуждающих угрызения совести. Если кто и виноват в том, что произошло, то это он сам. Вот почему он сделал то, что должен был сделать, выбрал единственно возможный для себя путь.

Не допускать Ноэль в ту пустыню, в которую превратилась его жизнь.

После того, что он вытерпел с Лизой, в нем все умерло, он не способен испытывать какие-то чувства — особенно по отношению к ребенку, которого отказалась признать его сестра.

Отказалась признать? Черт возьми, ей хотелось стереть из памяти даже рождение Ноэль, словно она была каким-то нежеланным подарком, который можно вернуть назад и забыть.

Эрик крепко зажмурился, в тысячный раз спрашивая себя, в чем была его ошибка.

Что произошло с его Лизой, которую он растил с младенчества, щедро одаривая вниманием и любовью? Боже милостивый, что он создал? Эгоистичную женщину, без чувства чести и каких-либо обязательств как по отношению к брату, так и по отношению к собственному ребенку?

В чем бы он ни ошибся, он не мог позволить себе сделать то же с Ноэль, допустить ее к себе. Она заслуживала лучшего, чем дядюшка с пустым сердцем, у которого в душе остались лишь пустота и ненависть к самому себе.

А теперь у нее появилось это лучшее — благодаря Бриджит.

Приглушенный всхлип заставил Эрика повернуть голову к кровати, и он нахмурился, увидев, что его жена разметалась во сне, сбив одеяло. Он подошел и поправил постель, натянув одеяло ей до подбородка.

— Ноэль! — вскрикнула она, сражаясь с тяжестью одеяла. — Я должна ее достать... Она утонет...

— Ноэль в безопасности, Бриджит, — прошептал Эрик, думая, кого он утешает — жену или себя. — И ты тоже.

— Эрик? — Она прошептала его имя, словно находилась где-то очень далеко.

— Я здесь, рядом. Тебе и Ноэль ничто не угрожает. А теперь спи.

Она тотчас же затихла, и ее красивое лицо смягчилось, когда она погрузилась в глубокий, спокойный сон.

Как она может ему доверять, во имя неба?

Или любить.

Воспоминание о признании Бриджит заставило сжаться сердце Эрика.

«Знаешь, как долго я тебя люблю? Целую вечность. Можешь догадаться, сколько ночей я представляла себе, как ты приходишь ко мне? Десятки, сотни... Ни один сон не мог воссоздать те ощущения, которые я испытала в твоих объятиях».

Наверное, эти признания вызваны лихорадкой. В конце концов, вечность просто невозможна: они знают друг друга менее двух месяцев. Значит, остальные ее признания также беспочвенны.

Но не те, которые говорили о ее страсти.

В истинности тех признаний, подумал Эрик, ощущая, как его обдает жаром, он мог поклясться. Никогда в самом смелом полете воображения, а тем более в реальности, он не ощущал такого опустошающего наслаждения, такой яростной, бесподобной бури чувств, и он не мог избавиться от этих воспоминаний, которые преследовали его, превратившись почти в навязчивую идею.

Очевидно, они преследовали и Бриджит.

Но похоть, как он определил ее для себя, не есть любовь. Поэтому, что бы ни чувствовала Бриджит или не думала, что чувствует, это не может быть любовью.

Неужели не может?

Утомленно вздохнув, Эрик подтащил мягкое кресло к изножью кровати, упал в него, набросил на себя одеяло и закрыл глаза.

Последнее, о чем он подумал, прежде чем погрузиться в сон, было наказание, которое необходимо изобрести для неугомонной племянницы, чего ему не очень-то хотелось делать. Ничего слишком сурового. По правде говоря, маленькая негодница хорошо сделала свое дело...

— Бриджит!

Вопль пронзил Эрика словно нож.

Вскочив на ноги, он затряс головой, пытаясь сориентироваться. Где он? Кто кричал?

— Бриджит... не уходи от меня!

Ноэль.

Память разом вернулась к нему.

Эрик бросил быстрый взгляд на кровать, удостоверившись, что Бриджит крепко спит, затем выбежал из комнаты, пролетел по коридору до комнаты Ноэль, распахнул дверь и обнаружил девочку сидящей на постели и рыдающей так, словно у нее разрывалось сердце.

— Ноэль, что случилось?

Ноэль не удивилась его появлению, а просто, встав на колени, протянула к нему руки, все ее маленькое тело сотрясалось от рыданий.

— Дядя... Мне приснился плохой сон... — Она замолчала, чтобы перевести дыхание. — Про Бриджит. Она была так больна, когда ты уложил ее в постель. И мама умерла от лихорадки. Так сказала миссис Лоули. Мне снилось, что я пытаюсь разбудить Бриджит и не могу... и она так и не проснулась... и...

Эрик подошел к кровати, сделав всего четыре шага через комнату, и взял Ноэль на руки.

— С Бриджит все в порядке, — горячо заверил он девочку.

— Ты обещаешь?

— Обещаю. — Эрик почувствовал, как напряжение покидает Ноэль.

— Она просыпалась?

— Да. Собственно говоря, ей тоже снился плохой сон.

— Правда? — Ноэль подняла залитое слезами лицо, ужас ночного кошмара на время оставил ее. — Но она же взрослая.

— У взрослых тоже бывают плохие сны, Ноэль. — Эрик погладил ее по головке, отцовский инстинкт просыпался после долгого сна. — Ночные кошмары — это просто страхи, которые ждут в засаде, пока остальные наши мысли уснут. Затем, когда путь свободен, они бросаются и погружают наш мозг в хаос. И так как страхи есть у всех, то у всех бывают и кошмары.

Ноэль переварила эту информацию и громко, прерывисто вздохнула.

— Если Бриджит права, и взрослым тоже приходится подчиняться правилам, и если ты прав, и у взрослых бывают страхи и кошмары, то какая разница между детьми и взрослыми — кроме того, что дети меньше ростом?

Губы Эрика тронула насмешливая улыбка.

— Не слишком большая, — признался он. — Только дети не пытаются скрыть свои чувства за стенами самообмана и самозащиты.

— Бриджит не прячет своих чувств. Ты просто не очень пристально смотришь, поэтому не видишь. По правде говоря, ты и свои собственные чувства видишь не слишком-то хорошо. — Ноэль вытащила носовой платок из дядиного кармана. — Можно я возьму его?

— Не стесняйся. — Эрик нахмурился. — Что ты хочешь сказать? Чего я не вижу?

— Как сильно тебе нравится Бриджит. — Пожав плечами, Ноэль громко высморкалась, неподобающим для леди образом. — И как сильно ты ей нравишься.

Эрик изумленно покачал головой.

— Ты уверена, что тебе еще только будет четыре года?

— Так ты мне сказал. Ты говорил, я родилась на Рождество тысяча восемьсот пятьдесят шестого года.

— Это правда. — Кончиком пальца он поднял ее голову за подбородок. — Ты была крохотная и очень красивая. И очень громко кричала. Ты начала вопить и брыкаться, как только появилась на свет.

Ноэль улыбнулась:

— Правда?

— Правда.

— Дядя, а как умерла мама?

Глядя в глаза Ноэль, Эрик ответил:

— Лихорадка, как и сказала миссис Лоули. Но не такая, как у Бриджит. Она была намного хуже. У нее началось воспаление легких, зима была очень холодная, и меня не было рядом, чтобы о ней позаботиться.

— Разве она была не в Фаррингтоне?

— Нет, Ноэль.

Девочка задумчиво помолчала.

— Мама убежала, правда?

Эрик застыл.

— Кто тебе сказал?

— Уиллеты. Они мне вообще-то не говорили. Я просто услышала во время одной из ссор. Я зажала уши, потому что мне не хотелось слушать остальное. — Она покорно вздохнула. — Но наверное, я всегда знала правду. Даже мама меня не захотела.

У Эрика сжалось сердце.

— Дело не в том... — Он замолчал, лихорадочно подбирая нужные слова. — Все не так просто, Ноэль. Твоя мама была красивая и веселая, как и ты. Но она была еще очень молода, когда ты родилась, — очень молода и очень растерянна. Она не справилась, у нее не хватило сил. — Эрик преданно пытался сохранить миф, который оставил бы имя Лизы незапятнанным в глазах Ноэль, так же как пытался внушить это прежним слугам Фаррингтона, жителям деревни, всем, кто считал его людоедом. — Это я виноват. Я был жесток с ней. Зол и жесток. Мой гнев испугал ее и в конечном счете заставил уехать.

— Бриджит тебя не боится.

Эрик улыбнулся краешком губ.

— Да, кажется, не боится.

— И я тоже. — Ноэль забралась к нему на колени. — Знаешь, что я думаю? Я думаю, Бриджит права. Ты очень любил маму. По-моему, ты делаешь вид, будто виноват в том, что мама сбежала, потому что хочешь, чтобы люди тебя ненавидели. Тогда они оставят тебя в покое, и тебе не придется вспоминать, и у тебя не будет болеть живот. Ты занимаешься этими взрослыми делами, о которых говорил, — самообманом и самозащитой. Но знаешь что, дядя? Я тебе не верю. Ты не жестокий. — К изумлению Эрика, Ноэль обвила его шею руками и прижала к себе. — Ты герой, — шепнула она. — Ты спас мне жизнь. — Пошарив у себя за спиной, она схватила комочек влажного меха и без церемоний сунула его в лицо Эрику. — И Пушку тоже. Мы тебя любим.

Неужели это действительно слезы жгут его веки?

— Спасибо, Ноэль. — Этот потрясенный голос вовсе не был похож на его собственный. — Я не думал, что нуждаюсь в этом, но, оказывается, нуждаюсь. Очень.

— Я рада. — Ноэль вытерла щеки, и взгляд, которым она его одарила, был полон мудрости. — Может быть, если ты прибавишь любовь Бриджит к моей и Пушка, то больше не будешь сердиться. Может, этот нехороший самообман исчезнет. И тогда, может быть, ты сможешь быть счастливым. — С этими словами Ноэль широко зевнула. — Думаю, теперь я могу спать дальше. — Она забралась под одеяло и удовлетворенно вздохнула, но тут почувствовала, что Эрик поднимается с кровати. — Ты вернешься к себе в комнату? — По ее лицу пробежала тень страха.

— Нет. Я устроился в продавленном кресле в комнате Бриджит. Так я могу присматривать за ней и быть поблизости, если понадоблюсь тебе. Тебе так больше нравится?

Ноэль широко улыбнулась:

— Гораздо больше. — Девочка поудобнее устроилась на подушках. — Дядя?

— Что?

— Ты придешь на мой день рождения?

Молчание.

— Я не стану устраивать тебе догоняй, если ты не сможешь, — сонным голосом продолжала она. — Но тебе было бы гораздо легче, если бы смог. Тогда мне не пришлось бы падать с деревьев, чтобы ты появился, а тебе не пришлось бы спасать меня из прудов.

Эрик с трудом удержался от смеха.

— Твоя логика мне понятна, маленькая заговорщица. Я обдумаю твое приглашение.

— Спокойной ночи, дядя.

— Спокойной ночи, Ноэль.

— Дядя?

— Да, Ноэль?

— Какое наказание ты мне придумаешь?

— Уроки плавания. Для тебя, Бриджит и Пушка. Их будет давать самый строгий учитель. Я.


# Глава 8

Какой-то шум проник в сознание Бриджит.

Нахмурившись, она открыла глаза, думая, что ее зовет Ноэль. Очевидно, стояла глубокая ночь, судя по темноте в комнате и по тому, как крепко она спала.

Торопясь проверить, как там Ноэль, Бриджит быстро села... и так же быстро снова упала на постель. Боже правый, почему она так ослабла?

Воспоминания нахлынули на нее. Она была больна, очень больна, и не имела представления, как долго. Последнее, что она помнила, так это как упала на пол в комнате Ноэль.

Нет. Она помнила Эрика, сидящего у ее постели, обтирающего ей лицо, заставляющего сделать глоток воды.

Или все это ей приснилось?

Борясь с головокружением, Бриджит снова попыталась сесть, на этот раз медленно, спустила ноги с кровати и осторожно встала. Пошарила на тумбочке, нашла лампу и сделала поярче огонь, чтобы лучше видеть.

В комнате никого не было, дедушкины часы возле гардероба показывали около двух часов ночи. Дрожа, она взглянула на свою тонкую ночную сорочку и машинально потянулась за халатом, но обнаружила, что его нет на привычном месте в ногах кровати.

Ее взгляд упал на старое кресло, вдавленное сиденье и смятое одеяло на нем — явные признаки того, что кто-то использовал его как кушетку.

Эрик.

С нежной улыбкой Бриджит провела пальцами по затейливой деревянной резьбе, украшающей кресло. Значит, это не сон. Эрик был рядом, ухаживал за ней, когда она болела, даже спал в ее комнате на тот случай, если понадобится ей.

В ней росла радость.

Снова тишину нарушил тот же шум.

Бриджит вскинула голову, улыбка исчезла с ее лица, когда она сосредоточила внимание на резком, неприятном звуке. Ноэль?

Забыв обо всем остальном, Бриджит выбежала в коридор и распахнула дверь комнаты Ноэль.

И остановилась на пороге.

В комнате было темно, тихо, и ровное дыхание Ноэль сообщило Бриджит, что девочка крепко спит.

Бриджит с облегчением закрыла дверь и прислонилась к ней, чтобы собраться с силами и проанализировать упорное чувство, будто чего-то недостает. Взгляд помимо ее воли переместился на противоположный конец коридора, к комнате, куда ей было запрещено заходить, к комнате, которая, как она знала с самого начала, когда-то принадлежала Лизе.

Дверь была приоткрыта, и из комнаты вырывался луч света... вместе с резкими звуками, которые ее разбудили.

Отбросив колебания, Бриджит пересекла коридор и проскользнула в комнату, почему-то зная, что делает еще один необратимый шаг, на этот раз еще в большей степени решающий, чем в тот день, когда согласилась выйти замуж за Эрика, или в тот, когда разделила с ним ложе.

В комнате царил разгром.

Сломанная мебель, разбитые стекла, порезанные картины, покрытые пылью, скопившейся за четыре года. И посреди всего этого стоял Эрик, склонив голову, плечи его вздрагивали от долго сдерживаемых чувств.

— Эрик. — Бриджит тихо произнесла его имя, подошла сзади и обняла руками за талию.

Он застыл.

— Что ты здесь делаешь? — спросил Эрик, его голос звучал хрипло и был переполнен болью.

— Я люблю тебя. — Она прижалась щекой к его спине. — Я хочу быть с тобой. И я не уйду, как бы ты со мной ни боролся.

Его мышцы обмякли, он повернулся и изо всех сил прижал ее к груди.

— У меня не осталось сил бороться. Но, Бриджит, — он сглотнул, — посмотри вокруг. Ради Бога, посмотри, что я наделал, каков я есть! Беги от меня, пока можешь!

— Я не хочу убегать. И я очень хорошо вижу, что ты наделал. И понимаю почему. Может, тебе и удалось обмануть своих слуг, жителей деревни, даже самого себя. Но меня ты не обманешь. А что до того, каков ты, то это ты слеп и не видишь правды, а не я. — Она откинула назад голову и встретилась с его измученным взглядом. — Перестань себя убивать. Ни в чем случившемся нет твоей вины. Эрик... — Она приложила ладонь к его щеке. — Лиза того не стоила.

От изумления он позабыл о боли.

— Ты сама не знаешь, что говоришь.

— Конечно, знаю. — Бриджит не дрогнула. — Лихорадка у меня прошла, голова совершенно ясная. Что до моей оценки Лизы, то я знаю гораздо больше, чем ты думаешь, возможно, больше, чем кто-либо другой. Видишь ли, у меня была воз-

можность столкнуться с той жестокостью, которая скрывалась
за очаровательной внешностью твоей сестры. Я знаю о ее хо-
лодности, о ее системе ценностей, даже о том, как далеко она
готова была зайти, чтобы добиться своего.

На виске Эрика запульсировала жилка.

— Откуда? — только и смог выдавить он.

— По каким-то своим причинам Лиза решила, что я представляю потенциальную угрозу ее будущему. Поэтому она приподняла свою маску, чтобы поставить меня на место. —
Бриджит грустно улыбнулась. — Должна признаться, у нее
это прекрасно получилось.

— Вы были знакомы?

— Нет. Разговаривали же всего один раз — когда она
нашла меня, чтобы предупредить. Никогда не забуду тот день.

— Предупредить? О чем?

— Чтобы я оставила тебя в покое. — Видя изумленное
лицо Эрика, Бриджит смущенно покачала головой. — О, Эрик,
я была влюблена в тебя еще ребенком. Поначалу это было как
наваждение. Мне приходилось силой удерживать себя, чтобы
не выбежать из дома, когда ты проезжал верхом по деревне,
не глазеть на вас с Лизой, когда вы приходили в церковь. Ты
казался мне рыцарем из волшебной сказки, ты оберегал Лизу
так, словно она была самым драгоценным из всех сокровищ. Я
бы отдала все на свете, чтобы поменяться с ней местами, стать
твоей обожаемой сестрой. Пока не стала старше. Тогда обо-
жание превратилось в нечто более сильное, нечто такое, чего я
и сама до конца не понимала. Знала только, что мне уже не
хочется быть твоей сестрой. Мне хотелось... большего. Хотелось быть одной из тех счастливиц — нет, единственной сча-
стливицей, которой ты дарил бы свою ослепительную улыбку.
Я так старалась это скрыть; никогда не встречалась с тобой
взглядом, никогда не позволяла себе даже прикоснуться к тебе,
когда ты проходил мимо. Но Лиза была очень хитрой девицей.
Она догадалась о моих чувствах. А если и существовало то,

чем она не намерена была ни с кем делиться, то это именно ты. Поэтому она сбросила ангельскую маску и позволила мне увидеть свое истинное лицо.

— Когда? — хрипло спросил Эрик. — Когда это случилось?

— За год до того, как родилась Ноэль, сразу же после рождественской службы в дедушкиной церкви. Мне было тринадцать, даже почти четырнадцать, а Лизе уже исполнилось шестнадцать. Я прошла в глубину церкви, чтобы проверить, не осталось ли там детей, которые еще не получили рождественского угощения. Лиза пошла за мной. — Бриджит замолчала, чувствуя боль так же остро, как и в тот день, когда Лиза разбила ее девичьи мечты на мелкие осколки. — Она сказала, что пришла положить конец моей возмутительной и безрассудной увлеченности, чтобы поставить меня — по ее выражению — на подобающее мне место раз и навсегда. Я все еще вижу ее глаза, эти ледяные сапфиры, оглядывающие меня с головы до ног так, словно я жалкая, никому не нужная кучка мусора. Она, не выбирая выражений, сообщила мне, как глупо я себя веду и как я смешна. Напомнила мне, что ты сказочно богатый граф, а я всего лишь ребенок и к тому же жалкая сирота, внучка нищего деревенского викария. Затем она сказала, что мое поношенное платье не годится даже на то, чтобы полировать ваше серебро, а мои манеры не позволяют мне даже занять место посудомойки в Фаррингтоне. Она предложила мне обратить свой взор на твоего кучера или любого другого из сотни ваших слуг, разумеется, за исключением твоего камердинера или дворецкого, которых ужаснет моя невоспитанность. — Даже через столько лет воспоминание о холодных словах Лизы вызвало слезы унижения на глазах Бриджит. — Я помню всю горечь своего разочарования — куда делась принцесса из сказки, которой я так долго завидовала? Потом смысл слов Лизы дошел до меня, и я поняла, что, как бы ни были жестоки ее утверждения, она права. Все мы равны перед

Господом, но не в глазах других людей. Поэтому, какой бы доброй и достойной я ни была, мне нет места в твоей жизни.

Я молча выслушала твою сестру и пошла прочь, высоко подняв голову. Но не потому, что хотела бросить ей вызов, а потому, что больше всего на свете боялась расплакаться в присутствии Лизы. И не расплакалась, пока не добралась до дома, до своей кровати. Там я рыдала и рыдала, пока слезы не кончились и не унесли с собой мою мечту.

— Бриджит... — Только когда Эрик произнес ее имя, Бриджит осознала, что он держит в ладонях ее лицо и большими пальцами вытирает бегущие из глаз слезы.

— Это столкновение ничего не изменило, ты знаешь, — прошептала она. — В сущности, ничего. Лиза развеяла мои надежды, но не погасила любовь. Я никогда не переставала любить тебя, Эрик. И никогда не перестану. Особенно после того вечера, у тебя в комнате. — Бриджит мягко улыбнулась. — Как бы мало ни значила для тебя наша физическая близость, для меня она значит очень много.

Крепко зажмурившись, Эрик застонал, продолжая держать в своих ладонях ее лицо. Потом прижал Бриджит к своей груди. Долгие секунды Эрик молчал, только гладил ее по волосам дрожащей рукой.

Наконец он заговорил:

— Все, что ты сказала о Лизе, — правда. За одним исключением. Моя вина в том, что она стала такой. Это я формировал ее характер, потакал каждому ее капризу, чтобы компенсировать для нее потерю родителей. Я всю свою жизнь посвятил ее счастью.

— А как же твоя жизнь? — Бриджит задала вопрос, который мучил ее долгие годы. — Друзья? Знакомые?.. Женщины?

— Мне было тринадцать лет, когда погибли мать и отец. По правде говоря, я по ним не скучал; вероятнее всего потому, что почти их не знал. Меня растила гувернантка, а потом, как только я научился читать, меня отправили в школу. Даже во время каникул родителей дома не было. Они пускались то в одно приключение, то в другое. Я думал, рождение Лизы заставит их остаться дома. Но этого не произошло. Когда ей было всего четыре месяца, они отправились в экспедицию в Индию. Во время шторма их корабль затонул. И я вдруг стал графом Фаррингтоном — владельцем заброшенного имения, руководителем пришедшего в упадок дела и опекуном новорожденного младенца. Мое детство закончилось слишком внезапно. Вот и ответ на твой вопрос: у меня не было времени ни на развлечения, ни на что, кроме работы и Лизы. Знакомые? Их были десятки благодаря деловым связям. Друзья? Их у меня не было. Женщины? — Эрик хрипло откашлялся. — Когда мне нужна была женщина, я ее себе находил.

Если Бриджит и раньше любила мужа, то теперь она полюбила его еще сильнее — теперь, когда поняла истинные размеры его жертвы.

— Значит, Лиза не привыкла делить тебя ни с кем.

— Это так. И еще она не привыкла делить ни с кем мои деньги. — Эрик резко втянул в себя воздух. — Сказать тебе, почему она убежала? — Он не стал ждать ответа. — Потому что я потерял свое состояние. Все очень просто. Когда Лизе исполнилось шестнадцать лет, я очень опрометчиво вложил в одно дело крупную сумму денег, и мое состояние испарилось. Я до последней минуты не решался сказать ей, хотя был настолько глуп, что предполагал, будто в ней проснется сестринская солидарность. Я объяснил, что мы далеко не нищие, но от роскоши придется отказаться, по крайней мере на какое-то время. Она посмотрела на меня с таким выражением, словно я был самим сатаной. Обвинила меня в том, что я намеренно промотал ее наследство, что я жестокий и бесчувственный человек. Затем заперлась в своей комнате. На следующее утро она сбежала. Ни записки, ни устного послания — ничего. Я много месяцев ничего не знал о ней. Пока однажды она не появилась у моего порога, умоляя о помощи.

— И уже была беременна, — тихо вставила Бриджит.

Он с горечью кивнул.

— Она встретила очень богатого итальянского аристократа, который наобещал ей златые горы. Вместо этого соблазнил ее и вышвырнул — вернулся домой, к жене. Признаваясь мне во всем, Лиза не переставала рыдать и клясться, что получила горький урок и что она изменилась. Боже правый, и я позволил себе ей поверить! — Эрик судорожно глотнул, его руки рефлекторно сжали плечи Бриджит. — Очевидно, Лиза унаследовала непоседливость наших родителей. Через три недели после рождения Ноэль она заявила, что у нее не хватает терпения быть матерью и она не может вынести моей унылой, скромной жизни. Короче говоря, ей было скучно, она решила покинуть Англию и уехать за границу. Когда я заговорил о Ноэль, она пожала плечами и повторила, что у нее не хватает терпения быть матерью, что она совсем не умеет ухаживать за маленькими детьми и не склонна этому учиться. Она предложила, чтобы я сам растил Ноэль или, если моя бедность исключает такую возможность, отдал ее на воспитание какой-нибудь бездетной женщине, которая обрадуется возможности иметь ребенка. Лиза вполне откровенно дала понять, что ей все равно, кто будет растить Ноэль, лишь бы ей самой не пришлось этим заниматься. На меня обрушилась жестокая реальность, которую я прежде не желал видеть: сестра, которую я вырастил, была ветреной женщиной с холодным сердцем и пустой душой. Я обезумел. Орал так, что стены дрожали, разнес в щепки комнату Лизы, угрожал запереть ее в этих развалинах, пока она не образумится. Я чуть было не ударил ее, и, видит Бог, иногда я считал себя способным даже на это. Ничего не помогло. Когда Ноэль было шесть недель, меня вызвали в Лондон по срочному делу. Я отсутствовал всего одну ночь. А когда вернулся, Лиза исчезла, бросив новорожденного младенца на попечение слуг, которые в ужасе разбежались, как только я вошел в дом.

— Одному Богу известно, что Лиза им наговорила, — гневно вставила Бриджит.

Эрик пожал плечами.

— В тот момент это не имело значения. Я их не виню. Долгие недели они только и слышали, что рыдания Лизы и мои яростные крики. Уверен, что она без труда убедила их в моем безумии. И поскольку у меня не было желания переубеждать их, я их уволил. У них коленки задрожали от облегчения, и, не теряя времени, все убрались. За несколько часов Фаррингтон опустел — осталась только Ноэль. Я уложил ее вещи в свой фаэтон и отвез девочку в дом ближайшего знакомого мне приличного семейства: к Гонерхэмам. Точно не помню, что я сказал, передавая им ребенка, что-то вроде того, что Лиза испугалась и убежала. Они были слишком огорошены и слишком напуганы моим душевным состоянием, чтобы отказаться от Ноэль. Я удалился в Фаррингтон, намереваясь никогда не выходить оттуда. — По его телу пробежала дрожь. — Я сделал именно то, за что упрекал Лизу: бросил Ноэль. Но видит Бог, у меня ничего не осталось, я ничего не мог ей дать — ни любви, ни нежности. Ничего, кроме горечи и обиды. И потом, как я мог рискнуть сотворить еще одну Лизу? Снова совершить те же непоправимые ошибки? — Он покачал головой. — Я не мог. Примерно три месяца спустя я получил известие, что Лиза заболела и умерла. Я ничего не почувствовал. Словно она умерла уже давно — и забрала меня с собой. — Эрик глухо рассмеялся. — Ирония судьбы заключалась в том, что срочное дело, из-за которого я уехал и дал Лизе возможность бежать, было вызовом моего поверенного. Одно из моих предприятий принесло огромную прибыль. Я вернул свое состояние и даже удвоил его. Если бы Лиза подождала еще один день, она снова стала бы богатой и у Ноэль была бы мать.

— Да, но какая мать? — спросила Бриджит. — Мать, которая способна бросить собственного ребенка? Эрик, подумай, что ты говоришь! Ты отдал Ноэль совсем по другим причинам. Тобой руководил не эгоизм: ты страдал от боли и считал себя неспособным дать Ноэль то, в чем она нуждалась. А Лиза совершенно хладнокровно предпочла порвать все узы, связывающие ее с собственным ребенком, в погоне за беспечной и полной приключений жизнью. Как ты можешь сравнивать? — Молясь про себя, Бриджит боролась за то, чтобы вернуть мужу прежнюю уверенность в себе. — Эрик, ты сказал, что я ошибаюсь, что, если бы я знала, каков ты в действительности, я бы относилась к тебе по-другому. Ну, теперь я знаю, и я не ошиблась. Не ты создал характер Лизы, она родилась с таким характером. Единственный твой грех состоит в том, что ты ее любил, но любовь не грех. Ты приговорил себя к незаслуженному аду и таким образом едва не лишился единственного сокровища, которое все же создала Лиза.

— Ноэль, — проговорил Эрик, и жесткие складки вокруг его губ слегка разгладились. — Она действительно необычная девочка, правда?

— Она редкая, особенная девочка. Я это знаю — и ты тоже. Более того, не считая внешнего сходства, она отличается от Лизы, как день от ночи. Ноэль чуткая и жизнерадостная, жизнь бьет в ней через край. И она полна любви. Любви, которую жаждет давать и принимать. Ей нужен настоящий отец, Эрик, такой, чье сердце достойно ее любви. Ей нужен ты. И более того, она нужна тебе. — Бриджит протянула руку и кончиками пальцев нежно погладила его губы. — Время пришло, Эрик, — мягко сказала она. — Прошлое кануло. А будущее может быть таким прекрасным.

— Бриджит. — Дыхание Эрика обдавало теплом ее кожу. — Ты почти заставила меня поверить в то, что бывают чудеса.

— Они бывают, если ты позволишь им быть.

Он поймал ее ладонь, прижал к своим губам.

— Ты имеешь представление о том, какая ты драгоценность?

Подняв глаза на мужа, Бриджит внезапно поняла, что в конечном итоге Лиза все же потерпела поражение. Потому что в глазах Эрика она увидела то самое благословение Божие, которое было отнято у него пять лет назад.

Надежда.

— Я люблю тебя, — выдохнула она, почему-то ей показалось необходимым снова повторить эти слова.

Эрик резко выдохнул воздух, его рука задрожала на руке Бриджит.

— Ты раньше сказала, что наша физическая близость все для тебя изменила, — сказал он хриплым от волнения голосом. — Для меня тоже.

Бриджит улыбнулась ему дрожащими губами.

— Значит, это была не просто похоть?

— Совсем не похоть. Любовь. Я люблю тебя, Бриджит, больше, чем могу выразить. Больше, чем я считал возможным. — Его лицо осветилось улыбкой, эхом отозвавшейся в сердце Бриджит. — Когда ты заболела, я был в ужасе. Мне никак не удавалось снять жар. До сегодняшней ночи. Прошло три дня, а ты только и делала, что засыпала и просыпалась и бормотала что-то насчет того, будто ты в раю.

— Я и была в раю. Потому что рядом был ты.

— Я совсем обезумел. Метался по комнате. Ругался. Даже молился. — Он крепче стиснул ее пальцы. — Я ведь только что тебя нашел. Я не мог — не могу — тебя потерять.

— И не потеряешь. — Бриджит хотелось кричать от радости, чтобы слышно было на небесах. — Ни сейчас, ни в будущем. Никогда.

— Даже Ноэль встревожилась, а ты же знаешь, она практически не знает страха. В ту первую ночь ей приснился кошмарный сон. Ей снилось, что ты умерла. Я едва ее успокоил, так она рыдала. Она чертовски сильно тебя любит...

— Ты пошел к Ноэль? — перебила Бриджит, и ее глаза расширились от радости. — Когда она проснулась от кошмара, ты пошел к ней, чтобы ее утешить?

— Да.

— О, Эрик. — Бриджит обвила руками его шею. — Видишь, чудеса бывают. — Она закрыла глаза. — Слава Богу.

Пальцы Эрика переплелись в ее волосах.

— Если надо благодарить Бога, то за то, что Он привел тебя в нашу жизнь. Возможно, Он все же считает, что я этого заслуживаю.

— Да, Он так считает, — страстно подтвердила Бриджит. Откинувшись назад, она погладила заросшие бородой щеки мужа. — Бог видит тебя таким же, каким вижу я. Каким я всегда тебя видела. Таким, какой ты и есть в действительности. Рыцарь из волшебной сказки: защитник слабых, благородный... необыкновенный.

— Но отчаянно нуждающийся в принцессе, которую надо спасти. — Эрик прикоснулся губами к губам жены. — Ты знаешь кого-нибудь, кто мог бы сыграть эту роль?

— Разве ты забыл? Она уже сыграна — твоей женой. Ты спас мне жизнь, помнишь?

— Помню. — Подхватив Бриджит на руки, Эрик, шагая по обломкам, переступил порог прошлого и ни разу не оглянулся назад. — А за это ты подарила мне мою жизнь.

— Дядя?

Приглушенный шепот достиг слуха Эрика.

— Гм-м?

— Бриджит уже лучше? Поэтому ты ее обнимаешь? Вы праздновали?

Эрик приоткрыл один глаз, и его руки рефлекторно крепче обхватили жену, нежно прижавшуюся к нему, и ее медленное, размеренное дыхание сказало ему, что она спит. Улыбнувшись, он припомнил чудесные часы, предшествовавшие этому сну.

— Да, Ноэль, — шепотом ответил он, чувствуя облегчение оттого, что послушался совета Бриджит и натянул брюки, пока она надевала ночную рубашку, — именно на случай такого предрассветного вторжения. — Бриджит гораздо лучше. И мы праздновали.

Вздох облегчения Ноэль достался меху Пушка.

— Значит, все будет хорошо, да, дядя?

— Да, Ноэль, все будет хорошо. Теперь иди обратно в постель, еще ночь на дворе.

— Ладно. — Она поколебалась. — Дядя? Помнишь, что я тебе сказала? Что ты нравишься Бриджит?

— Угу.

— Ну, я знаю, как сделать так, чтобы ты понравился ей еще больше.

Эрик раскрыл глаза.

— Что?

Ноэль прижалась губами к его уху и сказала таким громким шепотом, что его можно было услышать в другом конце комнаты:

— Она считает тебя очень красивым. И очень часто смотрит на тебя. Думаю, ты должен сделать так, чтобы ей легче было тебя видеть.

Губы Эрика дрогнули.

— И что ты предлагаешь?

— Побрейся и постриги волосы. Тогда ты будешь выглядеть еще лучше. Смотри, как красиво выглядит Пушок после того, как выкупался в ванной. И я видела, как Бриджит над ним хлопотала. Возможно, она и над тобой тоже будет хлопо-

тать.. — Последовала короткая пауза. — Ну, может, и не так
сильно, ведь Пушок был гораздо грязнее, чем ты.

— Спасибо. — Эрик подавил смех. — Это отличный
совет. Сегодня же ему последую.

— Хорошо. — Девочка довольно кивнула. — Дядя, а
мы — семья?

Веселое настроение Эрика погасло, а сердце невольно сжалось в груди.

— Да, Ноэль. Благодаря Бриджит мы стали настоящей
семьей.

— Я так и думала. — Она громко чмокнула его в щеку. —
Спокойной ночи, дядя.

— Сладких тебе снов. — Эрик протянул руку и дернул за
одну из спутанных черных прядок. — Между прочим, —
сказал он, — за несколько последних дней сильно похолодало.
Думаю, пойдет снег. Возможно, нам следует перенести празднование твоего дня рождения в дом. В моих комнатах места
больше чем достаточно для самого большого кукольного представления.

Ноэль широко раскрыла глаза.

— Правда?

— Правда. А теперь в постель! У нас будет много дел
утром.

Ярко-синие глаза вопросительно прищурились.

— Много дел?

— Конечно. Ты же слышала, что я сказал? Похоже, пойдет снег. Поэтому нам лучше внести в дом все эти многочисленные веточки остролиста, которые Бриджит так старательно
собирала, а потом бросила, когда кинулась в пруд тебя спасать. К завтрашнему дню их может засыпать толстым слоем
снега. Если это произойдет и если снег не растает, мы не

успеем собрать их до Рождества. А на деревьях уже не осталось веток, чтобы их заменить.

Смысл слов Эрика наконец дошел до Ноэль, и она бросилась ему на шею, обнимая изо всех сил.

— Ой, дядя, я так рада, что ты научился праздновать!

— И я тоже рад, Ноэль, — еле выговорил Эрик. — Очень, очень рад.

Тихо лежа рядом с ним, Бриджит улыбалась сквозь слезы, молча вознося молитвы небесам.

И в ответ на них где-то там, наверху, было принято решение.

Первая снежинка задержалась и слетела на землю на день позже.

## Эпилог

— Бриджит, ты видела выражение лица Анны Коруэл, когда дядя дал ей рождественские шиллинги?

— Да, Ноэль, видела, — весело подтвердила Бриджит, грея руки у камина в гостиной. — Я видела лица всех детей. Они были в восторге.

— Некоторые из них и правда придут сегодня в Фаррингтон? — спросила Ноэль, прыгая вокруг их чудесно украшенной рождественской елки — той самой, которую выбрала Бриджит всего несколько недель назад, когда Рождество еще казалось всего лишь несбыточной мечтой. — Специально на мой день рождения?

— Собственно говоря, очень многие приняли наше приглашение. — Сердце Бриджит наполнилось радостью при воспоминании о том, как тепло жители деревни откликнулись на их просьбу. Многие даже решили не праздновать Рождество дома, чтобы дать одной драгоценной четырехлетней девочке впервые в жизни по-настоящему отпраздновать свой день рождения. — И не только дети, — прибавила она. — Их родители тоже. В конце концов, празднование Рождества с теми, кого любишь, и делает этот день таким особенным, правильно?

— Правильно! — Ноэль энергично кивнула, потом остановилась, пораженная новой мыслью. — Бриджит, а как же твой дедушка? Он придет? Он же член нашей семьи — и он действительно особенный. Это благодаря ему столько людей снова стали любить дядю. Я слышала разговор родителей Анны... Они сказали, что викарий поет дяде ди-фи-ра-бы и советует всем перестать его бояться. — Крохотная морщинка появилась между бровями Ноэль. — А что значит «петь ди-фи-ра-бы»? Что викарий поет дяде? «Дифирабы» — это такая песня?

— Нет, дорогая. — Бриджит улыбнулась, выслушав интерпретацию Ноэль, как всегда, очень изобретательную. — Викарий не поет песенку дяде. Петь кому-либо дифирамбы означает хвалить этого человека, а обратное этому — ругать.

— Вот как! Неудивительно, что столько народу собирается ко мне на день рождения. Наверное, викарий им объяснил, как дядя нас спас. Теперь все знают, что он герой.

— Действительно, знают. И на твой вопрос ответ тоже «да», дедушка придет к нам.

Ноэль пожевала губку.

— Как ты думаешь, он не слишком устал, чтобы показывать кукольный театр? Его рождественская служба была ужасно длинной. Я знаю, потому что хоть я и не спала во время нее, но Пушок два раза начинал клевать носом.

У Бриджит задрожали плечи от смеха.

— Дедушка ни за что на свете не пропустит твой день рождения. Будь уверена, он и его куклы уже едут в Фаррингтон, пока мы с тобой разговариваем.

— Ох, Бриджит, Рождество и правда такое чудесное, как ты обещала! — Ноэль подбросила Пушка вверх, он ударился о венок и плюхнулся обратно в руки Ноэль с веточкой остролиста на шее.

— И даже еще чудеснее, — ответила Бриджит и подняла взгляд навстречу вошедшему в комнату Эрику. — Кто это приходил?

— Блейдуэлл, наш бывший дворецкий. — На лице Эрика застыло выражение благоговейного изумления. — По его словам, все слуги вернутся в Фаррингтон к первому января. Ни один не отказался от моего предложения — моей просьбы, — поправился Эрик тихо, — вернуться на прежнее место.

— Ох, Эрик, это великолепно! — Сердце Бриджит пело при виде удивления в глазах мужа. — Что он еще сказал?

— Гм-м? О, больше ничего. — Эрик поспешно отвел глаза и стал деловито оправлять гирлянду над дверью. — Ему надо было торопиться к сестре. Она устраивает рождественский ужин для их семейства.

Бриджит подняла брови.

— Понятно. Если вы больше ни о чем не говорили, то почему тебя так долго не было?

Уклончиво пожав плечами, Эрик издал легкий смешок.

— Мне надо было уладить одно личное дело, моя любопытная женушка.

— Сколько человек будет жить с нами, дядя? — пропела Ноэль, прежде чем Бриджит успела задать следующий вопрос.

— Много. — Эрик взъерошил ее волосы. — Может быть, сотни. Это не слишком много?

— О нет, — заверила она его. — Пушок решил, что ему все же нравится компания.

— А сюрпризы ему нравятся?

Глаза Ноэль тут же загорелись.

— Да. Это и было «личное дело» — сюрприз?

— Угу. Наверху. — Эрик махнул рукой в сторону двери. — Хочешь взглянуть?

— Он в твоей комнате, да? Ты наконец-то собираешься показать мне, что приготовил для кукольного представления!

— Отличная догадка. Однако, к сожалению, ты угадала лишь наполовину. Пойдем. — Губы Эрика изогнулись в насмешливой улыбке, когда он повернулся к жене, которая казалась очень озадаченной: — Присоединитесь к нам, леди Фаррингтон?

— Это что-то такое, о чем я еще не знаю? — спросила она.

— Пошли с нами и увидишь.

— Именно так я и собираюсь сделать. — Бриджит припустила вслед за Ноэль, гадая, что же такое Эрик сделал в своей комнате, кроме того, в чем она ему помогала: накрыть стол для чая и спрятать подарок для Ноэль. И когда он успел? Эрик не отходил от них больше чем на несколько минут с того объяснения в комнате Лизы. И ни одной ночи не провел в своей бывшей комнате. Она сама может засвидетельствовать этот факт, подумала Бриджит, расцветая теплой, удовлетворенной улыбкой.

Конечно, каждый день после обеда они с Ноэль ложились на часок поспать — кажется, этот час сна становился все более необходимым для нее. Возможно, Эрик воспользовался этим временем, чтобы подготовить свой сюрприз.

И это напомнило Бриджит, что у нее тоже есть для него сюрприз.

С легким сердцем Бриджит побежала вверх по лестнице, слыша смех Эрика, который следовал за ними.

К тому времени как они добрались до восточного крыла, Ноэль уже бежала со всех ног.

— Дядя, она заперта! — крикнула девочка, дергая за ручку двери.

— Разумеется, заперта. Как еще я мог бы скрыть свою работу от любопытных молодых леди? — Тут он бросил многозначительный взгляд в сторону Бриджит, подчеркивая множественное число слова «леди».

Бриджит была сама невинность.

— Я?

— Ты. — Он подошел, доставая из кармана ключ.

— Я даже не знала о сюрпризе, — запротестовала она.

— А если бы знала? Хватило бы у тебя терпения не заглядывать сюда?

Молчание.

— К этому нечего добавить. — Эрик вставил ключ в замочную скважину.

— Полагаю, мне только что устроили догоняй, — прошептала Бриджит, обращаясь к Ноэль.

— Ничего. — Ноэль ободряюще похлопала ее по руке. — Помнишь, что я говорила: дядя всегда улыбается, когда устраивает тебе догоняй. — Ее внимание привлек щелчок открывающегося замка. — Скорее, дядя, а то мы с Пушком сейчас лопнем.

— В таком случае... — Эрик широко распахнул дверь, — входи и взгляни на сюрприз.

Ноэль ринулась вперед, Бриджит вбежала следом и ахнула при виде открывшегося перед ней зрелища.

Бриджит и Эрик приготовили всю переднюю часть помещения для гостей Ноэль, устроили сцену с занавесом для кукольного представления, вокруг которой стояло множество стульев, а рядом — накрытый к чаю стол.

— Бриджит, ты помогала дяде?

— Помогала, это правда, — подтвердила Бриджит. — Учитывая, как мало ты спишь, нужны были двое, чтобы закончить приготовления к дню Рождества.

— Это здорово!

Взволнованная восторгом Ноэль, Бриджит следовала за ней по пятам, наблюдая, как девочка рассматривает каждую с любовью подготовленную ими деталь убранства комнаты.

Что-то необычное в глубине комнаты привлекло внимание Бриджит.

Озадаченная, она повернулась туда и открыла от удивления рот.

— Ух ты... Ноэль, посмотри!

Ноэль рывком обернулась и ахнула, увидев сюрприз дяди во всей красе. Глаза ее стали большими, как блюдца.

Спальни Эрика больше не существовало. Мебель исчезла, остался только маленький столик, на котором стояла миниатюрная копия елки Бриджит, украшенная сверкающими игрушками.

Или, возможно, она только казалась миниатюрной, потому что ее окружали коробки с подарками, заполнившие комнату. Некоторые из них были тщательно запакованы, другие открыты и выставлены на обозрение, маня к себе восхищенных зрителей.

Игрушки, сладости, одежда для девочки всех цветов и видов, игры, книжки — целый ворох подарков, от пола до потолка, ожидал Ноэль, и на каждом из них было написано ее имя.

— С Рождеством! — взволнованно произнес Эрик.

— Это все мне? — еле выговорила Ноэль.

— Кроме тех, у дальней стены, — они для Бриджит. Это тебе от меня: за все те рождественские праздники, которые мы пропустили, но которые должны были праздновать вместе. — Он прочистил горло. — Ну, чего ты ждешь?

Другого разрешения Ноэль не потребовалось.

Девочка бросилась вперед, схватила сразу двух кукол вместе с кучей одежек для них. Через несколько секунд она заме-

тила кое-что другое и, отшвырнув одежки в сторону, упала на
колени, чтобы засунуть обеих кукол и Пушка в трехэтажный
кукольный дом, настолько большой, что в нем можно было
разместить еще полдюжины миниатюрных жильцов.

— Эрик... — Бриджит не знала, что и сказать.

— А ты не собираешься посмотреть свои подарки? —
спросил он, указывая на тридцать или больше красивых мод-
ных платьев и бальных туалетов, висящих в дальнем конце
комнаты. — Надеюсь, они тебе понравятся. Я заказал портнихе различные фасоны на тот случай, если ты предпочитаешь
какой-то определенный стиль. В коробках рядом с платьями
находятся аксессуары и белье плюс немного духов и украшений, которые, по моему мнению, тебе могли бы понравиться.

— Как?.. — прошептала Бриджит. — Когда?..

— Мне пришлось нелегко. — Эрик подошел вплотную к
жене, улыбаясь при виде ее изумленного, недоверчивого лица. —
Вы с Ноэль очень крепко спите после обеда. Я использовал
это время для того, чтобы принимать посыльных и изменить
вид моей комнаты... навсегда. — Его страстный взгляд встретился с глазами жены. — Мне ведь больше не придется жить
в отдельной комнате, да?

— Не придется, — выдохнула Бриджит.

— Что касается платьев, то я послал портнихе твое голубое платье, и она сняла с него мерки. — Он взял лицо Бриджит в свои ладони. — Никто больше не будет насмехаться над
твоей одеждой.

— Мне все равно, даже если бы и насмехались.

— Мне не все равно. Не потому, что мнение людей очень
важно для меня, а потому, что если больно тебе, то больно и
мне. Поэтому я собираюсь осыпать тебя всей роскошью, какая
только существует в мире.

— Я... — Она вздохнула. — Эрик, мне все это не нужно.

— Чтобы стать еще дороже для меня, еще красивее, —
не нужно. Но для той новой жизни, которую я хочу для тебя

создать, — нужно. Мы будем часто принимать гостей — ты, Ноэль и я. Сегодняшний праздник — это только начало. Фаррингтон спал слишком долго. Пора его разбудить.

Бриджит обвила руками его шею, ресницы ее стали влажными от слез.

— Я люблю тебя.

— Ты мое бесценное сокровище, — нежно ответил Эрик. — И я люблю тебя так, как ты даже представить себе не можешь.

— Ты очень огорчишься, — тихо сказала Бриджит, — если новые платья и приемы гостей придется отложить еще на некоторое время?

Он удивленно приподнял брови:

— Почему? Тебе не нравятся платья? Я могу заказать другие.

— Думаю, это будет мудрым решением. — Глаза Бриджит сияли сквозь пелену слез. — Гораздо большего размера, я бы сказала. Большие и свободные, чтобы они могли вместить мой рождественский подарок тебе. — Завладев рукой Эрика, она прижала ее к своему животу.

Бриджит наблюдала за сменой выражений на его лице: удивленное, озадаченное, а потом он догадался.

И лицо его просияло.

— Бриджит. Ты хочешь сказать...

— С Рождеством, любимый. — Она потянулась вверх, чтобы поцеловать его. — Кажется, первое слияние наших тел не только соединило наши сердца, но принесло нечто большее. Наш ребенок появится на свет этим летом.

Он молча прижал ее к себе, и сделал это с благоговением, которое говорило само за себя.

— Дядя? Почему Бриджит плачет? — спросила Ноэль.

— Потому что я счастлива, — ответила Бриджит, освобождаясь из объятий Эрика и опускаясь на колени перед Ноэль. — Ноэль, как тебе понравится, если у тебя будет брат или сестра?

Ноэль наклонила голову.

— Как у меня может быть брат или сестра? Для этого мне нужны родители.

— У тебя есть родители. — Бриджит взяла ее за подбородок. — Мы.

Ноэль вдруг поняла.

— Ты хочешь сказать, что у вас с дядей будет ребенок?

— Это ничего?

Нахмурив нежный лобик, Ноэль с тревогой обдумывала подобную перспективу.

— Ноэль, у меня никогда прежде не было младенцев, а сама я уже много лет назад была маленькой, — призналась Бриджит. — Ты же, напротив, была маленькой всего несколько лет назад. И должна помнить намного больше, чем я. Я на тебя рассчитываю, ты ведь поможешь мне и малышу?

— Это будет мальчик или девочка?

— Если честно, то я еще не знаю.

— А когда он появится?

— Примерно в начале августа. Еще точно не знаю.

— Ты и правда не много знаешь о младенцах, — решила Ноэль хмурясь.

— Боюсь, что это так.

— А я в самом деле буду его сестричкой?

— В самом деле.

— Можно мне звать тебя мамой?

В горле у Бриджит встал комок.

— Я буду очень счастлива.

— А дядю — папой? — Она взглянула на Эрика.

— Почту за честь, — ответил он.

Ноэль улыбнулась:

— Тогда ладно. — Внезапно она посмотрела на Пушка, и лицо у нее стало задумчивым. — Бриджит... то есть мама... —

наконец произнесла она, — теперь мы настоящая семья. А в семье люди делятся друг с другом, особенно тем, что очень любят. Поэтому, думаю, я поделюсь Пушком с моей новой сестричкой или братиком. В конце концов, Пушок знает, как трудно быть новым в семье. Он помогал мне привыкнуть. Держу пари, он может помочь и малышу привыкнуть. Это будет правильно?

Бриджит подумала, что у нее сейчас разорвется сердце.

— Я люблю тебя, Ноэль, — сказала она, крепко обнимая свою новообретенную дочь. — Да, более чем правильно. Это прекрасно.

— К тому же твое решение как нельзя более своевременно, — вставил Эрик. — Потому что Пушок не единственный, кто будет занят новым подопечным.

— Что ты хочешь сказать? — удивилась Ноэль.

Таинственно улыбаясь, Бриджит встала.

— Правильно. Я чуть не забыла о подарке к твоему дню рождения. — Говоря так, Бриджит отошла в темный угол первой комнаты. Через секунду она снова появилась, держа в руках маленький проволочный ящичек. — С днем рождения, Ноэль.

Из ящичка сверкали огромные глаза золотистого котенка.

— Котик! Настоящий котик! — Ноэль схватила ящик, открыла дверцу и вынула свой новый подарок. — Как его зовут?

— Ее, — поправил Эрик. — Она твоя, тебе и выбирать имя.

— Она похожа на Пушка!

После ее слов котенок, осознав, что выпущен на свободу, пробудился к жизни, спрыгнул на пол и помчался прочь. В разные стороны полетели игрушки, коробки опрокинулись, а столик угрожающе наклонился, когда котенок врезался в его ножки.

— Может, она и похожа на Пушка, но ведет себя как ты, — сухо заметил Эрик.

— Я знаю! Я назову ее Бурей!

— Отличный выбор, Ноэль. — Бриджит так смеялась, что едва могла говорить.

— Буря, иди сюда, — скомандовала Ноэль.

В ответ Буря бросила на них презрительный взгляд, затем вскочила на столик и стала взбираться на деревце, сбивая по дороге одну игрушку за другой. На полпути к верхушке, очевидно, удовлетворенная причиненными разрушениями, она остановилась, уселась на ветке и с вызовом взглянула на них, прищурив глаза.

— Разве вы не собираетесь устроить ей догоняй? — спросила Ноэль, поворачиваясь к своим новым родителям.

— Нет, Ноэль. — Эрик безнадежно вздохнул и опустил подбородок на макушку Бриджит. — Опыт подсказывает мне, что Буря уже закос-те-нела в грехе.

# ДЖУДИТ О'БРАЙЕН
## Пять золотых колец

Judith O'Brien
# FIVE GOLDEN RINGS

Моему старшему брату, Бруксу, который всегда открывал коробки с моими куклами Барби, пока я разворачивала его машинки и солдатиков.

И еще: я вовсе не хотела выбрасывать твою бейсбольную кепку клуба «Сент-Луис кардинал» из окна машины на шоссе. Просто так получилось.

## Глава 1

— Мисс Грэхем! Мисс Грэхем! — Девочка так высоко тянула руку и с таким пылом, что Эмма Грэхем мысленно представила себе, как она сейчас продырявит потолок.

— Да, Дженнифер К. — Эмма улыбнулась. Полдесятка ребят, которых не вызвали, издали обычный стон разочарования.

Дженнифер К., обозначенная так для того, чтобы отличить ее от четырех других Дженнифер из первого класса, вскочила в ту самую секунду, как произнесли ее имя.

— Я хочу быть рождественским ангелом, — объявила она, приглаживая ладошкой свои длинные русые волосы.

— Очень мило, Дженнифер К. Я это непременно запомню на тот случай, если возникнет такая нужда.

Эмма приобрела большой опыт в оценке детей своего класса. В каждом классе была своя Дженнифер К., хорошенькая девочка, слишком хорошо знающая о своей красоте.

Этот класс не был исключением. В нем имелись также свои клоун, умник, сорванец, коленки которого были расцарапаны сильнее, чем у всех остальных, вместе взятых, и так далее.

Только один ребенок в этом году не вписывался в общую картину — новый мальчик, загадка и для нее, и для детей. За пять лет преподавания у нее еще никогда не было такого ученика, как этот.

Сегодня, как обычно, он сидел очень тихо, сложив руки на крышке парты. Он вел себя слишком тихо для шестилетнего мальчика, и глаза у него были слишком серьезными.

По словам директора, его мать умерла, когда он был еще младенцем. Эмма предприняла несколько попыток связаться с его отцом, но то ли ее послания не дошли до него, то ли он не потрудился ответить. Няня мальчика всегда приводила его в школу и забирала из школы. Он никогда не шел домой вместе с другим ребенком, никогда не договаривался поиграть с кем-нибудь и не получал приглашений на детские праздники в конце дня.

Хотя в ее классе было полно детей, родители которых развелись, только у нового мальчика один из родителей умер. Дети чувствовали эту разницу и избегали его с первого дня. У детей существовал невысказанный страх, ощущение, что такое несчастье может оказаться заразным.

Эмма снова обратилась к ученикам:

— Я разделила класс на три группы. Одни из вас будут Ханукой, другие Кванзой, а третьи Двенадцатью днями Рождества.

Словно по команде по классу прошла волна стонов и радостных криков, как на стадионе. Возбуждение было почти осязаемым. До Рождества оставалось всего три недели. В классной комнате появились каталоги игрушек, повсюду была разложена зеленая и красная бумага для рукоделия. Даже ворчливый школьный сторож со своей вечной шваброй в руках, теперь украшенной мишурой, был замечен в красном колпаке Санта-Клауса. К середине января он будет жаловаться, что блестки забились в каждый коврик и уголок, но сейчас он вместе со всей школой был охвачен лихорадочным предвкушением праздника.

Только новый мальчик оставался в стороне. Быть новеньким в школе всегда достаточно сложно, но быть новеньким в такое время года почти невыносимо. Он был новеньким, его мать умерла, но больше всего ему не повезло с именем — его звали Аза.

Не было нужды отличать этого Азу от другого Азы в классе — он был единственным. По правде говоря, он был единственным Азой во всей школе, возможно, во всем Бруклине.

Эмма заложила прядку отливающих медью волос за ухо и склонилась над своим столом.

— Мисс Грэхем! Мисс Грэхем!

Это подал голос один из Майклов. У них было два Майкла, что довольно необычно. Как правило, их в каждом классе по крайней мере трое.

— Да, Майкл Р.? — Она посмотрела на часы. Осталось пятнадцать минут до конца урока, а ей еще надо раздать задания.

— У вас есть парень?

В комнате воцарилась тишина. Эмма привыкла слышать этот вопрос по крайней мере раз в неделю. Во время праздников он поднимался с вызывающей тревогу частотой. Это служило ей личным сигналом того, что праздники начались всерьез.

— Нет, Майкл Р., сейчас нет. Ладно, послушайте. У меня здесь пачка записок, которые нужно отнести вашим... Да, Бобби. Какой у тебя вопрос?

— Мисс Грэхем? Мои родители ночью боролись, сняв рубашки. Я их видел.

Эмма прикусила изнутри щеку, чтобы не рассмеяться.

— Спасибо, что поделился с нами этой новостью, Бобби. Как я уже сказала, записки, которые я вам сейчас раздам, должен подписать один из ваших родителей... Да, Санбим, хочешь что-то добавить?

Казалось, Санбим удивлена тем, что ее вызвали. Независимо ни от чего она всегда казалась удивленной. Моргая, она встала рядом с партой.

— Мой папа курит по ночам смешную трубку.

Отец Санбим, бывший менеджер рок-группы «Благодарные мертвецы», а ныне банкир с Уолл-стрит, кроме того, по рассказам дочери, носил нижнее белье, разрисованное галстуками, и во время учебы в колледже подвергался аресту. Санбим приносила его фотографии из полицейского дела для игры «покажи и расскажи».

— Курение очень вредно, — сказал Билли. — От него бывает рак, и тогда тебя разрежут, и ты умрешь.

У Санбим задрожали губы.

— Но он делает всего одну или две маленькие затяжки. Говорит, это поднимает ему настроение. Неужели мой папа умрет?

— Нет, Санбим. Уверена, с твоим отцом все будет в полном порядке.

Эмма начала раздавать записки. Аза не пошевелился, когда она протянула ему сложенную белую бумажку.

— Аза, — сказала она, — тебе предстоит сделать нечто особенное. Ты принесешь пять золотых колец. Просто принеси старые пластмассовые кольца для занавесок, и я помогу тебе покрасить их золотой краской.

Медленно, не опуская глаз, мальчик взял записку и затолкал ее в свой ранец с надписью «Могучие рейнджеры».

— Вы должны послать записку его папе, раз его мама умерла, — пропела Дженнифер К., тряхнув волосами.

Эмме захотелось обмотать шелковистые волосы вокруг ее пухлой шейки. Но она лишь проигнорировала ее замечание. Еще в первые годы преподавания она усвоила, что иногда лучшей реакцией является отсутствие реакции вообще.

— Ладно, звонок вот-вот прозвенит. Чем скорее вы, ребята, принесете ваши предметы в класс, тем скорее мы сможем начать. И не забудьте домашнее задание на сегодняшний вечер — написать целую страницу заглавной буквы Д.

Зазвенел звонок, и дети, подхватив свои ранцы и коробки для завтрака, выстроились в очередь к двери. У каждого была своя пара. За исключением Азы. Он стоял один, самым последним.

Он всегда оказывался последним в очереди.

Эмма хотела стать учительницей еще с тех пор, как сама училась в первом классе. И ни единого раза потом не усомнилась в правильности своего выбора. Другим хотелось стать учителями только на несколько коротких часов или на время длинных каникул, но Эмму привлекал сам процесс обучения.

На стене ее квартиры на Парк-Слоуп, всего в трех кварталах от школы, висели фотографии Эммы с учениками ее класса. Пять фотографий, аккуратно вставленных в одинаковые деревянные рамки, запечатлели ее путь от студентки-педагога до настоящего учителя. Стена была большой, и на ней полно места для десятков фотоснимков, которые ей предстоит развесить в будущем.

Большинство ее соучеников по колледжу уже переженились, завели собственных детей. Эмма же отдавала все время своим подопечным, и в ее платяном шкафу висело множество платьев, оставшихся после свадеб подруг, на которых она была подружкой невесты, из пастельного цвета тафты; босоножки того же цвета аккуратно выстроились в ряд.

Эмма без сил рухнула на тахту, хотя было только немногим больше пяти часов вечера. Она вкладывала в работу все силы. К концу дня сил не оставалось.

Хорошо, что у нее нет ни мужа, ни друга, подумала она. Ей не удалось бы скопить достаточно энергии, чтобы встречаться с парнем, а тем более завязать с ним серьезные отношения. Конечно, у нее были парни, особенно в колледже. Но это не сработало. Никакой трагедии она в этом не видела. Просто ей ни раз не попался подходящий парень.

Губы Эммы слегка изогнулись в улыбке. А какой парень ей подошел бы? Он должен быть высоким, по крайней мере достаточно высоким, чтобы соответствовать ее росту в пять футов восемь дюймов, и спортивным, чтобы ездить с ней на велосипеде во время летних путешествий. Способным, возможно, даже выдающимся, обладающим достаточной долей оптимизма, чтобы сглаживать острые углы. Хорошо, если бы при этом он оказался еще и красивым.

Улыбка перешла в смех.

— Да-а, правильно, Грэхем, — сказала она сама себе. — Уверена, что таких парней толпы, и все ждут, пока ты сделаешь первый шаг.

Она встала и потянулась, поймав свое отражение в зеркале прихожей.

Она даже красива — неброской красотой, ничего яркого и вызывающего. Возможно, в этом и была ее проблема — она слишком обыкновенная. Обычная средняя школьная учительница, в средней школе, в функциональной, опрятной, средней квартирке.

Внезапно ее кот, беспородное полосатое существо с неоригинальной кличкой Том, прыгнул ей под ноги.

— Ладно, сейчас дам тебе поесть. — Эмма вздохнула, и кот немедленно рванул через комнату и скользнул под тахту.

У нее мелькнула мысль позвонить друзьям и пойти в «Дэппер Дэн», постоянное место сбора здешней молодежи. Но это требовало слишком больших усилий — одеться и встретиться со старой компанией за веселым дружеским столом. Тощие цыплячьи крылышки и шкурки от картофеля не вполне компенсируют чересчур дорогое пиво и принужденную беседу.

Вместо этого она проведет обычный вечер с котом и Питером Дженнингсом по телевизору. Вечер, похожий на тысячи других и на тысячи таких же вечеров в будущем.

Бóльшая часть детей не забыла выполнить не только домашнее задание, но и свои поручения к празднику. Даже Аза, молчаливый, с вечно печальными глазами, сжимал в руке маленький бумажный мешочек, полный колечек для занавесок. Если бы это был любой другой ребенок, она бы поддразнила его, сказав, что он готов заменить слова «пять золотых колец» на слова «тридцать семь золотых колец». Но Аза был не такой, как другие. Эмма просто улыбнулась ему.

Только после того как уроки закончились, а дети разошлись и Эмма собиралась выключить свет, она заметила на полу бумажный мешочек Азы.

Она подобрала мешочек и открыла его. Там было несколько дюжин старых колец для занавесок. Наверное, его отец купил новые, когда они переехали. Сверху лежало меньшее по размеру колечко, уже позолоченное.

Из любопытства она вынула это маленькое колечко. Оно было не из пластика, а из металла.

Эмма поднесла его к лампе на своем столе. Колечко не просто металлическое, кажется, оно из настоящего золота. Кольцо явно старинное, отливавшее розовато-золотым блеском, свойственным старинным украшениям. На внутренней стороне виднелась надпись, но выгравированная вязь сильно стерлась, и ее невозможно было прочитать.

— Странно, — пробормотала Эмма, кладя кольцо в свой кошелек, чтобы понадежнее спрятать.

Необходимо зайти к отцу Азы и сказать о кольце. Возможно, тогда ей удастся больше узнать о мальчике, спросить его отца, всегда ли он был таким погруженным в себя ребенком. Конечно, ей надо действовать очень мягко, дипломатично — ей уже не раз приходилось выбирать именно этот способ общения с родителями.

Что-то дрогнуло у нее внутри при этой мысли. Что представляет собой отец этого малыша? Каким он окажется человеком?

Эта мысль встревожила ее.


Разговор с отцом Азы свелся к передаче сообщения через его автоответчик.

«Вы позвонили по номеру 839-75-72, — произнес сухой, безразличный голос. — Пожалуйста, оставьте свое сообщение, я перезвоню вам при первой возможности».

Голос не был неприятным, решила Эмма, набирая в грудь побольше воздуха. Но как раз перед тем как заговорить, она вдохнула кусочек жевательной резинки, которая в тот момент была у нее во рту.

— Кхе, я... Здравствуйте, — задыхаясь, выдавила она. После серии сдавленных звуков, напоминающих кашель Тома, когда он старается выкашлять комок меха, она продолжала: — Я ваша... Кхе-кхе. Уже лучше. Здравствуйте. Я учительница Азы, Эмма Грэхем, и у меня...

Ее прервал гудок сигнала. Это сигнал начинать говорить или заканчивать?

— Черт побери, — выругалась она в трубку.

— Алло? — Это был его голос, голос отца Азы. — Я только что вошел и...

Эмма больше ничего не слышала. Она среагировала, как взрослый человек, когда его застали врасплох: Эмма бросила трубку.

— Зачем я это сделала? — простонала она, обращаясь к молчаливому телефону.

Телефон тут же зазвонил. Неужели это он? О Боже, подумала Эмма. Может, у него есть определитель номера? Или она оставила свой номер телефона?

Она неуверенно подняла трубку.

— Алло. — Она изменила голос, произнесла это низким, хрипловатым голосом только что проснувшегося человека.

— Эмма? Это ты? Боже мой, у тебя ужасный голос! Ты простыла?

Она мгновенно расслабилась.

— О, привет, мама. — Эмма откинулась на диванные подушки. — Нет, со мной все в порядке.

Во время разговора с матерью из головы у Эммы не шел отец Азы, она все гадала, что он мог о ней подумать.

Эмма зевала, глядя в телевизор и допивая чашку горячего шоколада. Том пребывал под диваном, где яростно трепал свою фетровую мышку, звеня колокольчиками при каждом рывке.

От нечего делать она потянулась к своему кошельку. Кольцо лежало там, надежно упрятанное в застегнутое на молнию отделение для мелочи.

Это было красивое кольцо. Может, оно принадлежало матери Азы? Нет. Кольцо слишком старое, и его явно не носили в последнее время. Его носили много лет, возможно, даже десятилетий назад. Эмма представила себе старую женщину, не желающую расставаться со своим кольцом, не снимающую его даже во время домашних дел, стирки или когда пекла имбирные пряники своим внукам.

Приятное на ощупь, слегка потертое, это кольцо было гладким, как сильно поношенный шелк. Эмма надела кольцо на левую руку, на свободный безымянный палец. Такое приятное, такое гладенькое.

Том испустил пронзительный вопль. Эмма не обратила на кота никакого внимания.

Металл был теплым. Кольцо скользнуло на палец и оказалось идеально подходящим по размеру, словно было сделано специально для нее. По всей руке распространилось тепло. Восхитительное дремотное ощущение растеклось и охватило все тело.

Глаза Эммы закрылись. Она поспит прямо тут, на диване, сказала она себе. Она поспит.

Матрац был весь в комках.

Эмма попыталась уснуть снова. Ей снился чудесный сон, хотя она и не могла припомнить никаких подробностей.

Незнакомый запах вернул ее к действительности. Почему-то пахло животными. Эмма села.

— Том? Тебе нужно сменить песочек?

В эту секунду она открыла глаза, и слова замерли у нее на губах.

Она находилась в маленькой комнатке. Пол из широких деревянных половиц, покрытый лоскутным ковриком, и большой деревянный гардероб в углу. Стул с решетчатой спинкой и плетеным сиденьем.

Это была деревенская спальня, и она лежала под одеялом ручной работы. Теперь она ощутила запах соломы, кофе и маисового хлеба; эти ароматы доносились из-за занавески из набивного ситца, висящей на двери на толстой деревянной палке.

Прямо за ситцевой занавеской послышались шаги. Они тяжело стучали по доскам пола, кто-то явно шел в сапогах.

В камине янтарно тлели угли, но все равно в комнате было холодно. Толстый слой льда покрывал оконные рамы, как изнутри, так и снаружи.

Прежде чем Эмма успела среагировать на странную окружающую обстановку, большая рука раздвинула ситцевую занавеску. В комнату вошел один из самых красивых мужчин, которых она когда-либо встречала, — высокий, превосходно сложенный, одетый в свободную белую рубашку и толстые брюки на кожаных подтяжках.

Волосы у него были угольно-черного цвета, но слегка припорошены сединой. Но в тот, первый, момент изумленная Эмма прежде всего увидела его глаза, карие глаза, которые одновременно смеялись и плакали.

— Доктор говорит, мы можем попытаться еще раз, Эм. — Он говорил со странным акцентом. — Когда будет подходящее время, мы можем попытаться еще раз.

С этими словами он покинул комнату так же быстро, как и вошел.

Одна дополнительная подробность просочилась в ее мозг. У этого мужчины на пальце тоже было кольцо. С первого же взгляда она поняла, что его кольцо составляет пару с кольцом на ее собственной левой руке.

# Глава 2

Эмма не имела понятия, сколько времени она просидела на кровати, подтянув под горло одеяло и тупо уставившись на ситцевую занавеску.

Ей доводилось слышать термин «клинический шок», и теперь она совершенно точно знала, что он означает. Казалось, время остановилось, она не могла ни пошевелиться, ни заговорить, ни что-либо почувствовать. Ее разум упорно пытался найти объяснение тому, где она находится. Возможно, ее похитили и увезли в этнографический музей-парк, или же она попала на празднование Дня первооткрывателей.

Но все было очень реально. Каждая деталь была слишком достоверной, чтобы можно было принять это место за музей или за какую-то иллюзию. Запахи — острые и дразнящие, звуки рождали эхо. Ни один самолет не ревел над головой, и вдалеке не слышно было гула машин на шоссе. Каким-то образом Эмма перенеслась в прошлое.

В конце концов она услышала, как тот мужчина ушел. Он не сказал ей ни слова, ни «до свидания», ни «желаю приятно провести день», ни «какого черта эта незнакомая женщина делает в моей постели?». Ничего.

Мало-помалу она стала замечать окружающую обстановку. Матрац был в буграх, по-видимому, его набили шелухой от кукурузных початков. Одеяло, которое она сжимала руками, слегка выцвело. На нем был виден каждый узелок, каждый стежок, причудливо неровный.

332       Джудит О'Брайен

Снаружи находились животные. Она слышала кудахтанье и писк, прерывистое ржание. Несколько раз до нее доносился такой звук, словно мимо проехал фургон. Колеса скрипели по гравию и снегу. Возницы щелкали поводьями или успокаивали лошадей.

В конце концов Эмма заметила маленькое ручное зеркало, лежащее на сундуке. Она спрыгнула с кровати — на мгновение у нее закружилась голова — и схватила зеркало, чтобы увидеть свое отражение.

Это была она, никаких сомнений. Даже в темной и пятнистой поверхности зеркала она узнала собственное лицо. Выражение этого лица было растерянным, голубые глаза покраснели и слегка припухли; волосы заплетены в косы и завязаны тряпочками. Но в том, что именно Эмма Грэхем смотрела на нее из зеркала, сомневаться не приходилось.

Маленький треугольник ткани высовывался из закрытого сундука. И прежде чем положить зеркало, Эмма открыла сундук, чтобы убрать его.

Свежий аромат коснулся ее ноздрей, когда она приподняла тяжелую крышку, — запах цветов и весны. Поверх аккуратно свернутой одежды лежали сухие цветы, стебли их стягивали яркие ленты, а под лентами лежала маленькая книжка в кожаном переплете.

Дневник. Эмма тотчас же это поняла. Она начала было опускать крышку на место, потом остановилась. Какое-то мгновение она просто стояла, босиком, в свободной хлопчатобумажной ночной сорочке. Потом схватила дневник, закрыла сундук и прыгнула обратно в тепло бугристой постели.

Красный переплет дневника не имел замочка. Эмма ожидала ощутить запах пыли, когда открыла его, но единственным запахом, который ей удалось уловить, был аромат цветов.

Странички дневника сияли белизной. После нескольких чистых страниц начались записи. Синими чернилами, четким, разборчивым почерком.

Это был ее собственный почерк.

Ошибиться невозможно, и невозможно как-то это объяснить. Эмма писала точно так же с младших классов школы, те же острые углы, тот же четкий наклон. Дневник писала сама Эмма.

Она потерла глаза, они болели, словно она недавно плакала. Потом начала читать.

Почерк принадлежал Эмме, но слова — совершенно незнакомому человеку.

Записи начинались с марта 1832 года, в Филадельфии. Автор не называла себя, но рассказывала о своем маленьком сынишке, о муже и о путешествии на запад, в которое они вот-вот должны были отправиться.

Тон записок был странным, в каждом слове чувствовалось смущение, и подбор их был осторожным. Никаких имен не называлось. Никаких характерных особенностей.

«Во время нашего путешествия ребенку стукнет годик. Мой муж надеется, что к тому времени мы уже будем в Индиане. Он сразу же начнет работать с судьей Исайей Хокинсом. Те, кто работал с мужем в Филадельфии, выражают удивление и немалое огорчение его внезапным отъездом. Все считают его одним из самых перспективных адвокатов в Филадельфии, если не на всем восточном побережье. И тем не менее его выбор клиентов непредсказуем, как мартовский ветер, и такой же неопределенный. Он, кажется, не хочет брать клиентов, которые могут позволить себе заплатить ему его истинную цену. Он стремится на запад, чтобы встретиться лицом к лицу с законом на границе поселений, а не с законом города. Ребенок капризничает».

Следующая запись была еще короче.

«Каналы замерзли, поэтому мы ждем. Я никого не знаю и не хочу ни с кем знакомиться. Наши попутчики — ужасные люди, грубые и неопрятные, как во внешности, так и в манере поведения. Могу лишь предположить, что чем дальше мы будем продвигаться на запад, тем хуже станет наше окружение».

Несколько строчек описывали волнение мужа.

«Он не знает о моих чувствах. Ничего не желает замечать, кроме своего счастливого идеализма. Он хочет помогать другим, но, боюсь, это будет происходить за счет нашей семьи».

Следующая запись датирована маем 1832 года.

«Жестокая жара. Я думала, что Овертон-Фоллз окажется городом, а здесь всего несколько домов. Моему ребенку сейчас исполнился бы годик, если бы Господь не призвал его к себе. Может, он делал бы свои первые шаги?»

Эмма опустила дневник. Больше записей не было. Остальные страницы остались пустыми.

— Ребенок умер, — пробормотала она самой себе.

Эмма сидела и смотрела на комнату, на грубую мебель, следы героических усилий создать комфорт. Внезапно ей непреодолимо захотелось выйти наружу, увидеть, где она и можно ли добраться отсюда домой.

В гардеробе висела женская одежда, и она вынула самое теплое на вид платье, какое только смогла найти. Еще там нашлись чулки, все черные, хлопчатобумажные и бесформенные, и тяжелая нижняя юбка. В нижней части шкафа, под какими-то тряпками, стояли две пары туфель. Они явно уже некоторое время стояли без дела, обе пары были чистыми, без грязи и пыли. Она надела более прочные, из черной кожи с пуговицами сбоку и на толстых подошвах.

Прямо под одеждой в сундуке лежали щетка для волос и жестяная коробочка со шпильками. Эти шпильки казались смертельно опасными штуками, с легким налетом ржавчины, словно ими тоже долго не пользовались. Эмма сделала все, что могла, со своими волосами и осталась довольна, когда, тряхнув головой, обнаружила на полу всего несколько шпилек.

Она вышла через дверь в соседнюю комнату и была удивлена тем, что мужчине удается поддерживать такую чистоту в доме.

В примитивно обставленной комнате находился еще один камин — этот не топился, — и на большом крюке напротив дымохода висел чайник. Рядом стояли деревянный стол и каменная раковина. Вдоль стены располагалась скамья, на которой лежала свернутая постель.

Значит, он спит здесь.

Рядом со скамьей находился длинный сосновый стол, на котором она увидела глиняную трубку, глиняный горшочек с надписью «Табак» и стопку тяжелых на вид книг. Эмма взяла их и прочитала названия: «Оратор из Колумбии» и «Комментарии Блэкстоуна». По-видимому, это книги по юриспруденции. Хотя бумаги видно не было, на столе стояла бутылочка замерзших чернил, закрытая пробкой, и лежало обгрызенное гусиное перо, кончик которого был испачкан темно-синими чернилами.

Возле двери на стоячей вешалке висели шляпы и одежда. Однажды она водила своих учеников в исторический отдел Бруклинского музея, и там была такая же вешалка с тщательно сохраненной одеждой. Она тогда объясняла детям, что в те времена еще не было платяных шкафов. Детишки прижимались носами к стеклу, и кто-то заявил, что это «чудно». Теперь, стоя перед странной одеждой, грубой на ощупь, она склонна была согласиться со своим учеником.

Все это было очень чудно.

На вешалке не было никакого женского пальто, зато висела тяжелая шаль. Эмма предположила, что именно ее она и должна надеть, и завернулась в эту шаль.

— Я голодна, — объявила она самой себе и подошла к раковине. Никакой еды не было. Там мокли тарелки, и на них уже образовался тонкий слой льда. Ручной насос с красной ручкой был установлен над раковиной. Эмма несколько раз дернула за ручку, но ничего не произошло. Она попыталась снова, обеими руками. Капля ледяной воды шлепнулась в раковину, и все.

Снова завернувшись в шаль, она уже было собралась выйти, но тут ее взгляд упал под стол.

Там стояла деревянная колыбелька.

— О нет, — прошептала она. В колыбельке лежали крохотный плед и детская рубашечка. Она инстинктивно взяла ее в руки и поднесла к лицу.

Она еще хранила запах, сладкий аромат младенца. Эмма поняла, что это запах ее собственного ребенка, ребенка, которого она никогда не узнает. Ее ребенка и ребенка того мужчины с удивительными глазами.

Колени ее подогнулись, и она опустилась на пол, все еще прижимая к лицу маленькую рубашечку. Ощущение потери с такой силой охватило ее, что пережить эту боль было почти невозможно. Она обрушилась на нее, как физический удар.

С ее губ сорвался стон, и она закрыла глаза, впитывая сладкий аромат младенца.

Эмма не слышала, как открылась дверь, и не почувствовала холодной струи воздуха с улицы.

— Эм.

Она подняла взгляд. На пороге стоял ее муж. Он был одет в широкополую шляпу, припорошенную снегом, просторное темно-коричневое пальто, которое казалось слишком хорошо скроенным и изящным для их новой жизни в Индиане.

— Эм, — повторил он. Сделал шаг вперед и остановился. — Ты встала с кровати.

Она кивнула и улыбнулась, смутившись, потом снова свернула рубашечку и положила ее обратно в колыбельку.

Выражение лица ее мужа оставалось озадаченным, когда он закрыл дверь и задвинул большой деревянный засов.

— Зачем ты надела лошадиную попону?

Она начала подниматься, и он протянул холодную руку, чтобы ей помочь.

Его рука, большая и огрубевшая, была прекрасна. Это не рука человека, ведущего сидячий образ жизни. Это рука человека, который будет сражаться за то, во что верит и что любит.

Ей захотелось снова заплакать, но одновременно и засмеяться от радости. Это был он. Это его она ждала так долго.

Ее рука схватила его руку, и он посмотрел на нее с легким удивлением.

— Ты надела лошадиную попону.

— Неужели? — Она широко улыбнулась и второй рукой накрыла сверху его руку. Эмма почувствовала силу, прилив тепла. На тыльной стороне его ладони разбегались вздувшиеся вены, и она провела по ним большим пальцем.

Остановилась и подняла на него взгляд.

Их лица разделяло всего несколько дюймов. Хотя на его лице не было морщин, оно было худым, скулы резко выступали под изумленными глазами.

Его кожа была несколько темноватой, но в конце года это вряд ли мог быть солнечный загар. Несмотря на его впечатляющую мужскую стать и мощное телосложение, черты его лица были довольно тонкими. В нем чувствовалась утонченность патриция, благородство, которого она никогда прежде не встречала у мужчин.

Он ждал ее ответа.

— Я надела лошадиную попону, потому что замерзла.

Он и глазом не моргнул. Снег на его шляпе оставался белым и пушистым. В комнате было так холодно, что снег мог сохраниться в таком положении целую вечность.

Потом он сделал нечто поразительное. Он улыбнулся. Это не была грубая ухмылка во весь рот и не быстрая усмешка, демонстрирующая все зубы. Нет, его рот слегка изогнулся, и глаза на секунду осветила сияющая искра. Затем она исчезла.

— Ладно, Эм. Это похоже на правду.

С этими словами он снял шляпу. Хлопья снега упали на пол, а Эмма уставилась на его волосы. Было что-то завораживающее в том, что у такого молодого человека, вероятно, не старше тридцати лет, столько седины. Не только на висках, где она всегда появляется довольно рано, особенно у темноволосых мужчин. Седина была повсюду, серебристая, густая и вызывающая.

— Я принесу тебе чего-нибудь поесть. — Он снял с себя пальто и повесил его на вешалку. На нем были те самые белая рубашка и брюки, что и раньше, только теперь он надел темный узкий галстук, свободно завязанный бантом, и пиджак с узкими лацканами.

Она чуть было не сказала ему, как он красив, но тут до нее дошли два странных момента. Первый — мужчина, муж, готовил для нее еду. Разве это не женское дело?

Второй момент был более тревожным. Когда он говорил, Эмма пыталась понять, откуда у него такой странный акцент. Странной была не сама его речь, не то, как он произносил слова поначалу. Казалось, у него типичный восточный акцент, несколько более явный, но вполне обычный. Странность заключалась в полном отсутствии эмоциональной окраски. Он выговаривал каждое слово без малейшей перемены интонации. Ни страсти, ни тепла, ни гнева — только голые, методичные слова.

И было нечто столь же странное в его глазах. Не считая быстрого проблеска, который она видела несколькими минутами ранее, они тоже были совершенно лишены каких-либо чувств.

Должна быть причина этой натянутости, неуверенности и официальности. Что могло с ним случиться?

Они ели в полном молчании.

Эмма, собственно, испытала облегчение. Ей хотелось задать так много вопросов, но ясно, что она должна была знать все ответы. Существовали повседневные детали, о которых она не имела ни малейшего представления и не знала, как о них спросить.

— Удачный день в конторе? — Ее голос прозвучал неестественно весело. Он резко поднял голову, глаза его смотрели настороженно.

— Вероятнее всего, я поеду на выездную сессию этой весной, Эм. Это будет обычная трехмесячная поездка, такая же, как та, которую я совершил бы осенью, если бы... ну, если бы все сложилось иначе. До тех пор мы будем продолжать доставать все, что нам нужно, натуральным обменом.

— О... я не это имела в виду! — Она проглотила кусок сухого маисового хлеба и сделала глоток теплого кофе. — Нет, я действительно хотела знать, Майкл. Тебе нравится эта работа?

Майкл, она просто назвала его Майклом. Господи! Его так зовут? Или она просто выпалила самое распространенное имя, какое пришло ей в голову?

Он собирался было откусить хлеб, когда его глубокие карие глаза встретились с ее глазами. Нарочито медленно он положил хлеб обратно на глиняную тарелку.

— Сердечно благодарен тебе, Эм, за твою заботу. — В его голосе не было сарказма, вообще никаких чувств. — Полагаю, мне она понравится, когда я начну выезжать на сессии. Сейчас я начинаю подготавливать несколько мелких дел. Ссоры между соседями, пограничные споры и тому подобное.

Он снова нагнул голову и продолжил есть.

Но как его зовут? Должна же она знать.

— Звучит великолепно. — Она прочистила горло. — Майкл.

Он не среагировал. Вместо этого взял свою пустую тарелку и кружку и понес их к раковине.

— О, я уберу, Майкл.

Он остановился, спина его напряглась, он глубоко вздохнул. Затем снова двинулся к раковине и поставил посуду сбоку.

— Спасибо. — Затем подошел к вешалке, натянул свое пальто и надел шляпу. На одежде еще оставался снег.

— До свидания, Майкл. — Она неуверенно помахала рукой от стола.

Он наконец взглянул на нее, и эта странная полуулыбка снова заиграла на его губах.

— До свидания, Эмма.

И с этим он ушел.

Она сидела неподвижно, уставившись на закрытую дверь. Майкл. Ее мужа зовут Майкл.

## Глава 3

Руки Эммы еще горели от жесткого мыла и холодной воды после мытья посуды, но она решила осмотреть городок Овертон-Фоллз.

Эмма вышла из дома, едва справившись с большим деревянным засовом, все еще завернутая в лошадиную попону. От яркого света снаружи, где солнце играло на серебристом снегу, лицо ее сморщилось, словно она очень долго не выходила из дому.

Но вместо того чтобы вернуться обратно в дом, Эмма выпрямилась и поплотнее завернулась в попону.

— Я живу в Бруклине, — пробормотала она сквозь стиснутые зубы. — Я не боюсь Индианы.

Едва она произнесла эти слова, как ее сбило с ног нечто огромное и сильное, ударившее ее сзади под коленки.

Она задохнулась от удара, обернулась, хватая ртом воздух, и оказалась лицом к лицу с самой ужасной образиной из всех, каких ей только приходилось видеть. Крохотные пронзительные глазки приковали ее к месту. Зловонное горячее дыхание обожгло ее.

— Джаспер! Иди сюда и будь вместе с остальными! — Молодой человек оттащил ужасное создание от Эммы.

Это была свинья. Возможно, боров. Чем бы оно ни являлось, это было нечто чудовищное и щетинистое из семейства свиней.

— Простите, мэм. Джаспер просто немного взволнован прогулкой.

Мальчику не могло быть больше двенадцати-тринадцати лет. Он помог ей встать, протянув худую холодную руку. Потом ушел — погнал Джаспера и еще полдюжины свиней дальше по улице.

Эмма собрала остатки самообладания, а тем временем ее глаза приспособились к слепящей белизне. Открывшееся перед ней зрелище заставило ее сделать шаг назад.

Это была маленькая деревушка, по улице двигались фургоны, бегали собаки, кипучая деятельность происходила прямо в нескольких ярдах от дома. Очевидно, никто не заметил ее столкновения с Джаспером, совершающим прогулку. Или если и заметил, то не увидел в этом ничего необычного.

Из трубы каждого из десятка или около того строений вылетали клубы дыма. Все эти строения были явно жилыми домами, а одно, стоящее в некотором отдалении от других, располагавшихся близко к немощеной дороге, было окружено побеленным забором. На нескольких строениях имелись торговые вывески, которые скрипели и раскачивались на петлях. Казалось, все они написаны одной и той же рукой — четкими, аккуратными буквами, без всяких притязаний на художественность. На одной вывеске была пропущена буква. Вместо того чтобы переписать всю вывеску, пропущенную букву просто вставили сверху, стрелкой указав место, где она должна находиться. Из приоткрытой двери кузницы доносился непрерывный звон двух молотов, эхом разносящийся по улице. Эмма шла медленно, стараясь не привлекать к себе внимания, завороженная тем, что видела.

Двое детишек пробежали по улице, смеясь и таща за собой санки с еще более маленьким ребенком. Почему они не в школе?

Ветер свистел между домами, не встречая препятствий, словно в открытой прерии. Здесь не было высоких зданий, чтобы защитить ее от холодного ветра, не было дымных автомобильных выхлопов и канализационных люков, испускающих пар. Ощущение застывшего, ничем не подогреваемого воздуха невозможно было забыть. От зимы не было спасения — даже временной передышки — до самой весны.

Эмма шла по направлению к центру городка, к развилке дорог, где привязывали коней и нагружали фургоны.

Наконец прохожие начали обращать на нее внимание. Женщины склоняли друг к другу головы и о чем-то горячо шептались, замолкая только тогда, когда проходили мимо нее; поля капоров скрывали выражения их лиц. Мужчины кивали и неуверенно приподнимали шляпы — обычные, отделанные мехом или вязаные.

На бревенчатом здании висела вывеска, написанная золотыми буквами — «Модная мануфактура Цоллера», — и Эмма вошла. Внутри она ощутила тепло, такое тепло, которого не чувствовала с самого момента своего пробуждения в незнакомом доме.

Несколько мгновений она ничего не видела, кроме пляшущих пятен, но постепенно разглядела интерьер магазина.

Это была одна большая комната. В центре стояла железная печка, источник щедрого тепла. Стены выкрашены в нежный серо-голубой цвет, и каждый дюйм пространства занимали полки, бочки или открытые джутовые мешки.

Полки были уставлены посудой из глины и фарфора. Синебелый фарфор смотрелся очень красиво — тонкий и прозрачный, но глиняные изделия выглядели фантастично — грубые, однако сделанные с воображением. Покрытая глазурью свеча, согнутая в виде держателя для колец, и кувшин были украшены изображениями эльфов и других лесных созданий.

Эмма протянула палец и прикоснулась к кувшину.

— Гм-м, — раздался мужской голос.

Она подпрыгнула. Пожилой джентльмен в полотняном переднике учтиво поклонился ей:

— Доброе утро, мэм. Я так рад видеть, что вы наконец поправились. — Эмма посмотрела на него бессмысленным, как она понимала, взглядом, и он продолжал: — Я Ганс Цоллер, владелец этого заведения. Я хорошо знаю вашего мужа, мэм, и, полагаю, выражу мнение всех жителей Овертон-Фоллза, если скажу, как мы гордимся, что среди наших граждан есть такой талантливый человек, как он.

— Вот как? — Эмма неуверенно улыбнулась. — Он отличный человек, правда?

— Ну да. — Мистер Цоллер кивнул. — Ему удалось прекратить здесь вечную войну, действительно удалось. У меня нет сомнений, если бы не ваш муж, на улицах Овертон-Фоллза лилась бы кровь. Попомните мои слова.

Ей хотелось поговорить подольше, выспросить у него подробности, имена, все, что могло помочь ей узнать что-нибудь о Майкле. Возможно, это поможет ей понять, почему она здесь.

Но вместо этого Эмма снова повернулась к полке.

— Какая красивая глиняная посуда. — Вот. Это, кажется, то, что надо. Никто в Овертон-Фоллзе не обвинит ее в излишней смелости.

У мистера Цоллера сделалось странное лицо, полное сочувствия. Эмма этого не видела. Когда он заговорил, она представления не имела, что что-то не так.

— Да, мэм. Эту посуду делают прямо здесь, в Фоллзе, семейство Ларсон. Они живут чуть подальше, возле таверны «Голодный вепрь».

— Как мило, — ответила Эмма, разглядывая другие товары. На одной из полок стоял уродливый чайный сервиз отвратительного зеленого оттенка. Мистер Цоллер проследил за ее взглядом и с гордостью ткнул в него пальцем.

— Подлинная глазурованная посуда, прямо из Сент-Луиса. — Он широко улыбнулся. — Это глина, но покрытая глазурью, чтобы придать ей вид самого лучшего серебра. Посуда, достойная королей.

Эмма снова улыбнулась. Ей нечего делать в этом магазине. Уже собравшись уходить, она повернулась, чтобы задать хозяину вопрос. Важный вопрос. Следует задать его как-нибудь поестественнее.

— Благодарю, мистер Цоллер. Кстати, как легче всего добраться до конторы моего мужа? Я ужасно плохо ориентируюсь.

Эмма надеялась, что ослепительная улыбка несколько сгладит впечатление от ее вопроса.

Лицо мистера Цоллера осталось бесстрастным.

— Ну, думаю, вы просто отсюда пройдете один-два дома по Мейн-стрит и увидите вывеску с именами судьи Хокинса и вашего мужа.

— Спасибо. — Эмма поплотнее завернулась в попону. И именно в тот момент заметила синюю миску из необожженной глины, полную сморщенных лимонов. Это было странно: миска с лимонами, которые выглядели хуже, чем любые продукты, залежавшиеся в ящике для овощей у нее дома.

И снова опытный лавочник заметил ее любопытство.

— Вы когда-нибудь видели такие раньше, мэм? Настоящие апельсины! Конечно, это особый продукт. Мы получаем их только на праздники.

— Праздники?

— Да, мэм. До Рождества осталось меньше двух недель.

— До Рождества, — повторила она. — О, благодарю вас.

Едва она успела выйти из лавки, как в комнате появилась седая женщина.

— Ну, Ганс! Расскажи мне, расскажи мне все! Ты видел, что на ней надето? Пробыла здесь почти полгода и ни разу не вставала с постели. Этот бедняга все делает сам, и мужскую, и женскую работу. Что она говорила?

— Успокойся, женщина.

Тридцать лет он провел рядом с ней и уже притерпелся к ее страсти к сплетням. Она была неплохой женщиной, только уж больно любила досужую болтовню.

Его жена знала, когда следует подождать. Она занялась перекладыванием леденцов, пока Ганс смотрел в окно. Наконец он заговорил.

— Бедная женщина, — прошептал он. — Не знаю, встречал ли я когда-либо раньше молодую леди, которая так горевала бы о смерти своего малыша.

— Это еще не все! — Его жена тут же подскочила к нему, не в силах больше ни секунды держать при себе пикантную новость. — Говорят, ее муж тоже странный. В нем есть кровь дикарей — делаверов, по-моему. Ты не знал? Старый Эмиль Дженкинс клянется, что слышал, как он говорил на языке делаверов с индейцами, которые ехали в свою резервацию.

Мистер Цоллер не был удивлен. В этом молодом человеке было что-то такое, что отличало его от остальных. Хотя лавочника и заинтересовало сообщение жены, он постарался скрыть это. Если бы он проявил хоть капельку любопытства, то уже никогда не заставил бы ее замолчать. Вместо этого он наградил ее суровым взглядом.

— Тихо, женщина, — проворчал он. Она остановилась, и он заговорщически подмигнул ей. — Что ты скажешь, если мы немного попробуем того нового сидра?

Эмма чувствовала себя не очень хорошо. Возможно, виной тому холод, или то, что она ничего не ела, кроме того маленького кусочка кукурузного хлеба в начале дня, или то злосчастное столкновение с боровом Джаспером.

Она увидела вывеску. Сверху, крупными буквами, стояло имя судьи Хокинса, более мелкими значилось: «Майкл Грэхем, адвокат».

Значит, ее имя не изменилось. Она была Эммой Грэхем в Бруклине и Эммой Грэхем в Овертон-Фоллзе.

Это было уж слишком, все произошло слишком быстро и слишком странно. Она стояла посреди городка в прерии в 1832 году в лошадиной попоне и неудобных туфлях и была замужем за незнакомым человеком.

— С вами все в порядке, миссис Грэхем? — Голос принадлежал молодой женщине. Эмма почувствовала, как сильная рука обняла ее за плечи. — Хотите, я отведу вас к мистеру Грэхему? Он вон там.

— Нет. Пожалуйста. — Внезапно Эмме расхотелось, чтобы он видел ее такой. Ей необходимо подумать, перевести дух.

— Тогда пойдемте со мной. Держу пари, вам всего и надо что перекусить. Пойдемте со мной, миссис Грэхем.

Эмма позволила этой молодой женщине чуть ли не на руках нести себя к ее дому. Они миновали ткацкую мастерскую, потом дом, перед которым стояло большое колесо, и Эмма предположила, что это дом колесного мастера, и таверну «Голодный вепрь». Наконец они свернули к домику, еще меньшему, чем тот, в котором жили они с Майклом.

Если другие дома были бедными, то этот оказался настоящей лачугой. В единственной комнате стояло два стула, и молодая женщина согнала с одного из них кого-то, похожего на маленького медвежонка, а потом осторожно усадила Эмму. В комнате было душно, на всем лежал слой жирной грязи.

— Вот и пришли, миссис Грэхем.

Теперь Эмма разглядела женщину настолько хорошо, насколько позволяло скудно освещенное помещение. Она была молода, возможно, лет двадцати пяти, и довольно полная. В Овертон-Фоллзе встречалось очень мало полных людей, по крайней мере если судить по той его части, что видела Эмма. Ежедневная борьба за выживание, должно быть, не позволяла большинству жителей набрать лишний вес.

Ее прямые черные волосы, разделенные посередине на пробор, спускались до половины спины. Свободное платье из замши было покрыто пятнами.

— Я Ребекка Ларсон, миссис Грэхем. Мы с мужем делаем всю глиняную посуду здесь, в городе.

— Я ее видела. — Эмма выпрямилась на стуле. — Она чудесная.

Ребекка Ларсон застенчиво пожала плечами, словно стесняясь похвалы.

— Стараемся, мэм. Он делает посуду, а я ее раскрашиваю. Его сейчас нет, уехал ухаживать за братом в Сент-Луис. Скоро вернется. Я здесь одна с нашим малышом.

Тут Эмма заметила крепко спящего в углу маленького мальчика.

— Спит без задних ног, мэм, — объяснила Ребекка Ларсон, нежно улыбаясь сыну. — Все утро играл, а сейчас уснул. Может, съешьте немного рагу из того котелка?

Аромат рагу был чудесным — запах хорошего мяса, которое тушили несколько часов.

— О, это было бы чудесно. — Эмма попыталась произнести это не слишком эмоционально.

Ребекка Ларсон двигалась с удивительной быстротой. Положив немного рагу в глиняную миску, она поставила ее на маленький столик, жестом пригласила Эмму придвинуть к нему свой стул и подала ей деревянную ложку.

Эмма уже съела половину миски, когда до нее дошло, что Ребекка спокойно уселась на пол, скрестив ноги, и смотрит, как ест ее гостья. Салфетку ей не предложили.

Теперь она смогла разглядеть и саму миску, и ее поразила красота сосуда. Хотя форма не отличалась оригинальностью, покрывающие миску рисунки были просто фантастическими. Фигуры танцоров и животных, роскошные цветы, и все это вьется вокруг звезды. Ребекка применяла только одну краску —

светло-голубую. И все же казалось, что рисунки дышат под-
линной жизнью.

— Эта миска... — Эмма указала деревянной ложкой, —
она прекрасна. Это вы рисовали?

Ребекка кивнула:

— Только вчера. Это самое последнее.

Эмма закончила есть в восхищенном молчании. Рагу оказалось вкусным, и Ребекке явно было приятно, когда Эмма
сказала об этом.

— Спасибо, мэм. — Трудно было сказать наверняка в
полумраке хижины, но, кажется, она даже покраснела. Окна
были закрыты ставнями, и единственным источником света
служил огонь в очаге.

После второй порции Эмма почувствовала себя человеком.

— Простите меня, миссис Ларсон, — извинилась она, —
но я никогда не ела такого вкусного рагу.

— Секрет в том, что готовить его надо очень долго. —
Она взяла у Эммы миску и показала на котелок.

— О нет, спасибо. Я уже наелась. — Эмма глубоко и
удовлетворенно вздохнула. — Не знаю даже, что бы я делала
без вашей помощи.

— А, не стоит благодарности. — Ребекка Ларсон улыбнулась, и Эмма поняла, что она очень хорошенькая. — Не
знаю, что бы мы делали без вашего мужа, миссис Грэхем.

— В самом деле? — Эмма нагнулась вперед, ожидая
продолжения.

— Наверное, вы не знаете всего, что тут происходило,
поскольку долго болели, и все такое.

— Да. Боюсь, что не имею представления.

Несколько долгих секунд Ребекка молчала. Звуки, доно-
сящиеся снаружи, казались далекими, и Эмма поплотнее заку-
тала плечи в попону.

— Видите ли, миссис Грэхем, мы с Уолтером люди простые. Мы ничего ни у кого не просим. Делаем посуду, хоро-

шую посуду. Я могу повести вас как-нибудь посмотреть нашу мастерскую, это рядом, если захотите.

Когда Эмма с готовностью закивала, Ребекка улыбнулась искренней улыбкой:

— Вы такая же, как он, миссис Грэхем.

— Как Уолтер?

— Нет, мэм. Как ваш муж.

— Правда?

— Да, мэм. Ваш муж не стесняется приходить сюда к нам или позволить нам приходить к нему в контору, как и всем остальным. Другие люди в городе не такие, как вы. Они хотят, чтобы мы уехали. Они охотно соглашаются пользоваться нашей посудой, потому что она хорошая и дешевая, и когда мистер Цоллер продает ее им, они даже могут забыть, откуда она взялась.

— Простите, миссис Ларсон. Я тут немного запуталась. Почему это они не хотят, чтобы вы жили в Овертон-Фоллзе?

— Ваш муж вам не рассказывал?

Эмма покачала головой.

— Миссис Грэхем, мой Уолтер, и я, и наш мальчик — мы наполовину индейцы. — Ребекка опустила глаза.

Эмме понадобилось несколько секунд, чтобы понять, что именно по этой причине добрые жители Овертон-Фоллза хотели, чтобы они уехали.

— Я думаю, это просто чудесно, миссис Ларсон, — мягко сказала Эмма. — Вы должны гордиться вашим происхождением. Оно благородное и славное, и вам нечего скрывать от мира.

Ребекка долго молчала, а когда подняла глаза на Эмму, в них стояли слезы.

— Вы очень похожи на него. Он пытается сделать незаконным, чтобы нас прогоняли из города. Нам пришлось и сюда приехать прежде всего из-за той штуки, которая называется Закон о переселении индейцев. Мистер Грэхем говорит, из-за него все эти люди с востока получили разрешение забрать наши земли. Нам больше некуда идти. Вы такая же, как он, миссис Грэхем.

Странное тепло разливалось по телу Эммы, она изумлялась тому, что делает Майкл, и гордилась им.

И другое чувство начало расти в ней, тоже до сих пор ей неведомое. Она осознала, что всего за несколько коротких часов влюбилась в Майкла.

— Миссис Ларсон, — произнесла Эмма. Внезапно она почувствовала, что задыхается, что у нее кружится голова, — ей захотелось увидеть Майкла, сделать для него что-нибудь. — Миссис Ларсон, — повторила она уже более ровным голосом. — Можно мне взять у вас рецепт рагу? Мне хотелось бы приготовить его для Майкла.

Ребекка Ларсон встала, ее лицо сияло от счастья.

— Конечно, миссис Грэхем! Это очень просто. Писать я совсем не умею, но я вам расскажу. Самое важное, что следует запомнить, — это что тушить надо очень долго.

Эмма кивнула.

— Положите все овощи, какие есть в доме. Но мясо опоссума надо готовить очень хорошо и долго, чтобы хрящики не застревали в зубах.

— Опоссума? — Голос Эммы дрогнул.

— Да, мэм. Иногда я бросаю в рагу маленькую белку, просто для вкуса. Можно приготовить это рагу почти из любого зверька, какой под руку попадется. Суньте его в большой горшок вместе со шкурой и всем остальным и залейте небольшим количеством воды. Дальше, когда бульон начнет кипеть...

Дверь хижины распахнулась, впустив благословенную струю свежего воздуха.

— Эм? — Майкл шагнул к ней. — Мистер Цоллер сказал мне, что ты вышла из дома и что он видел, как миссис Ларсон привела тебя сюда.

В его голосе появились новые интонации, мягкие и добрые. Он протянул руку и заправил прядку волос ей за ухо.

— Позволь я отведу тебя домой, Эм. Ты выглядишь усталой.

Его большая рука обняла ее за плечи и подняла на ноги. Эмма чувствовала твердость и нежность этой руки и на мгновение закрыла глаза.

— Большое спасибо, миссис Ларсон, что позаботились о моей жене.

— Мне это доставило удовольствие, мистер Грэхем. Ох... Не возьмете ли немного моего рагу домой? Миссис Грэхем очень уж понравилось мое рагу из опоссума.

Эмма почувствовала, как вздрогнул Майкл.

— Она ела это... Ну, спасибо, миссис Ларсон. Буду очень вам признателен.

Звук шлепнувшегося в деревянное ведерко рагу чуть не прикончил Эмму. Майкл почувствовал это и быстро вытолкнул ее наружу.

Теперь люди на улице глазели на них уже в открытую. Майкл с дымящимся ведерком в одной руке и обнимающий другой рукой свою бледную жену в лошадиной попоне, выходящий из хижины полукровки Ларсона, — этого было достаточно, чтобы взбудоражить поселок.

Эмма покрепче прижалась к Майклу и украдкой взглянула на него снизу вверх. Его красивое лицо сделалось странно неподвижным, а челюсти были сжаты так плотно, что видно было, как играют желваки на скулах. Глаза его смотрели прямо перед собой.

— Ты сердишься? — Спрашивать было больно, но она должна знать.

Он помог ей обогнуть повозку, удержал от попытки перейти дорогу прямо перед парой лошадей и не отвечал, пока они благополучно не перешли дорогу.

— Сержусь? — Она видела, как он сглотнул. — Нет, Эм, я не сержусь. — Казалось, Майкл тщательно подбирает слова. — Ты только что ела опоссума в хижине полукровки. Ты приняла их гостеприимство, когда никто другой даже не желает признавать их существования.

Он посмотрел на нее сверху вниз. Его глаза странно блестели, сияли внутренним светом, и Эмма перестала дышать.

Внезапно он прижался губами к ее лбу, теплыми, сухими губами, которые, казалось, прикасаются к самой ее душе.

— Ох, Эм, — шепнул он. — Я так тобой горжусь.

И он улыбнулся.

## Глава 4

Она не могла дождаться его возвращения из конторы.

Удостоверившись, что Эмма благополучно добралась до дома, Майкл снова ушел на работу, пообещав вернуться к ужину.

— Надеюсь, ты не застрянешь в дорожной пробке в час пик, — крикнула она ему вслед, когда он уже открыл дверь, чтобы уйти.

Майкл загадочно улыбнулся в ответ, поплотнее натягивая шляпу на лоб.

— Спасибо, Эм.

Улыбка исчезла, когда он отвернулся, озадаченно качая головой.

Четыре часа спустя Эмма сидела на скамье у очага и вскакивала, чтобы выглянуть в окно, всякий раз как на улице раздавался какой-нибудь шум. Ясный день угас, уступая место сумеркам, и на короткое время пробился мягкий вечерний луч, последний перед наступлением темноты, Эмма зажгла керосиновую лампу.

Снег теперь повалил уже всерьез, заглушая одни звуки и усиливая другие.

Наконец дверь открылась. Лицо Майкла раскраснелось от жгучего мороза, и он замер на пороге, увидев, что она поднимается с места, чтобы помочь ему снять пальто.

— Ты еще не легла?

Эмма скучала по нему. За короткое время его отсутствия она так соскучилась, что это причиняло почти физическую боль. Он находился всего в нескольких ярдах от их дома, но от того, что она его просто снова видела, у нее захватило дух.

— Я попыталась испечь немного маисового хлеба в твое отсутствие. — Она повесила его пальто и шляпу на вешалку.

— Неужели?

Эмма кивнула.

— Я его сожгла, Майкл. — Она грустно указала на стол, где на тарелке все еще дымился почерневший хлеб.

Его взгляд проследил за ее рукой, а она в это время не спускала глаз с его лица. Уголок его рта дернулся, а на щеках появились два углубления — ямочки: он старался подавить смех.

Ямочки. Эмма никогда бы не подумала, что у него могут быть ямочки, но почему-то их вид привел ее в восторг. Она инстинктивно поняла, что эти ямочки не появлялись уже очень давно.

— Ну, Эм. Он выглядит очень аппетитно.

Избегая ее взгляда, Майкл протянул руку и отломил кусочек. Хлеб рассыпался на горелые крошки, но Майкл без промедления сунул их в рот. Эмма отчетливо поняла, что если бы он давал себе время задумываться над своими действиями, то потерял бы мужество.

Пока Майкл жевал, выражение его лица оставалось бесстрастным.

— Ммм. — Он кивнул, делая героическое усилие, чтобы проглотить. Эмма бросилась к раковине и налила ему воды в кружку. Днем ей потребовалось полчаса, чтобы накачать воды в глиняный кувшин. Сейчас на ней уже образовалась корочка льда.

— Вот, Майкл.

Он с благодарностью принял воду.

— Ну, как тебе?

Выпив полную кружку, он посмотрел на нее, выражение его лица снова стало серьезным. В уголках рта застряли черные крошки.

— Думаю, нужно немного посолить, — серьезно ответил он.

Эмма хлопнула в ладоши и начала так смеяться, что на глаза навернулись слезы.

— Ох, Майкл! Это было ужасно, мне показалось, я весь дом сожгла, столько дыму было!

Вместо того чтобы присоединиться к ее веселью или хотя бы улыбнуться, он просто стоял и смотрел. Потом медленно поднял руку и неуверенным жестом вытер слезинку с ее щеки.

— Эм, — его голос ласкал ее, — я так давно не слышал твоего смеха, очень давно.

Улыбка исчезла с ее лица. Чувство раскаяния охватило Эмму, когда она увидела выражение его лица, настороженное и все же полное нежности. Она подняла руку и прикоснулась к его плечу, ощущая силу и тепло его тела.

Майкл замер, боясь пошевелиться.

— Мне очень жаль, — прошептала она. Он стоял так неподвижно, что, казалось, даже не дышал. Потом сглотнул, и в его глазах промелькнула темная тень.

Эмма не отняла руку от его плеча, наслаждаясь прикосновением и наблюдая за его лицом.

— Пожалуйста, прости меня.

Майкл тотчас же обхватил ее руками, его губы коснулись ее виска. Он прижимал ее к себе с такой яростной страстью, что она чувствовала все его тело, большое и сильное. Вдруг ее ноги оторвались от пола — Майкл держал ее на руках.

Эмма никогда еще не чувствовала себя так спокойно, как сейчас, в объятиях его рук.

— Я дома, — прошептала она, к собственному удивлению. — Боже мой, Майкл, я пришла домой.

Он опустил ее и слегка отстранил от себя, чтобы вглядеться в ее лицо, прочесть на нем ее чувства. Затем его рот накрыл ее губы, его рука легла ей на затылок, когда она наклонила голову, чтобы ответить на поцелуй.

Но что-то было не так, что-то странное мешало ей. Эмме вдруг стало страшно, она испугалась не Майкла, а своих собственных эмоций, которые грозили поглотить ее целиком. Не перенесется ли она назад, прочь из его объятий, с такой же быстротой, с какой очутилась в них? Что, если этот человек, так неожиданно ставший центром ее мира, просто исчезнет?

Ловя ртом воздух, она отстранилась от него, перед глазами все расплывалось.

— Эм? — В его голосе звучала такая нежная забота, что она вся задрожала. Постаралась унять дрожь, но не смогла.

— Прости, Майкл, — объяснила она. — Я не могу. То есть я хочу сказать, я еще не готова к этому. Просто не могу.

Она попятилась назад, скрестив на груди руки, чтобы заставить их не трястись, чтобы держаться за что-нибудь, все равно за что.

Сначала он просто смотрел на нее. Затем опустил глаза и глубоко вздохнул.

— Я понимаю, Эм.

Прядь волос упала ему на лоб. Инстинктивно Эмма шагнула вперед, чтобы убрать ее, но он опередил ее. Она снова скрестила руки, на этот раз еще крепче прижав их к своему телу.

Потрескивал огонь. Он бросил быстрый взгляд на обугленные остатки хлеба на столе.

— Пойду принесу что-нибудь на ужин, — сказал он. Потом мягко улыбнулся, словно смирившись. Ямочки снова появились.

— Где ты сможешь достать ужин?

— Там же, где всегда. — Он отвел взгляд в сторону, и напряжение ослабло. Та боль, которая, казалось, вибрирует между ними, наконец утихла.

Майкл снова натянул пальто и надел шляпу.

— Миссис Хокинс всегда готовит столько, что можно накормить целую армию. Пойду к судье и принесу нам ужин.

— Она не против?

— Нет. Она вроде как усыновила меня. Мне примерно столько же лет, сколько было бы их сыну, если бы он был жив.

Легкая улыбка исчезла с его лица, и взгляд остановился на колыбельке под столом. Выражение бесконечного страдания промелькнуло в его глазах. Оно пропало так быстро, что она поняла: никто другой его бы не заметил.

— Вернусь через несколько минут. — С этими словами он вышел за дверь.

— Майкл. — В ее голосе звучала тихая мольба. — Ох, Майкл!

Жена судьи оказалась сказочной поварихой.

Они поужинали жареным цыпленком, начиненным шалфеем, пюре из турнепса и яблочно-черносмородиновым пирогом. Эмма заметила, что у цыпленка был какой-то привкус, к которому она не привыкла, и очень мало белого мяса.

Когда Эмма заворачивала остатки пирога в салфетку, ей в голову вдруг пришла мысль.

— Майкл, мне не дает покоя один вопрос.

Он замер у очага, куда подкладывал дрова, и выжидательно повернулся к ней.

— Я видела сегодня на улицах много детей. Почему они не в школе?

— А! Школа. — Он провел рукой по шевелюре, и снова Эмма поневоле залюбовалась сочетанием седых и черных волос. — Не возражаешь, если я закурю трубку?

— Пожалуйста, — машинально ответила она, спрашивая себя, похожа ли его трубка на ту смешную трубку, которую так любит отец Санбим.

Майкл курил длинную, тонкую глиняную трубку, которую она раньше заметила возле его книг по юриспруденции. Он запустил пальцы в горшочек с табаком и положил щепотку в трубку, затем сунул в очаг длинную щепку, поднес огонь к табаку и пыхтел трубкой, пока табак не стал тлеть янтарем.

— Школа закрыта с прошлого лета, — сказал Майкл, выпуская слова вместе с клубами дыма.

— Почему? Из-за погоды?

Он покачал головой:

— Нет, Эм. Как правило, это единственное время года, когда болтливую школу посещают все ученики. В остальные времена года большинство детей нужны на фермах.

— Болтливая школа, — повторила Эмма. Один из ее уроков в День первооткрывателей был посвящен старинным школам. Майкл улыбнулся.

— Школа состоит из одного класса. Ее называют болтливой потому, что дети всех возрастов учатся там одновременно и вслух читают свои уроки.

— Я о таких слышала. Но почему она закрылась?

Майкл приподнял брови, которые остались черными, без единого седого волоса, и его лицо стало до невозможности молодым, когда он улыбнулся.

— Это сплетни, Эм. Если хочешь узнать подробности, предлагаю спросить миссис Цоллер из мануфактурной лавки. Она с удовольствием расскажет тебе всю историю.

— О, расскажи мне ты!

Майкл уселся на скамью и усмехнулся, зажав трубку белыми зубами.

— Такая история не годится для женских ушей.

— Тогда почему ее знает миссис Цоллер?

У него вырвался короткий, лающий смех. Она впервые слышала, как он смеется. Видела, как улыбается, а теперь вот услышала и смех.

— Очко в твою пользу. — Он сделал длинную затяжку, задумчиво глядя куда-то мимо Эммы.

В нем было нечто странное, что производило сильное впечатление, особенно когда на его лице появлялось вот такое сосредоточенное выражение.

Он блестящий адвокат, сказала она сама себе. В то самое мгновение как ее мозг сформулировал эту мысль, она уже знала, что это правда. Майкл обладал выдающимся умом юриста в сочетании с природным, интуитивным умом, который делал его опасным противником в зале суда. И незаурядным адвокатом.

— Ну хорошо, Эм, — наконец проговорил он. — Школа закрыта, потому что учитель сбежал.

Эмма поняла. Как ни любила она свою работу, было много дней, когда ей тоже хотелось сбежать. В такие, например, как ежегодная вспышка вшивости, когда ей приходилось по утрам проверять каждую детскую головку, или когда последствия кишечного гриппа регулярно проявлялись в классе, всегда после ленча и всегда возле ее доски.

— Так почему бы просто не нанять другого учителя? Майкл покачал головой.

— Именно это я и предлагал. Но потерпел поражение. — Он встретился с ней взглядом, между ними существовало взаимопонимание. Почему-то их мозг работал одинаково, в них шли одинаковые мыслительные процессы.

— Слишком многие люди в городе чувствуют, что приглашать еще одного учителя — значит снова привнести в город развращающее влияние.

— Теперь ты меня совсем запутал.

— А! Ну, вот их основной довод. Видишь ли, учитель не просто сбежал. Он сбежал с одной из учениц.

— Ты шутишь?

— Не-а.

— Сколько лет было этой ученице?

Майкл снова сделал затяжку.

— По-моему, ученице было около семнадцати лет.

— Ну, я считаю, она уже достаточно взрослая. Я хочу сказать, что она, наверное, знала, что делает, и все такое. А сколько лет было учителю?

— Генри? Кажется, лет двадцать пять — двадцать шесть.

— Ну, все не так уж плохо, Майкл. Жаль, что они не смогли просто жить здесь, в Овертон-Фоллзе. Ее родители возражали?

Он кивнул.

— Мне это кажется даже романтичным, а тебе? — Она вздохнула. Майкл встал, сжал ее руку, и она переплела свои пальцы с его пальцами. И снова ее поразила естественность этого жеста.

— Эм, дело не только в ее возрасте. — Она взглянула на него вопросительно. — Настоящая проблема заключалась в том, что она была помолвлена со старшим сыном Цоллеров. Уже была назначена свадьба, все в городе покупали подарки — в лавке Цоллера, разумеется. Поэтому, когда невеста сбежала с учителем, в Овертон-Фоллзе поднялась целая буча.

Ее внезапно осенило.

— О, — тихо произнесла она, затем прибавила более выразительно: — Значит, Цоллеры не только потеряли невестку. Все подарки застряли у них в лавке, и никто не пожелал за них заплатить.

— Вот именно.

— Но это же не причина держать школу закрытой, Майкл. Детям нужно учиться независимо от того, кто женится и на ком.

— Да, но у Цоллеров на этот счет другое мнение. Они пользуются большим влиянием в этом маленьком городке, и их мнение учитывается. Учитель не только увез их будущую невестку, но и выставил на посмешище их сына Эбенезера.

— С таким именем, Эбенезер, он, наверное, и без того был посмешищем, — пробормотала она.

Майкл снова рассмеялся. На этот раз это был естественный, непринужденный смех, и Эмма улыбнулась в ответ. Они все еще держались за руки.

— Это правда. Но все же Цоллеры владеют лавкой. Мы пока не организовали банк, и их магазин является здесь еще и финансовым центром. Если они решат отказать кому-то в кредите, это может очень осложнить жизнь. Никто не пойдет против Цоллеров. — Он легонько сжал ее руку. — Поэтому школа, вероятно, останется закрытой.

Эмму осенила еще одна идея. Выражение ее лица изменилось, на нем появилась победоносная улыбка. Майкл опустил трубку.

— Расскажи мне, Эм. Расскажи сейчас, чтобы я мог тебя отговорить.

— У меня только что появилась блестящая идея.

— О нет.

— Почему бы мне не стать новым учителем... или учительницей? — От волнения она заговорила быстро. — У меня есть диплом, Майкл. И раз я уже живу здесь, то не буду оказывать разлагающего влияния.

— Эмма...

— Нет, послушай! Мне не надо платить. Я хорошая учительница. Пожалуйста, Майкл. К кому надо обращаться? В чьем ведении школа?

Некоторое время Майкл молчал, на его лице отражалось нежелание гасить ее энтузиазм.

— Ты прекрасно подошла бы, Эм. В Филадельфии ты была хорошей учительницей. — При воспоминании об этом он улыбнулся, и в уголках его глаз собрались морщинки. — Мисс Гамильтон рыдала на нашей свадьбе не из романтических чувств, а потому, что теряла лучшую учительницу, когда-либо работавшую в ее школе.

Эмма помолчала, ее вовсе не удивило, что она была учительницей в Филадельфии.

— С кем мне поговорить насчет этой должности?

— Это не очень удачная идея, Эм.

— Почему?

Он открыл было рот для ответа, потом остановился.

— Ладно, скажу прямо. Ты женщина, чему я очень рад, но, насколько мне известно, в этом штате никогда не было женщины-учителя.

— Я могла бы стать первой!

— Эмма, ты преподавала в маленькой школе для девочек, где учились чопорные маленькие леди. Здесь граница. Дети тут невоспитанные, и ты будешь учить и мальчиков, и девочек.

— Думаю, я справлюсь.

— Еще одна проблема в том, что многие жители Овертон-Фоллза начинают меня презирать. К сожалению, это может затронуть и тебя тоже, хоть и не по твоей вине.

— Как кто-то может тебя презирать? — Ее голос звучал так озадаченно, что он не сразу ответил.

— Причина та же, что и в Филадельфии. Дело во мне, Эм. И в моем выборе клиентов. Ты же знаешь, что я берусь защищать самых непопулярных обвиняемых.

— И что?

— Богатые, те, у которых есть связи и влиятельные друзья, не нуждаются в адвокате вроде меня. Нуждаются другие. Их уже приговорили обстоятельства, происхождение и, как правило, бедность. Я пытаюсь поставить их в равное положение перед законом, что роняет меня в глазах общества. Знаменательное отсутствие спроса на мои услуги в Филадельфии ясно говорило об этом.

— Я рада, что ты выбираешь таких клиентов. Правда, рада. Но это не означает, что я не должна быть учительницей.

— Эм... — Майкл положил руки ей на плечи. — Овертон-Фоллз очень похож на Филадельфию в некотором смысле. Здесь имеет значение мое происхождение.

Она озадаченно нахмурилась.

— Моя бабушка. Не важно, где я рос, где получил образование. Здесь имеет значение только то, что моя бабушка была из племени делаверов.

— Ну и что?

— Забавно, Эмма. Очень смешно. — Он наконец отпустил ее руку и выбил трубку над очагом. — Правдой остается то, что в моих жилах течет индейская кровь. Мы всего на полшага отстаем от Ларсонов, от того, чтобы быть изгнанными из этого города. Если бы нас не принял судья Хокинс и Цоллеры тоже...

Теперь все стало понятным. Его сочувствие к бедным людям, природная грация движений, странный огонь в глазах.

И все же Эмма была твердо намерена работать в этой школе, учить детей. Она найдет способ.


Эмма быстро натянула ночную сорочку. В доме стоял ледяной холод.

Она ждала, что Майкл придет в спальню, но он не пришел. Она расчесала и заплела в косы волосы, он все еще оставался в другой комнате. Устраиваясь под одеялом, она пыталась согреться и смотрела на ситцевую занавеску, ловя каждое движение. Его все не было.

Наконец она выглянула из-за занавески, закрывающей дверной проем.

— Майкл? Ты идешь?

Он читал у очага, подперев голову ладонью. Когда она позвала его, он вскочил.

— Но... хорошо. Ты уверена?

Конечно, они не спали вместе. Его изгнали на скамью.

— Пожалуйста, Майкл.

Он медленно закрыл книгу и проверил огонь, чтобы убедиться, что он будет гореть всю ночь. Казалось, он нервничает.

Войдя в спальню, Майкл медленно снял брюки. Рубашка была ему велика, и, оставшись только в ней, он молча забрался в постель.

— Значит, — шепнула она, — доктор сказал, что мы можем попытаться еще раз.

Майкл кивнул. В полутьме Эмма видела его красиво вылепленный профиль.

— Так он и сказал.

— Когда будет подходящее время? — Она придвинулась ближе, положив руку ему на грудь.

Он нахмурился.

— Да, Эм. Когда будет подходящее время.

— Ну а как насчет сейчас? — Она сама не могла поверить, что говорит это, но он был ей нужен. Очень нужен.

— Сейчас? — Его голос звучал неуверенно. — Сейчас идет снег.

— Какая разница?

— Ну, земля ведь замерзла. — Он зевнул. — Как мы можем сажать кусты роз, если земля замерзла?

— Кусты роз?

— Угу. — Затем он потянулся к ней и прижал к себе.

Когда прошел первый шок, Эмма улыбнулась в темноте. И уже собиралась сказать ему, что она имела в виду, но, взглянув ему в лицо, промолчала.

Майкл спал.

Она натянула одеяло на его руку, которой он тесно прижимал ее к себе. Его нога легла на ее ногу, и Эмма прикусила губу.

Во сне его лицо было гордым, черты словно у сказочного героя. Мышцы расслаблены, мощные мускулы, свидетельствующие об огромной физической силе. В отличие от избирательно накачанных мышц человека, тренирующегося в гимнастическом зале, руки и ноги Майкла были пропорционально развитыми, грудь и спина — твердыми и мускулистыми.

Проваливаясь в сон, Эмма подумала: как странно, очень странно — она не может определить, где кончается его тело и начинается ее собственное. У них такие разные тела, и все же, когда они держат друг друга в объятиях, она не чувствует никакой разницы. Ей казалось, она ощущает его физическую усталость, словно она тоже весь день занималась сложными проблемами юриспруденции.

Эмма вздохнула, и он во сне сделал то же самое. Его сердце стучало рядом с ее сердцем, и удары нельзя было различить, так идеально они совпадали.

Очень странно.

## Глава 5

Эмма начинала привыкать к укладу, непривычному ей всеми своими запахами, звуками и действиями. В том времени, которое ее мир давно оставил позади и в котором давно ушедшие люди боролись за выживание, она выскользнула из тепла постели, чтобы приготовить завтрак. Все было иным. Разгорающийся рассвет сиял сквозь толстые стекла. Без электрического освещения углы комнаты оставались темными. Радио не передавало прогноз погоды и точное время, только куры, лошади и свиньи издавали свойственные им звуки где-то поблизости.

Эта жизнь была совершенно незнакомой для Эммы. Но в то же время она привычно включилась в этот утренний порядок, не имеющий ничего общего с ее прежней жизнью.

В отличие от предыдущего утра, когда Майкл ушел, а она все еще оставалась в постели, Эмма проснулась раньше, чем

он. Она уже почти закончила готовить завтрак, когда до нее
дошло, что именно она делает.

— Откуда я все это знаю? — вслух удивилась Эмма,
вешая кофейник на крюк над очагом. Еще оставался хлеб, ис-
печенный женой судьи, — вполне съедобный. Но откуда Эмма
знала, как приготовить кофе? Даже в Бруклине она пила ра-
створимый кофе, пугаясь европейских названий большинства
кофеварок.

Она на минутку присела на скамью, подперев ладонью
подбородок, и попыталась понять, почему все это не кажется
ей таким странным, как должно было казаться. Вместо того
чтобы быть парализованной страхом и растерянностью, она
приспосабливалась. И это давалось ей удивительно легко.
Почему она не свихнулась от всего происшедшего?

В этот момент разгадка вошла в комнату. Даже в одной
сорочке, смущенно почесывая всклокоченную после сна голову,
Майкл был поразительно красив.

— Ты приготовила кофе, — сказал он, зевая.

— Совершенно верно. Не спрашивай меня как, но я это
сделала.

Секунду он стоял неподвижно, только смотрел на нее.

— Не волнуйся. — Она выпрямилась на скамье, поднимая голову. — Я не пыталась приготовить ничего сложнее
кофе. Маисовый хлеб остался от ужина миссис Хокинс.

Его улыбка была поразительной, несущей больше энергии,
чем солнечные лучи, более желанной, чем летний ветерок.

Повернувшись, чтобы идти одеваться, Майкл помедлил на
пороге.

— Сегодня утром я бы не отказался от того рагу из
опоссума.

— Нет проблем. Только принеси мне какого-нибудь зверька, и я его потушу хорошенько на медленном огне, чтобы хрящики не застревали в зубах.

Глаза его сияли, и улыбка теперь освещала все лицо.

— Эм, — выдохнул он, — как же я по тебе соскучился!

Майкл скрылся за ситцевой занавеской. Он одевался в спальне и, натягивая брюки с подтяжками и сапоги, насвистывал монотонную мелодию. Эмма обхватила себя руками, глядя в окно на холодное утро Овертон-Фоллза и спрашивая себя, какие новые чудеса принесет ей этот день.

Эмма оделась очень тщательно, убрала волосы в прическу, которую видела у актрисы из телевизионного сериала «Домик в прерии». Конечно, актрисе помогали создавать образ парикмахеры и художники-визажисты. А Эмма вынуждена была полагаться на собственные неумелые руки и пятнистое зеркало.

На дне сундука в спальне она нашла женское пальто, далеко не такое теплое, как лошадиная попона, но, вероятно, более приличное с точки зрения жителей Овертон-Фоллза. Дневник в красном кожаном переплете так и лежал сверху на одежде. Прежде чем закрыть крышку, Эмма протянула к нему руку.

Она должна сделать запись. Последние слова в дневнике дышали такой грустью, такой безнадежностью, что Эмма чувствовала — ей необходимо изменить эту тональность. Она нашла перо и бутылочку чернил возле книг Майкла. Чернила уже оттаяли, согретые жаром растопленного очага.

«Моя новая жизнь здесь очень трудна, — написала Эмма, окуная перо в бутылку. — Но я знаю, что Майкл рядом, и для меня нет ничего невозможного. Сегодня я сделаю все, чтобы школа открылась, — она нужна детям. Наступает Рождество. И нет ничего невозможного».

Эмма с удовлетворением перечитала написанное, подула на страницу, чтобы чернила побыстрее высохли. Потом надела пальто, темно-зеленое, тесно облегающее фигуру и доходящее ей до щиколоток, с бархатным воротником, и вышла на улицу.

Сначала Эмма пошла к хижине миссис Ларсон, чтобы вернуть деревянное ведерко и поблагодарить за рагу. Она постучалась, подождала и уже собралась было постучать снова, как дверь открылась.

На пороге стоял мальчик лет пяти-шести.

— Привет. — Она улыбнулась.

Он тотчас же сунул два пальца в рот. Эмма протянула ему ведерко:

— Я видела тебя вчера, пока ты спал. Это, наверное, ведерко твоей мамы?

Появилась Ребекка Ларсон, одетая в то же свободное платье, которое было на ней вчера. Малыш обхватил мать за ногу, не выпуская изо рта пальцев и не сводя глаз с Эммы.

— О, доброе утро, миссис Грэхем! — Ребекка нежно погладила сына по головке.

— Доброе утро, миссис Ларсон. Этот красивый молодой человек — ваш сын?

Ребекка рассмеялась:

— Это точно, мэм. Его зовут Джордж Вашингтон Ларсон. Джордж, эта красивая леди — миссис Грэхем.

Услышав ее имя, мальчик вытащил пальцы изо рта.

— Вы мама мистера Грэхема?

Эмма рассмеялась.

— Нет, Джордж. Я его жена, — ответила она. Ей все еще было странно называться чьей-то женой, странно, но чудесно.

— О, какая я невежливая! — пробормотала миссис Ларсон, пятясь в дом. — Входите, пожалуйста.

Эмма покачала головой.

— Я только хотела вернуть ведерко и поблагодарить вас за рагу. И еще, — Эмма наклонилась поближе, — хотела кое-что у вас спросить.

Глаза Ребекки Ларсон широко раскрылись, она взяла ведерко.

— Что спросить? — тихо спросила она.

— Вы с мужем ведете дела с Цоллерами. Мне необходимо побольше узнать о них. Я хочу снова открыть школу, а без их поддержки это почти невозможно.

Ребекка несколько секунд молча смотрела на Эмму. Только ее медленно открывшийся рот указывал на то, что она слышала слова Эммы.

— Миссис Грэхем, лучше зайдите в дом, — наконец произнесла она. — Это может занять некоторое время.

Эмма вздохнула.

— Так плохо?

— Скажем так, — Ребекка широко распахнула дверь, — у маленького Джорджа успеют усы вырасти к тому времени, как я закончу вам все рассказывать.

Ее слова вызвали улыбку у одного только маленького Джорджа.

Рабочий день Майкла прошел, как всегда, напряженно. Он работал без передышки, листал потрепанные книги судьи по вопросам права, беседовал с пожилой парой из Германии, которая хотела подкупить еще земли, пытался успокоить молодого фермера, уверенного в том, что его сосед отравил воду в колодце.

Миссис Хокинс, чьи нелепые седые кудряшки, как у девочки, подпрыгивали при каждом ее шаге, днем принесла ему вкусный обед. Майкл съел его почти машинально, одновременно просматривая бумаги, подшитые в подготовленное к слушанию дело.

Эмма. По его телу разлилось тепло при мысли о жене. Она уже давно ушла в собственный мир, где ему не было места. Он опасался, что она никогда к нему не вернется, что будет жить только в своих мыслях — в убежище, куда не могут войти ни смерть, ни страдание.

Смогут ли они когда-либо поговорить об их маленьком сыне? Вместе делиться воспоминаниями о его короткой жизни? Он умер, едва начав ходить. Это было бы второе в его жизни Рождество.

Майкл покачал головой.

— Думай о чем-нибудь другом, — приказал он себе, сжимая руку в кулак и глядя на побелевшие костяшки пальцев.

По крайней мере Эм уже лучше. Возможно, к этому времени в будущем году у них уже будет еще один ребенок. Возможно.

Едва войдя в дом, Майкл понял: что-то неладно.

Все было точно так же, как утром, когда он уходил. Ничто не указывало на то, что днем здесь кто-нибудь был. Очаг погас. Он заглянул в чулан — оставшийся с вечера цыпленок все еще лежал там. Эмма сказала, что съест его на обед, но он остался нетронутым.

Не снимая пальто и шляпы, Майкл ворвался в спальню.

— Эм? — Ему стало страшно. Неужели она снова ушла в себя? Если она покинет его сейчас, то уже никогда не вернется.

Но комната оказалась пустой, постель аккуратно застелена.

Прошло много часов с тех пор, как он видел ее в последний раз. Где она может быть?

Он выбежал на улицу, оставив дверь распахнутой, раскачивающейся на зимнем ветру.

— Эмма? — позвал он.

Ответа не было.

Майкл пустился бежать к центру городка, воображение рисовало перед ним ужасные картины того, что могло случиться. Все возможно в этой дикой стране. Ходило множество историй о людях, убитых дикими зверями или утонувших в бурной реке, или просто бесследно исчезнувших.

Возможно, она убежала, не в силах справиться со своим горем, не в силах смотреть в лицо собственного мужа. В какой-то мере она, должно быть, все еще винит его в их потере, во всем, что произошло с тех пор, как они приехали на запад. Должна винить. Видит Бог, он и сам себя винит. Бывали дни, когда он чувствовал, что не может больше жить с этой виной, пригибающей его к земле, разрывающей на части его сердце.

Ему не следовало оставлять ее одну. Надо было разрешить миссис Хокинс за ней присматривать. Нет. Это было бы неправильно. Ему следовало остаться с ней самому. Он должен был найти в себе достаточно мужества, чтобы смотреть в полные боли, обвиняющие глаза на ее прекрасном лице.

Откуда-то донесся вдруг ее смех, ясный и музыкальный. Он уже почти забыл этот звук. До вчерашнего вечера, когда она снова рассмеялась и этот великолепный звук вернул тепло и красоту в его жизнь.

Майкл прислушался, надеясь снова услышать его. Может, ему почудилось? Неужели ему так захотелось услышать ее голос, что он вообразил себе эти милые звуки?

Но Майкл снова услышал ее смех, на этот раз к нему присоединилось незнакомое хихиканье. Он повернул в направлении этих звуков и остановился в полной уверенности, что ему мерещится то, что он увидел.

В сумерках вырисовывались две фигуры, четко выделявшиеся на фоне света керосиновых ламп, падающего из лавки Цоллеров. Они стояли так близко, что почти соприкасались. Подойдя ближе, Майкл понял, что одна из них — его жена, одетая в свое пальто, которое она носила в Филадельфии. Другой была миссис Цоллер. Его жена что-то сказала, и миссис Цоллер залилась сухим, лающим смехом, а потом обернулась к нему:

— О, мистер Грэхем! — Миссис Цоллер кокетливо улыбалась, в голосе ее звучало искреннее удовольствие. Это произвело на него потрясающее впечатление. — Ваша очаровательная жена пришла ко мне с некоторыми очень умными идеями насчет нашего магазина. С такими идеями! Ну, мы просто должны сделать... — Понизив голос, она прикос-

нулась к плечу Эммы. — Мистер Грэхем, я вот о чем подумала. Из вашей жены получится прекрасная учительница для
наших детей. Я поняла, что она была очень хорошей учительницей у себя в Филадельфии. Именно это и нужно нашему
городу. Нашим неотесанным детям не повредит немного го-
родского воспитания. Не все мальчики так безупречно воспитаны, как мой Эбенезер. Сделайте одолжение всем нам,
разрешите ей снова открыть школу в Овертон-Фоллзе!

Эмма взглянула на него с такой надеждой, с такой нежностью, что Майкл почувствовал, как в груди у него что-то оборвалось. Он смог только молча кивнуть головой. Ему хотелось
как можно скорее увести ее домой, чтобы узнать, как ей удалось приручить миссис Цоллер за один-единственный день.

# Глава 6

— Ты сделала что? — переспросил Майкл, уверенный,
что ослышался.

Эмма посмотрела на него, потирая замерзшие ладошки над
заново разведенным огнем в очаге. Теплый воздух шевелил
выбившиеся прядки волос вокруг ее лица, заставлял их подниматься и плыть по воздуху. Майкл протянул руку, чтобы за-
править длинный локон ей за ухо, опасаясь, что он может
загореться от случайной искры.

— Я просто апеллировала к двум слабостям миссис Цоллер: ее любви к деньгам и присущему ей снобизму.

— И это обеспечило тебе ее поддержку в открытии
школы?

— Вроде того. — Эмма широко улыбалась, а он смотрел
на ее лицо, придвинув стул поближе к огню. Она была преис-
полнена тихой уверенности, которой он уже давно в ней не
видел. Ему хотелось просто смотреть на нее, видеть, как она

спокойно сидит, убеждаясь, что нет больше той тьмы, которая окружала их прежде.

Эмма чувствовала его притягивающий взгляд, знала, что он следит за каждым ее движением. Ей так хотелось прикоснуться к нему, оказаться как можно ближе. Без предупреждения она подошла и быстро села к нему на колени.

Издав возглас удивления, Майкл устроил ее поудобнее и, обняв рукой за спину, крепко прижал к себе. В этой позе была такая естественность, такая завершенность.

На секунду она прислонилась к его груди, зажмурившись от удовольствия.

— Я не дам тебе уснуть, пока ты мне все не расскажешь, Эм, — прошептал он.

— Мммм, — вздохнула она, мечтая вечно оставаться в его объятиях. Ее рука обвилась вокруг его плеча.

— Я сейчас поднимусь, честно предупреждаю. И ты упадешь на этот жесткий холодный пол, если не удовлетворишь мое любопытство.

— Ты начинаешь говорить, как миссис Цоллер. — Эмма не хотела открывать глаза.

— Ну держись. — Майкл вскочил с поразительным проворством. Эмма, которая действительно расслабилась и впала в дремотное состояние, ахнула и изо всех сил вцепилась в него, чтобы избежать падения.

Но он ни на секунду не ослаблял своих объятий. И теперь еще крепче прижимал ее к себе.

— О, Эм! Разве ты не знаешь, что я никогда не позволил бы тебе упасть?

Она протянула руку и легонько провела ладонью по его щеке.

— Знаю.

Секунду он просто смотрел на нее своими поразительными глазами. Она ответила ему смелым, немигающим взглядом, любуясь его лицом, которое ей никогда не надоест, которого она никогда не забудет.

Его губы медленно, словно неуверенно, прикоснулись к ее губам. Губы его были теплыми и волшебно сливались с ее собственными.

Ее рука легла ему на затылок. Она чувствовала себя так, словно плыла на облаке. Другой рукой она гладила его предплечье, тугие мускулы которого начинали дрожать.

Майкл понес ее в соседнюю комнату, плечом раздвинув ситцевую занавеску, и потом к кровати. Бережно опустил на матрац, не выпуская из рук свою собственность. Он был так близко, что Эмма чувствовала жар его тела.

Нежными поцелуями он покрывал уголки ее губ, подбородок, шею.

— Эмма. — Его голос ласкал ее имя. Волшебное, сладкое тепло потекло по ее жилам при звуках этого голоса.

Ее пальцы начали расстегивать пуговицы на его рубашке. Эти пальцы двигались словно по собственной воле, а мысли ее в этом не участвовали. С каждой расстегнутой пуговицей ей все труднее становилось сдерживать дрожь. Ей необходимо почувствовать его, ощутить его кожу своей кожей. Так же необходимо, как дышать.

Он тоже молча освобождал ее от одежды. Наконец обнажилось одно плечо, затем второе.

Холод заставил ее ахнуть, в этой комнате очаг еще не зажигали. Однако через мгновение холод исчез, его заменило прикосновение его горячего тела.

Его рот продолжал спускаться вниз, по ключице, затем медленно, восхитительно накрыл грудь. Руки Эммы впились в его спину, чтобы прижать его к себе еще теснее, чтобы никогда не отпускать.

Одежда упала на пол, и они не обратили внимания на звук рвущейся ткани. Все это не имело значения. Только быть ближе друг к другу, еще ближе.

Эмма открыла глаза, чтобы увидеть его, хоть на мгновение. Он был само совершенство, совершенство во всем. Кожа блестела в темноте, его тело, прекрасное, как скульптура, замерло, давая себя рассмотреть. Его глаза тоже были открыты, и он, затаив дыхание, обнимал ее взглядом. А затем они снова соединились, гладили друг друга, сливаясь в одно целое.

Как это было им предназначено. И как будет теперь всегда.

Тела их сплелись под одеялом. Майкл гладил ее волосы медленными, ритмичными движениями. Эмма почувствовала, как его губы изогнулись в улыбке.

— Что? — спросила она, легонько толкая его локтем и замирая, чтобы порадоваться ощущению твердости его тела.

— Я просто подумал, — его голос был тихим и слегка хриплым, — что ты очень ловко меняешь тему разговора.

— Правда?

— Правда, Эм. Ты еще должна объяснить мне, как тебе удалось заставить миссис Цоллер есть из твоих рук.

— Ах это!

— Да, это.

Его слова прервал смех. Между ними воцарилось полное значения молчание. Она пальцем выписывала круги на его груди, удивляясь, как это один человек мог так изменить ее жизнь.

— Эм?

Она перестала чертить круги.

— Я думаю, нам надо купить тебе пальто потеплее. — Она подняла взгляд и посмотрела ему в лицо, встретив его улыбку. — В этом старом школьном здании полно сквозняков.

Несколько секунд Эмма не могла произнести ни слова. Судорога сжала горло, а он натянул одеяло на ее обнаженную руку.

— Ох, Майкл! — Она с трудом глотнула, борясь с желанием расплакаться. — Спасибо.

Он не ответил. Просто улыбнулся.

Следующее утро выдалось неожиданно великолепным, яркий солнечный свет согревал дом. К тому моменту как Майкл закончил бриться и одеваться, у Эммы уже был готов завтрак.

Сделав глоток кофе, он нагнулся вперед. Луч света попал прямо ему в глаза, но он не моргнул, а пристально смотрел на Эмму.

— Так ты расскажешь наконец, как тебе удалось переубедить миссис Цоллер насчет школы?

Ее ладонь легла ему на щеку, еще влажную после бритья.

— Я вчера ходила к Ребекке Ларсон. Мы поболтали о миссис Цоллер.

Майкл кивнул.

— Ну, она мне рассказала, что Цоллеры терпимо относятся к ним не по своей доброте, а потому что посуду Ларсонов хорошо покупают. Цоллеры пытались продавать менее дорогую фабричную посуду, но она разваливается, и все требуют обратно деньги. Поэтому они продолжают брать посуду у Ларсонов.

— Это похоже на правду.

— И еще я узнала, что миссис Цоллер считает себя принадлежащей к элите общества и представляет здесь эту самую элиту. Она ходила в пансион для благородных девиц в Сент-Луисе, знаешь ли.

— Ей следовало остаться в нем еще на некоторое время. — Майкл поставил на стол кружку. — Они ее выпустили, не воспитав в полной мере благородства.

Эмма рассмеялась:

— Не уверена, что это помогло бы. Во всяком случае, полагаю, она поняла, что там, на востоке, у моей семьи были кое-какие связи в обществе.

— Хоть ты и вышла замуж за полукровку?

Голос его прозвучал равнодушно, это был просто вопрос, а не едкое замечание. И все же она ощутила важность того, что он только что произнес.

— Я бы не вышла ни за кого другого. — Эмма старалась говорить легкомысленным тоном, но поняла, что это правда. — Ты — единственный.

— Эм.

Она опустила глаза и попыталась вспомнить, о чем говорила.

— Значит, я пошла в лавку и нашла миссис Цоллер. — Он молчал, и Эмма продолжала: — Я ей сказала, будто мне пришло в голову, что городу нужны рождественские украшения. Все, ну просто все на востоке сейчас стали наряжать елки в своих домах. Общество просто помешалось на этом.

— Я никогда не замечал.

— Ну, как бы там ни было, когда-нибудь помешаются. Итак, я дала миссис Цоллер возможность опередить свое время, стать законодательницей моды. Это сработало — она внезапно вся превратилась в слух.

— Наверное, это было то еще зрелище.

Эмма не обратила внимания на его слова.

— Потом она запаниковала. «О, миссис Грэхем, — почти закричала она, — но где же нам взять рождественские украшения, если уже середина декабря?» И я ей сказала, что совершенно случайно Ребекка Ларсон сделала десяток украшений. В следующую минуту миссис Цоллер уже была за дверью, направляясь к дому Ларсонов.

— Ты, должно быть, шутишь. — Майкл откинулся на спинку стула с выражением недоверия на лице. — Миссис Цоллер действительно пошла в дом Ларсонов?

Эмма горячо кивнула:

— И это еще не все. Мы вместе ели ленч с Ребеккой и ее сыном у них дома.

— Я в это не верю. — Майкл покачал головой. — Нет, Эм. Просто не могу себе представить миссис Цоллер в их хижине.

— Кажется, она сочла, что все в порядке. Полагаю, она думает, что если я и была сумасшедшей в эти несколько последних месяцев, однако меня хорошо воспитали. Пусть даже сумасшедшая, но все же леди.

— Ты никогда не была сумасшедшей, — сказал он тихо, протягивая руку через стол и накрывая ее руку своей большой теплой ладонью.

— Не важно. Важно то, что за ленчем я заговорила о школе. Сначала миссис Цоллер не хотела даже обсуждать это. Но мало-помалу мы ее одолели. Всякий раз когда она начинала хмуриться, Ребекка пела что-нибудь вроде: «Как насчет херувимов — вы могли бы продавать их по десять центов за штуку, а я их отдам вам по пять?» И миссис Цоллер снова улыбалась. Ты знаешь, что у нее искусственные зубы? Сделаны из зубов коровы, как она говорит. Я бы не призналась в этом, а ты?

— Ты никогда не была сумасшедшей.

Эмма перегнулась через стол и поцеловала его.

— Я люблю тебя, Майкл, — тихо сказала она.

Его ладонь сжала ее руку еще сильнее.

— Эм, я люблю тебя.

На улице протарахтела повозка, и голоса раннего утра напомнили ей о том, что рабочий день вот-вот начнется.

— Наверное, тебе лучше идти в контору. — Она нехотя отвела взгляд.

Вместо ответа он встал, не отпуская ее руки, и притянул ее к себе.

— Попозже, Эм. — Его рот был у самого ее уха, губы слегка касались его, вызывая дрожь во всем ее теле. Потом на его губах заиграла понимающая улыбка. — Попозже.


# Глава 7

Школа была в ужасающем состоянии.

Эмма осторожно перешагнула порог, пораженная тем, что помещение может одновременно быть таким промерзшим и таким душным. В каждом углу скопились пыль и грязь, и только пошаркав подошвой о пол, она смогла определить, что он сделан из широких деревянных досок.

Стены когда-то побелили, но побелка уже осыпалась. Учительский стол в передней части комнаты покрывали чернильные пятна, однако чернильницы и подставка для перьев были пустыми. В классе стояли грубые скамейки, а скамейки повыше служили столами. Они по большей части оказались сломанными. Очаг был завален мусором, а когда Эмма подошла поближе, то обнаружила, что в нем устроил гнездо какой-то зверек.

На прошлой неделе у Эммы было много работы: она помогала Цоллерам организовывать достойную рождественскую выставку товаров, «как в Филадельфии», большинство идей для которой она почерпнула из витрин Мэйси, и они не имели ничего общего с Филадельфией. И еще она приглядывала за маленьким Джорджем Ларсоном, чтобы Ребекка успела изготовить заказ Цоллеров. Ей даже не приходило в голову, что деревянная хижина, служившая школой, окажется в таком плачевном состоянии. В конце концов, она простояла пустой меньше года.

Школа должна была открыться через два дня. Миссис Цоллер, весело распродавая свои товары взволнованным покупателям, действительно ухитрилась убедить большинство жителей городка позволить новой учительнице попробовать свои силы. Ее предшественник, как узнала Эмма, брал за посещение школы пять центов за ученика в неделю. Эмма потребовала вместо оплаты лишь несколько поленьев для очага. Все остались довольны, но отказ от денег внушил некоторые подозрения.

Тем временем Ребекка придумала необычные украшения. Эмма объяснила ей некоторые основные идеи, испытанные и привычные образы Нормана Роквелла, на которых она выросла. Ребекка кивнула и взялась за дело.

Результат получился удивительным. Ее Санта-Клаус щеголял в сине-зеленом костюме, украшенном тесьмой, а на его моложавом лице красовались пышные рыжие усы. Все ангелы широко улыбались, и на головах у них были колпачки. Ясли были установлены в вигваме, окруженные мощными буйволами, и у младенца Иисуса в ручке был зажат початок кукурузы. Эти игрушки у жителей Овертон-Фоллза шли нарасхват, ведь у них не было заранее определенных представлений и еще меньше — предубеждений.

Эмма Грэхем в одиночку внедрила дух коммерции в празднование Рождества. Хотя ее немного мучили угрызения совести и она выслушала суровую проповедь от священника ближайшей пресвитерианской церкви, трудно было отрицать ту радость, которую всем доставляли эти украшения. Особенно детям.

По мере приближения дня открытия школы Эмма знакомилась с некоторыми из своих будущих учеников. И в ней начала нарастать паника. Это была странная идея: одна комната, один учитель, и ученики всех возрастов — от пяти до шестнадцати лет. Она не имела представления о том, что они уже знают, как их учить и с чего начать. Пока она была занята помощью Ребекке, ей удавалось гнать от себя сомнения в реальности той задачи, за которую она взялась.

Но, стоя в грязной промерзшей комнате, уставленной сломанными скамьями, где дыхание клубами вылетало изо рта, она впала в отчаяние, понимая, что ей просто не справиться с этой работой.

— Боже мой! — прошептала Эмма, смахивая паутину с лица и подходя к классной доске. На ней еще сохранились остатки записи давно законченного урока. Элегантным, прекрасным почерком были написаны четырех- и пятисложные слова, старинные слова, поэтичные слова, значения которых она не понимала. — Я не могу. — Эмма покачала головой. О чем она думала? Это же не налаженная школа, где есть дирек-

тор, секретарь и даже ворчливая уборщица. Книги отсутству-
ют. Нет аккуратно переплетенных пособий для учителя, нет
даже старших учителей, чтобы посоветоваться. Эмма совершенно одна должна обеспечить детей — некоторые из которых уже почти взрослые — всем, что им необходимо. Это
невозможно.

Эмма попятилась от доски, наткнулась на шаткий стул и
медленно опустилась на него.

Наверное, они смогут уехать из города. Майкл ведь способен жить где угодно, рассуждала она. Они просто улизнут
ночью, оставив записочку для миссис Цоллер, в которой объяс-
нят, что заболел их родственник в дальнем штате и они уехали
на несколько недель.

Только Майкл никогда не поступит так с судьей Хокинсом и со своими клиентами. Он никогда не убежит, не посту-
пится своими обязанностями. Как его разочарует ее неудача!

Слезы наплывали на глаза, погружая в туман ужасное состояние комнаты. Теперь она выглядела приветливой, запу-
щенной, но теплой. Возможно, когда-нибудь кто-то другой
сможет сделать школу такой уютной, как это представляется
ее полным слез глазам, но не Эмма будет этим человеком.
Надо рассказать обо всем Майклу как можно скорее.

В то памятное утро он брился, что-то напевая, думая о
хорошем и надеясь на нее. Он не понимал, что она не в состоянии справиться с задачей, за которую сама взялась с таким
пылом. Она обманщица.

Она даже не настоящая жена ему. Обманщица, само-
званка. Майкл заслужил настоящую жену, а не такую жал-
кую неумеху, которая не способна даже приготовить
приличную еду.

Сгорбившись на стуле, Эмма шмыгнула носом. И как раз
в ту секунду когда она собиралась встать, чтобы пойти и сказать всем о своей ошибке, стул под ней заскрипел и развалился
на куски. Эмма растянулась на грязном полу.

Это стало последней каплей. Самообладание покинуло ее, и она разрыдалась. Эмма плакала как ребенок, расслабившись и забыв обо всем. Страх, накопившийся в ней за это время, исчез. Его место заняло безнадежное понимание того, что она ни на что не способна.

— Эм!

Голос Майкла раздался от двери. Она не слышала, как он вошел, но он внезапно оказался здесь, рядом с ней, и осторожно поднимал ее с пола.

— Пожалуйста, уходи, — проговорила Эмма, закрыв лицо руками, пытаясь укрыться от взгляда его поразительных глаз. — Пожалуйста, оставь меня.

— Нет. — Он нежно отвел от лица ее руки.

— Пожалуйста, уходи. Я не хочу, чтобы ты меня такой видел. — Она попыталась отстраниться, но Майкл обнял ее своими крепкими руками.

И только тогда она почувствовала, что он тяжело дышит, словно только что бежал.

— Майкл? — Слезы мгновенно высохли, когда она взглянула на него. Волосы растрепались, щеки раскраснелись от резкого декабрьского ветра. — Что случилось? С тобой все в порядке?

Она была так занята, купаясь в жалости к себе, а он все это время нуждался в ней.

Он кивнул, потом глубоко вздохнул.

— Я пошел посмотреть, дома ли ты. В город приехали новые люди, и у них маленький ребенок. Здесь холоднее, чем они ожидали, поэтому я подумал, не дать ли им одеяло нашего малыша. И полез в сундук, ни о чем особенно не задумываясь.

Он стиснул ее плечи так, что ей стало больно, но она не обратила на это внимания.

— И что?

— Твой дневник выпал. Я стал класть его на место, Эм. Он раскрылся на последней записи. Я не собирался его читать, но мои глаза сами впитывали слова, пока я закрывал дневник. Я старался не читать. Но я прочел. А после мне необходимо было найти тебя.

— Майкл?

Он потер глаза рукой, потом продолжил:

— Ты не знаешь, что значат для меня твои слова.

Несколько секунд Эмма пыталась вспомнить, что написала тогда. Потом вспомнила — когда рядом Майкл, нет ничего невозможного. Видел ли он другие записи? Нет. Он видел только последнюю, ту, что она сделала несколько дней назад.

— Майкл. — Эмма протянула руку, просто для того чтобы прикоснуться к его лицу, а он схватил ее и поцеловал ладонь.

Затем порывисто страстно сжал ее в объятиях. Эмма собиралась что-то сказать, как вдруг поняла, что плечи Майкла трясутся, его широкие, сильные плечи. Сбитая с толку, она обняла его, гладя по спине, не понимая, что происходит.

Он плакал.

У нее начали дрожать колени, она крепко зажмурилась, обнимая его и утешая.

— Я скучаю по нему, Эм. — Его голос сорвался. — Я так сильно скучаю по нему. И все это время я считал, что ты винишь меня.

— Нет. Конечно, нет.

Ее словно окатило холодной водой, когда она осознала, через что он должен был пройти. Как она не поняла этого раньше? Как он, наверное, мучил себя, как страдал в одиночку, вдвойне страдал — от потери и от чувства вины!

Они долго стояли в холодном школьном помещении, держа друг друга в объятиях, слегка покачиваясь из стороны в сторону в молчаливом понимании. Его дыхание стало ровнее, не таким хриплым и прерывистым, и Эмма уже не могла припомнить, что казалось ей таким важным перед тем, как он пришел.

Наконец Эмма заговорила:

— Ты дал им одеяльце?

— Дал. — Он поколебался. — Оно все еще хранит его запах, Эм. Я уже почти забыл этот сладкий запах, но он там, во всей его одежде и в одеяльце.

— Знаю. — Ее голос тоже дрогнул, затем окреп. — Знаю.

Перед ее мысленным взором появился малыш с черными кудрявыми волосами и карими, глубокими, как у отца, глазами. И его улыбка, открывавшая только что начавшие резаться зубки, и маленькая нежная ручка, похлопывающая ее по щеке.

— Ты помнишь, как он похлопывал тебя по лицу? Помнишь, Эм?

Она улыбнулась и кивнула:

— Помню. — Еще одна картинка всплыла в ее памяти. — У него был кролик, которого я ему связала. С такими длинными ушами. Он прижимал этого кролика к лицу так, чтобы уши закрывали ему глаза, когда он ложился спать.

— Этот кролик все еще лежит в сундуке. Я только что его видел, но не смог взять в руки. Сегодня не смог, Эм. Но может быть, когда-нибудь смогу.

Снова они молчали, потеряв счет времени. В ее памяти словно прокручивалось старое домашнее видео, мелькали кадры, на которых были запечатлены любимый малыш и Майкл: Майкл подбрасывал ребенка вверх, а малыш пищал и гукал в полном восторге.

Он глубоко вздохнул и поцеловал ее в висок.

— Эмма?

— Что?

— Эта школа — просто кошмар.

Она готова была согласиться. Готова была признаться, что затеяла невозможное, что ни за что на свете не справится с этим делом, и предложить ему убежать под покровом ночной темноты и никогда сюда не возвращаться.

Но теперь эти мысли показались ей абсурдными, даже смешными. Она взглянула на мужа снизу вверх, и он показался ей таким красивым, полным надежд и молодым, гораздо моложе, чем выглядел раньше. Тень исчезла, а последняя мимолетная тучка была похожа на позабытый ночной кошмар. Майкл улыбнулся открытой, щедрой улыбкой, полной любви, силы и энергии.

— Ох, Майкл, — прошептала Эмма, — когда ты рядом со мной, нет ничего невозможного.

## Глава 8

Ученики входили один за другим; одни кивали Эмме, другие нарочито старались не встречаться с ней глазами.

Она повернулась спиной к классу и написала на доске свое имя крупными буквами: «Миссис Грэхем». Секунду помедлила у доски и сделала глубокий вдох в надежде унять сильно бьющееся сердце.

Это был первый день. Он должен быть совершенно не похожим на любой другой день работы учителя из ее предыдущего опыта. Она осталась наедине с детьми, которые выросли без телевидения, без видеоигр и даже без книжек. Большинство из них слышали музыку только тогда, когда бродячий актер появлялся в их городке со своей скрипкой. Газеты были редкостью и попадали в городок с опозданием на многие месяцы. Таких вещей, как гамбургеры, пицца и игрушки-трансформеры, вообще не существовало.

Правда заключалась в том, что у нее не было совершенно ничего общего с этими ребятишками из другого столетия. В работе с этими детьми ей не удастся опереться на опыт собственного детства. Это все равно что обучать пришельцев с другой планеты.

С помощью Майкла и неожиданно с помощью миссис Цоллер, которая относилась к школе как к собственному любимому детищу, помещение стало теплым и приветливым. Очаг прочистили, все следы грязи и пыли исчезли. Эмма развесила по стенам некоторые из произведений Ребекки Ларсон — те, которые чуть надкололись или треснули в печи при обжиге, — и изучила старые школьные учебники Майкла, чтобы понять, как учить этих детей.

Учебники не слишком помогли, но по крайней мере она поняла значение некоторых устаревших слов, в которых было так много слогов, что со счета можно сбиться.

— Доброе утро, — произнесла она голосом, полным неискренней уверенности.

— Доброе утро, миссис Грэхем, — ответили дети.

Эмма заморгала. Она почему-то не ожидала ответа, а предчувствовала вместо него угрюмое молчание. Оглядела ряды учеников, не снявших ни пальто, ни сапог, они ерзали на своих отремонтированных лавках. Майкл починил лавки с поразительной быстротой и ловкостью. Перед каждым лежали грифельная доска и два куска мела, чтобы писать на них. В этой школе не было бумаги, только доски и мел.

Ученики были самых различных возрастов. Ее диплом давал ей право преподавать в начальных классах. Как она сможет учить четырнадцатилетнего мальчика?

Девочка в первом ряду подняла руку. Эмма улыбнулась ей.

— Да. Пожалуйста, представься.

Девочка стянула с головы выцветший розовый капор и явила миру великолепную гриву русых волос.

— Меня зовут Ханна. — Она пригладила волосы и посмотрела на остальных девочек, словно бросая им вызов.

Эмма заметила девочку со стрижеными каштановыми волосами, которая неподвижно смотрела прямо перед собой. Она подошла к ней и наклонилась.

— Меня зовут миссис Грэхем, — мягко произнесла она. — А как твое имя?

Девочка ничего не ответила, потом ее нижняя губка задрожала.

— Меня тоже зовут Ханна, — сказала она наконец убитым голосом.

— Ну, это очень красивое имя.

Первая Ханна отбросила назад волосы, тряхнув головой.

— Спасибо, миссис Грэхем.

Эмма осталась возле темноволосой девочки.

— А как твоя фамилия, Ханна?

После короткого колебания та ответила:

— Робинсон. Моя фамилия Робинсон.

— Значит, ты будешь Ханна Р., — сказала Эмма, что вызвало легкую улыбку на губах девочки.

— А моя фамилия Ван Уайк, — объявила длинноволосая Ханна.

— Тогда ты будешь Ханна В.

Эмма обошла комнату, попросив детей называть свои имена и немного рассказать о себе.

— Меня зовут Аза Блейк. — Голос четырнадцатилетнего мальчика ломался, когда он говорил. — Я живу на самой окраине города и очень хорошо играю в шашки. Только считаю совсем плохо, поэтому мой папа послал меня сюда ненадолго.

— Я Элмер Дженкинс, — сказал следующий мальчик. — У нас много свиней, а моего любимого борова зовут Джаспер.

— Ага. — Эмма скрестила руки на груди. — Как поживает мистер Джаспер? Я его в последнее время что-то не встречала, Элмер.

— Ну, он в это время года немного напуган, потому что сейчас время забоя свиней, и все такое. Думаю, запах коптящихся окороков навевает грусть на бедного Джаспера, миссис Грэхем.

Эмма постаралась скрыть улыбку при мысли о грустном борове и перешла к следующему ученику. Это был мальчик лет восьми.

— Меня зовут тоже Аза. — Он хихикнул. — То есть не тоже Аза, а просто Аза. Моя фамилия Циммерман, поэтому, наверное, я буду Аза Ц. — Он поерзал на лавке. — Тут как-то вечером мои родители издавали такие странные звуки. Правда, я даже уснуть не мог от всех этих криков и шума, которые они устроили.

— Они дрались? — спросил Элмер Дженкинс.

— Так я сперва и подумал, — задумчиво ответил Аза Ц.

— Миссис Грэхем! — Ханна В. помахала рукой в воздухе. — Я однажды слышала историю про одного человека, которого звали Синяя Борода, так он убивал всех своих жен. Вешал их в сарае, одну за другой, в ряд. Интересно, отец Азы Ц. тоже пытался убить свою жену?

— Нет! — Аза Ц. встал. — Ничего подобного! Я подумал, что кому-то из них больно, поэтому и вошел к ним, а они просто переодевались.

— Переодевались? — переспросил кто-то из детей.

— Ага. Они сказали, что хотели одеться потеплее. Не знаю, почему они не зажгли лампу, но им пришлось повозиться с пуговицами и так далее в темноте. Вот почему они так шумели.

Четырнадцатилетний парень загоготал, но когда Эмма сурово взглянула на него, затих.

— Отлично. А теперь я напишу на доске несколько слов и хочу, чтобы вы написали эти слова на своих грифельных досках.

По комнате пронесся стон — знакомый звук, звук, издаваемый нерадивыми учениками. Эмма остановилась. И запах тоже. Раньше, когда комната была пустой, этого запаха не чувствовалось. Но теперь ошибиться было невозможно: это детский запах, который так хорошо знаком ей по Бруклину. Он оказался здесь, в штате Индиана 1832 года!

Она начала писать, когда открылась дверь. Это был Джордж Вашингтон Ларсон, держащий во рту два пальца и сжимающий в руке ведерко со своим ленчем.

— Доброе утро, Джордж. — Эмма взяла его за руку. Кожаный шнурок на его ботинке развязался, поэтому она наклонилась и завязала его бантиком. Двое других детей попросили тоже зашнуровать им ботинки, и Эмма про себя с сожалением помянула облегчившее жизнь изобретение — липучку.

Наконец она смогла снова обратить внимание на Джорджа, который выглядел очень одиноким и испуганным и с еще большим пылом сосал свои пальцы. Она нагнулась к нему поближе и спросила:

— Где ты хочешь сесть?

В классе оставалось несколько свободных мест, и когда Эмма вела мальчика к одному из них, Элмер Дженкинс встал.

— Миссис Грэхем, мэм! Этот Джордж Ларсон — он индеец, а мне не позволяют и близко подходить ни к одному из них, потому что мой дядя Генри был убит индейцами. Мама говорит, если хоть один индеец появится в школе, я должен идти домой. Она боится за меня.

Эмма остановилась, совершенно ошеломленная. Выражение лица Джорджа осталось бесстрастным. Он просто смотрел прямо перед собой.

— Мне очень жаль, что так случилось с твоим дядей, Элмер, — заговорила Эмма. — Джордж? — Малыш поднял глаза, и Эмма сжала его руку. — Ты обещаешь никого в школе сегодня не убивать?

Последовало короткое молчание, и дети озадаченно переглянулись. Джордж вытащил изо рта мокрые пальцы.

— Обещаю, мэм.

Элмер Дженкинс покраснел, некоторые из ребят захихикали несколько смущенно. Потом, когда маленькому Джорджу пришлось помогать залезть на лавку, даже Элмер Дженкинс начал улыбаться.

Эмма остановилась у парты Элмера.

— Я поговорю с твоей мамой, Элмер. Может быть, она изменит свое решение.

Эмма вернулась к доске и начала писать.

День понемногу двигался к концу, поначалу медленно, потом Эмма с удивлением обнаружила, что этот день уже кончился. Дети потянулись к выходу, некоторые толкали друг друга. Аза Ц. дернул Ханну В. за волосы, а потом сделал вид, что это не он, а другой мальчик.

И они ушли.

Эмма сидела в непривычно тихой комнате, болтовня детишек, идущих от школы, замирала в отдалении. Доска была исписана цифрами, буквами и словами.

Дверь класса открылась, и к ней подошел Майкл.

— Как прошло?

Она вздохнула:

— Так же, как всегда. Не могу в это поверить, Майкл. Здесь есть и выскочка, и озорник, и классный клоун. Думаю, есть даже несколько трудных родителей.

Ее последние слова заглушил его поцелуй.

— Я так горжусь тобой, Эм! — шепнул он. — Так горжусь!


К тому времени как Эмма и Майкл вернулись домой, оба были без сил. Он молчал всю дорогу от школы и смотрел прямо перед собой, пока они пробирались по глубокому снегу.

— Майкл?

— А?

— Как ты думаешь, может, мне устроить в школе рождественский праздник? Мы могли бы пригласить весь город. В классе уже развешаны украшения, а за школой я видела несколько елочек. Может быть, я смогу приготовить маленькие подарки для детей.

— Подарки? Эмма, никто так не празднует Рождество здесь, у нас. — Он остановился. — По крайней мере не праздновали до твоего приезда.

— Но я готова держать пари, что детишкам это понравилось бы, — вздохнула она. Они вошли в дом и повесили на вешалку свои пальто. — А если я разучу с ними постановку «Двенадцать дней Рождества»? Это был бы хороший способ научить их складывать числа и слова, а я могла бы получить представление об уровне их подготовки, не заставляя никого смущаться. Я считаю, что дети в школе должны учиться с удовольствием, а ты?

— Может быть. — Майкл положил дрова в очаг, поджег и раздувал огонь, пока дрова не занялись.

Эмма наблюдала за его движениями, за сильными руками, за поразительным профилем. Словно догадавшись, что она смотрит на него, Майкл медленно встал и повернулся к ней.

— Эм. — Голос его был тихим.

Она шагнула в его объятия и закрыла глаза, а он покачивал ее в свои руках, бережно и нежно.

— Доктор говорит, что мы можем попробовать еще раз, — прошептал он.

— Знаю. Но ведь земля замерзла, и идет снег.

Его губы прижались к ее виску, потом к шее.

— Я говорю не о розовых кустах.

Позже, в оранжевом свете спальни, слушая потрескивание углей в очаге, Эмма смотрела на спящего Майкла.

Это было так естественно — быть здесь, с ним. Какая необычайная, волшебная сила забросила ее сюда? Или забросила его к ней? Это, должно быть, волшебство, чисто рождественское чудо.

Майкл глубоко вздохнул и притянул ее поближе, но она не могла уснуть. Ее мысли унеслись назад, в другое время и место, которые казались далекими, как воспоминания о давно ушедшем.

Кольцо. Она подняла левую руку и прикоснулась к кольцу. Оно было таким приятным, таким гладким на ощупь.

Тогда, раньше, она не сумела прочесть надпись. Буквы были стертыми от времени. Какие удивительные слова написал Майкл? Она медленно стащила кольцо с пальца, чтобы прочесть. В то мгновение когда кольцо соскальзывало с кончика ее пальца, она почувствовала, как Майкл потянулся к ней:

— Нет, Эм! Не надо!

А затем она уснула.


## Глава 9

Что-то теплое щекотало ей нос. В полусне она протянула руку и вздохнула:

— Майкл.

И скатилась на пол.

Ахнув, Эмма протерла глаза. То теплое, что щекотало ей нос, издало жалобный вопль.

— Том.

Эмма уставилась на кота, выгнувшего спину у ее бедра. За окном взвизгнула автомобильная сигнализация.

— Нет.

Ее рука взлетела вверх и опрокинула кружку, из которой она пила горячий шоколад, теперь пустую и холодную. Несколько секунд Эмма только и могла, что оглядывать свою мебель и телевизор, по которому шли утренние новости.

— О Господи, нет!

Золотое кольцо. Она опустила взгляд на свою руку. Кольцо исчезло.

— Майкл?

Как больно произносить его имя, зная, что ответа не будет! Все это было сном. Тот городок, та жизнь.

И Майкл.

Все это было потрясающим, прекрасным сном.

Диктор по телевизору объявил о надвигающемся сильном буране, опасных дорожных условиях, образовании льда на дорогах. Сейчас семь часов тридцать минут, добавил он.

Она опоздала — ей надо бежать в школу. На нее накатил приступ тошноты, озноба, боли, какого-то тяжелого головокружения. Потом все кончилось.

Эмма машинально проделала необходимые действия — приняла душ, оделась, накормила кота, полила комнатные растения. Она двигалась словно в трансе, ничего не чувствуя и не разрешая себе ни о чем думать.

Кольца нигде не было. Эмма на четвереньках облазила всю комнату, но не смогла отыскать кольцо. От синтетических ворсинок ковра горели колени и ладони, но какое это имело значение.

Эмме нужно было поплакать. Она чувствовала, как рыдания поднимаются откуда-то из глубины, не дают вздохнуть; ее охватило непреодолимое желание просто рухнуть на пол и закричать.

Но Эмма не могла. Ее ждал целый класс первоклашек. И она знала, что если начнет плакать, то не сможет остановиться. Очень долго.

Возможно, вечером она сможет выплакаться, потрясать кулаками в воздухе и спрашивать, почему ей пришлось смотреть такой сон. Она уже знала, что после этого сна о Майкле ее жизнь рухнула. Никогда больше она не сможет обрести покой, никогда не сможет убедить себя в том, что абсолютно счастлива.

С этого момента любая маленькая радость будет испорчена. Теперь она узнала настоящую радость, но эта радость ускользнула от нее навсегда.

Эмма пошла той дорогой, по которой так часто ходила раньше, зашла в кондитерскую выпить кофе, проверила свою почтовую ячейку в главном офисе школы. Привычный распорядок дня был пустым и бессмысленным, каждый ее поступок казался ей жестокой насмешкой.

Секретарь поздоровалась с ней, и Эмма, кажется, ответила на приветствие. Чья-то мама вручила ей мешочек, полный всякой дребедени. Эмма поняла, что это как-то связано с подготовкой к Рождеству.

Классная комната ничуть не изменилась: слегка испачканные парты, запах пластилина и бумаги для рукоделия и легкий аромат чего-то неуловимого, детского. Как может этот класс остаться таким же, если весь ее мир перевернулся?

Дети приходили так же, как всегда, входили в класс, шнурки развязаны, волосы растрепаны и стоят дыбом от статического электричества. Когда Эмма заговорила, она услышала эхо своих слов, словно другая Эмма Грэхем стояла рядом с ней и произносила те же самые слова:

— Ну, кому надо завязать шнурки?

К ней, шаркая ногами, подошли несколько детишек, пересмеиваясь и толкая друг друга. Она завязала пару кроссовок «Красавица и чудовище», ботинки «Черепашки-ниндзя», кроссовки «Аладдин» и две пары мокасин «Покахонтас». Перед мокасинами она помедлила, почувствовав легкое головокружение.

Маленькая ручка похлопала ее по плечу. Эмма подняла глаза, и на мгновение у нее перехватило дыхание. Это был тот новенький мальчик, Аза. Он выглядел как-то необычно.

— Мисс Грэхем? Пришел мой папа, он хочет поговорить с вами насчет кольца.

— Прекрасно, — пробормотала Эмма, и перед ней появилась следующая пара ног. «Только этого мне и не хватало, — подумала она, — объяснять совершенно незнакомому человеку, каким образом потерялось его старинное кольцо». Она машинально завязала шнурки на очередных кроссовках прочным двойным узлом, но тут до нее дошло, что эта пара большая и на ней нет рисунков героев мультиков.

Эмма на секунду зажмурилась и потерла пульсирующие виски, чтобы избавиться от боли. Стараясь взять себя в руки, она встала, от души желая, чтобы этот день уже кончился. Чтобы она еще не просыпалась. Чтобы оказаться в любом другом месте, только не здесь.

— Эм? — Его голос прозвучал очень тихо, и она подумала, что ей почудилось.

Глаза Эммы открылись, перед ней стоял Майкл — ее Майкл.

Теперь он был одет в два свитера, один на другой, и в спортивные брюки. Но это был, несомненно, Майкл. Он казался более крупным, сильным и уверенным, и все же это был он — его блестящие волосы, прекрасно вылепленное лицо и удивительные глаза.

— Простите, — произнес он бесцветным голосом, распрямляя плечи. Под глазами у него были круги. — Вы очень похожи на одну мою знакомую — бывшую знакомую. Я отец Азы.

Он протянул руку, и она машинально пожала ее. От его крупной ладони исходило тепло. Она узнала ее.

— Майкл. — Ее голос дрогнул.

— Да, мисс Грэхем? — Один из двух классных Майклов дернул ее за юбку.

— Нет, не ты. Я разговариваю с... — У Эммы задрожали колени, но она продолжала держаться за его руку.

— Эм. — Отец Азы протянул другую руку и заправил ей за ухо прядку волос.

— То золотое кольцо... — сказала Эмма. — Я не могу его найти.

Он кивнул. Он тоже казался ошеломленным.

— Аза рассказал мне, что отнес его в школу. Это пара обручальных колец, реликвия моей семьи. Я проверил коробочку вчера вечером, Эм. Оба лежат там. — Он сглотнул. — Их нельзя разделить. Насколько я знаю, эти кольца спаяны вместе, соединены уже более ста лет. — Он оглядел классную комнату, потом заговорил снова: — Я держал их в руке прошлой ночью, и мне приснился сон.

— Индиана?

Он глубоко вздохнул.

— Да. Городок в прерии, в тысяча восемьсот тридцать втором году.

— Овертон-Фоллз. — Этого не может быть. — Ларсоны и судья Хокинс.

— Это невозможно. — Произнося эти слова, он положил руку ей на плечо. — С тобой все в порядке, Эм? Я хочу спросить, как ты себя чувствуешь?

— Прекрасно, — машинально ответила она. Потом покачала головой. — Теперь прекрасно. Сегодня утром, когда я проснулась, мне хотелось умереть.

Он не улыбнулся.

— Мне тоже. Я не знал, что делать, как прожить этот день. — Он шагнул назад, его взгляд снова ласкал ее. — Ты получила свой класс.

— У мисс Грэхем есть парень! У мисс Грэхем есть парень! — Эмма не узнала, чей это голос. Ей было все равно.

Наконец он улыбнулся улыбкой, которая разлилась по лицу и зажгла изнутри его глаза.

Когда она снова смогла говорить, ее голос прозвучал хриплым шепотом:

— А ты? Чем ты занимаешься?

Майкл взглянул на свои свитера и рассмеялся тем густым смехом, который она уже не надеялась услышать наяву, только во сне. Теперь он эхом разносился по ее классу, смешиваясь с радостными голосами детей.

— Собирался пробежаться по парку. Я думал, что от этого у меня прояснится в голове. — Все его тело, казалось, расслабилось.

— Идет снег, Майкл. Земля замерзла, и идет снег.

— Знаю. Я надеялся найти снегоочиститель и бежать вслед за ним. Наверное, я не очень хорошо это продумал. — Запустив руку в волосы, он продолжал: — Я общественный защитник, Эм. Был партнером в крупной фирме некоторое время, но понял, что не для этого изучал право.

Аза наблюдал за ними. Эмма вдруг поняла, что мальчик смотрит на их переплетенные руки.

— Мы весной собираемся посадить кусты роз во дворе перед домом, мисс Грэхем. Это моя идея. — Аза выпрямил свою узенькую спинку. — Это была целиком моя идея. Целиком моя.

С загадочной улыбкой, от которой он стал казаться гораздо старше своих шести лет, Аза отошел к своей парте.

— Как ты считаешь, что произошло? — Майкл тоже посмотрел вниз, на их руки. — Как нам мог присниться один и тот же сон? И почему мы не ощущаем его как сон?

Поглядев прямо в его глаза, глаза, которые она так хорошо знала, Эмма смогла лишь подавить в себе желание заплакать, на этот раз — от счастья.

— Может быть, — тихо сказала она, — может быть, это просто рождественское чудо.

# СОДЕРЖАНИЕ

Литературно-художественное издание

# Дар любви

Художественный редактор О.Н. Адаскина
Компьютерный дизайн: Ю.Ю.Миронова
Технический редактор О.В. Панкрашина

Подписано в печать 06.08.99.
Формат 70х100 $^1/_{32}$. Усл. печ. л. 16,12.
Тираж 20 000 экз. Заказ № 2001.

Налоговая льгота — общероссийский классификатор продукции
ОК-00-93, том 2; 953000 — книги, брошюры

Гигиенический сертификат
№ 77.ЦС.01.952.П.01659.Т.98 от 01.09.98 г.

ООО "Фирма "Издательство АСТ"
ЛР № 066236 от 22.12.98.
366720, РФ, Республика Ингушетия,
г.Назрань, ул. Московская, 13а
Наши электронные адреса:
WWW.AST.RU
E-mail: astpub@aha.ru

Отпечатано на ордена Трудового Красного Знамени
Чеховском полиграфическом комбинате
Государственного комитета Российской Федерации по печати
142300, г. Чехов Московской области
Тел. (272) 71-336. Факс (272) 62-536